ANDERS ROSLUND
BÖRGE HELLSTRÖM

Anders Roslund a longtemps été journaliste avant de se consacrer à l'écriture.

Victime d'abus sexuels dans son enfance, familier des institutions pénitentiaires pour y avoir fait plusieurs séjours, **Börge Hellström** est l'un des fondateurs d'une association de réinsertion d'anciens détenus.

Roslund et Hellström sont considérés comme les deux figures de proue de la nouvelle génération du polar suédois.
La bête (2009) est leur premier ouvrage paru en France, suivi de *Box 21* (2010) puis de *L'honneur d'Edward Finnigan* (2011), tous aux éditions Presses de la Cité.

Retrouvez le site officiel des auteurs sur :
www.roslund-hellstrom.com

D0812837

BOX 21

ANDERS ROSLUND
ET
BÖRGE HELLSTRÖM

BOX 21

Traduit du suédois par
Terje Sinding

PRESSES DE LA CITÉ

Titre original :
Box 21

© Anders Roslund & Börge Hellström, 2005
Publié avec l'accord de Salomonsson Agency

© Presses de la Cité, un département de place des éditeurs,
pour la traduction française

ISBN 978-2-266-21442-1

Extrait d'un dossier médical,
hôpital Söder, Stockholm

« *Femme d'une vingtaine d'années, identité inconnue, arrivée en ambulance à 09 h 05. Découverte inconsciente dans un appartement de Völundsgatan 3, suite à l'alerte d'un voisin.*

Etat général : pas de réaction aux stimuli. Peau livide et froide au toucher. Lacérations sur plusieurs dizaines de centimètres dans le dos, hématomes multiples, égratignures au visage. Tuméfaction importante au niveau de l'humérus gauche.
Respiration régulière, mais rapide. Pas de bruit parasite.
Pouls régulier, mais filant. 110 bpm.
Tension : 95/60 mmHg.
Abdomen dur et tendu.

Conclusions provisoires : la patiente semble avoir été victime de violences multiples (coups de fouet ?). Symptômes d'état de choc. Soupçons d'hémorragie interne, lésions de la rate et fracture de l'humérus gauche. Admise en soins intensifs. »

Onze ans plus tôt

Elle tenait fermement la main de sa mère.

Depuis un an, elle faisait souvent ça : elle serrait fort la main de sa mère, et sa mère faisait pareil.

Elle ne voulait pas y aller.

Elle s'appelait Lydia Grajauskas. En montant dans le car à la vilaine gare routière de Klaipeda, elle avait déjà mal au ventre et cela ne s'était pas arrangé.

Elle n'était jamais allée à Vilnius. Elle avait imaginé la ville, vu des photos, entendu des gens en parler, mais elle ne voulait pas y aller. Ce n'était pas un endroit pour elle, elle n'avait rien à y faire.

Cela faisait plus d'un an maintenant.

A l'époque, elle allait sur ses neuf ans et elle s'était dit qu'une grenade à main ferait un beau cadeau d'anniversaire.

Papa ne l'avait pas remarquée, il était assis le dos tourné. Dans le local crasseux, tout le monde braillait et buvait en maudissant les Russes. Vladi et elle étaient couchés tête-bêche sur le canapé. Le gros canapé recouvert de velours marron râpé qui sentait mauvais. Ils s'y installaient parfois quand il n'y avait pas école et que papa travaillait. Ils écoutaient. Ça parlait de pistolets, de caisses de munitions. Fascinés par la voix forte des hommes, ils s'y étaient attardés. Papa avait les joues rouges. Ça ne lui arrivait jamais. Sauf à la maison quand il buvait au goulot et qu'il se frottait contre le derrière de maman. Chaque fois, ils croyaient qu'elle n'avait rien vu et elle se gardait bien de montrer qu'elle avait compris. Alors papa buvait encore une gorgée avant de passer la bouteille à maman, puis ils s'enfermaient dans l'unique chambre après avoir chassé tout le monde.

Lydia aimait bien quand il avait les joues rouges. A la maison et quand il était avec les autres, en train d'astiquer leurs armes. Alors il paraissait plus vivant, moins vieux. Parce que, sinon, il avait l'air vieux. Il avait presque vingt-neuf ans.

Elle jeta un coup d'œil à travers la vitre du car.

La route était pleine de nids-de-poule et son ventre lui faisait de plus en plus mal. Chaque fois que les roues passaient sur un trou, son siège vibrait et elle sentait une douleur aiguë dans les côtes.

C'était donc à cela qu'il ressemblait, ce monde qu'elle ne connaissait pas. Cette vaste plaine entre Klaipeda et Vilnius. C'était la première fois qu'on l'emmenait ; le billet coûtait cher et l'essentiel était que maman puisse y aller. Depuis bientôt un an, maman prenait le car un dimanche sur deux, avec de la nourriture et de l'argent qu'elle s'était procuré Dieu sait comment. Lydia avait du mal à imaginer son père. Qu'est-ce qu'il lui dirait ? Il pensait surtout à maman, sans doute.

Le jour des grenades à main, il ne l'avait même pas remarquée.

Couchée sur le canapé, elle s'était penchée en avant

pour fouiller dans les caisses d'explosifs et de grenades. Elle avait fait signe à Vladi de se taire ; les hommes n'aimaient pas être dérangés. Elle savait comment cela fonctionnait. Les explosifs, les grenades et les pistolets. Elle avait souvent observé les hommes quand ils s'exerçaient et elle en savait aussi long sur les armes que certains d'entre eux.

Elle regarda de nouveau à travers la vitre sale du car.

Il tombait des cordes. La pluie aurait dû tout nettoyer, mais les gouttes provoquaient des éclaboussures de boue et elle distinguait à peine le paysage. La route devenait meilleure, il n'y avait plus de nids-de-poule, plus de secousses, plus de douleurs dans les côtes.

Quand la police avait enfoncé la porte du local, elle tenait une grenade à la main.

Papa et les autres n'avaient pas été assez rapides ; en quelques minutes, on les avait menottés, alignés contre le mur, roués de coups. Elle ne se souvenait plus du nombre d'assaillants : dix ou vingt ? Mais ils avaient crié « *Zatknis !* », ils avaient brandi des pistolets comme ceux que papa vendait et ils avaient gagné la bataille avant même qu'elle ait commencé.

Leurs cris s'étaient mélangés aux bruits des bouteilles cassées et des armes qui s'entrechoquaient. Tous ces bruits qui lui avaient écorché les oreilles et qui avaient fini par céder la place à un étrange silence quand papa et les autres s'étaient retrouvés allongés par terre.

C'était de cela qu'elle se souvenait, surtout. Du silence qui avait succédé aux bruits.

La main de maman. Elle la serra de nouveau, la tira vers elle, la posa sur le siège du car en s'y agrippant si fort que ses jointures blanchirent. Exactement comme

15

elle l'avait fait dans le couloir du tribunal de Klaipeda en attendant le verdict du procès. Maman et elle y étaient restées assises en se tenant la main, et maman avait pleuré quand un greffier en costume gris était venu leur annoncer que papa et les autres avaient été condamnés à vingt et un ans de prison.

Elle ne l'avait pas vu depuis un an. Il n'allait sûrement pas la reconnaître.

Lydia tenait fermement le filet à provisions que maman avait préparé. Il était plein à craquer. Maman lui avait parlé de ce qu'on leur donnait à manger. De la bouillie tous les jours et rien d'autre. Elle avait parlé de vitamines ; sans vitamines on tombait malade, avait-elle dit. C'était pour cela qu'il fallait apporter de la nourriture.

Le car roulait plus vite maintenant. La route était plus large, il y avait davantage de circulation et les maisons devenaient de plus en plus grandes à mesure qu'ils s'approchaient de Vilnius. Jusque-là, elle n'avait aperçu que des bâtiments plus ou moins délabrés ; désormais elle voyait des immeubles qui lui paraissaient très modernes, alors qu'il s'agissait seulement de logements gris et tristes où s'entassait plein de monde. Puis apparaissaient des maisons plus coquettes et une succession de stations-service. Elle souriait en les montrant du doigt ; jamais elle n'avait vu autant de stations-service.

La pluie avait presque cessé. Elle était soulagée. Elle ne voulait pas avoir les cheveux mouillés ; pas aujourd'hui.

La prison de Lukuskele se trouvait à une centaine de mètres de l'arrêt du car. L'établissement était imposant. Entouré de hauts murs, il occupait tout un pâté de maisons. C'était une église orthodoxe désaffectée flanquée de bâtiments plus récents. Plus de mille hommes y étaient enfermés.

Devant la lourde porte en fer il y avait déjà la queue : d'autres femmes et d'autres enfants. On laissait entrer une famille à la fois. A l'intérieur, dans une pièce sombre, des gardes en uniforme les attendaient. Il fallait répondre à des tas de questions. Montrer sa carte d'identité. Déballer tout ce qu'on avait apporté. Un des gardes lui souriait, mais elle n'osait pas répondre à son sourire.

Maman se tourna vers elle.

— Si quelqu'un tousse, tu sors immédiatement.

Lydia voulut lui demander pourquoi, mais elle se ravisa. Comme toujours quand elle parlait de choses graves, maman avait pris un air sévère. Elle ne voulait manifestement pas en dire davantage.

On leur fit traverser un passage entre deux rangées de barbelés. Des chiens blancs se précipitèrent contre la clôture en aboyant. Derrière les barreaux d'une fenêtre, elle aperçut deux hommes qui les suivaient du regard, qui leur faisaient signe en criant.

— Ma mignonne ! Regarde-moi, ma mignonne !

Elle poursuivit son chemin en évitant de tourner la tête. Le prochain bâtiment n'était pas loin.

Maman tenait son filet dans les bras et Lydia chercha en vain à lui prendre la main. Elle sentit de nouveau une douleur au ventre. Comme dans le car, lorsque les roues étaient passées sur les nids-de-poule. On leur fit prendre une cage d'escalier d'un vert clinique ; la couleur était trop violente et elle s'efforça de regarder le dos de sa mère en s'abritant les yeux de la main.

Elles montèrent jusqu'au troisième étage et suivirent le garde à travers un long couloir sentant le renfermé et le détergent. Devant des portes, il y avait des récipients où il était marqué *tbc*. L'un était ouvert ; elle y jeta un coup d'œil. Dedans, il y avait des mouchoirs en papier pleins de sang.

Les prisonniers avaient le crâne rasé. Ils étaient pâles et paraissaient fatigués. Certains baissaient les yeux, d'autres étaient emmitouflés dans des draps, deux ou trois bavardaient près d'une fenêtre. Huit lits étaient alignés contre le mur ; c'était le quartier des malades. Papa était assis un peu à l'écart.

Lydia le regarda à la dérobée. Il lui semblait plus petit qu'avant.

Il ne l'avait pas aperçue. Pas encore.

Elle attendit un bon moment.

Maman s'approcha de lui, ils se dirent quelques mots, mais elle n'entendit rien. Lydia continua de l'observer. Elle se rendit compte qu'elle n'avait plus honte. Plus maintenant. Elle pensa à l'année qui venait de s'écouler, aux rires méprisants de ses camarades de classe ; maintenant, ça ne lui faisait plus rien. Pas quand elle était ici, si près de lui. Même la douleur au ventre avait disparu.

Quand elle l'embrassa, il se mit à tousser. Au lieu de sortir, comme elle l'avait promis à sa mère, elle ne bougea pas. Elle le serra fort dans ses bras et ne voulut pas le lâcher.

Elle le haïssait. Elle aurait voulu qu'il revienne à la maison.

Aujourd'hui

Première partie

LUNDI 3 JUIN

L'appartement était silencieux.

Cela faisait longtemps qu'elle n'avait pas pensé à lui. Ni aux autres. Mais maintenant elle y pensait. Elle se rappelait le jour où il l'avait serrée dans ses bras, dans la prison de Lukuskele, quand elle avait dix ans. Quand il lui avait paru si petit, qu'il avait été secoué de quintes de toux et que maman lui avait tendu un mouchoir en papier qu'il avait rempli de sang avant de le jeter dans un des gros récipients du couloir.

A l'époque, elle n'avait pas compris que ce serait la dernière fois. Sans doute ne l'avait-elle toujours pas compris.

Lydia prit une profonde inspiration. Chassant un sentiment de malaise, elle sourit à son reflet dans la grande glace de l'entrée. Il était encore tôt.

On frappa à la porte. Elle tenait toujours sa brosse à cheveux. Depuis combien de temps était-elle assise là ? Elle rencontra son propre regard dans la glace. Sa tête légèrement penchée. Elle sourit de nouveau, s'efforça

23

de paraître jolie. Elle portait une robe noire. Le tissu sombre contre sa peau claire. Son corps, elle s'en rendit compte, était toujours celui d'une jeune femme. Elle n'avait pas beaucoup changé. Pas physiquement.

Elle ne bougea pas.

On frappa de nouveau, plus fort. Elle ferait mieux d'ouvrir. Elle se leva, posa la brosse sur la petite étagère sous la glace. Elle s'appelait Lydia Grajauskas et elle avait pris l'habitude de le chanter, elle le chantait à présent sur l'air d'une chanson qu'elle avait apprise à l'école. Le refrain comptait trois vers et elle remplaçait les paroles par « Lydia Grajauskas ». Elle faisait toujours ça quand elle avait peur.

Lydia Grajauskas
Lydia Grajauskas
Lydia Grajauskas

Arrivée près de la porte, elle s'arrêta de chanter. Il était de l'autre côté. Si elle collait son oreille à la porte, elle l'entendrait respirer, elle reconnaîtrait son souffle. Il était déjà venu plusieurs fois, huit ou neuf. Elle connaissait son odeur, c'était presque la même que celle des hommes qui travaillaient avec son père dans ce local crasseux où elle s'installait sur le canapé quand elle était petite. Presque la même : une odeur de cigare, d'eau de toilette et de transpiration sous la veste ajustée.

Il frappa. Pour la troisième fois.

Elle ouvrit. Il était là, costume sombre, chemise bleu clair, pince à cravate en or. Cheveux blonds coupés court. Il était bronzé ; il pleuvait depuis quinze jours, mais il était bronzé comme en plein mois d'août. Il l'était tout le temps. Elle lui adressa un sourire. Le même qu'à la glace. Elle savait qu'il aimait ça.

Ils ne se touchèrent pas. Pas encore.

Il franchit le seuil, pénétra dans l'appartement. Elle jeta un rapide coup d'œil sur l'étagère à chapeaux, sur les patères : je peux te débarrasser de ta veste si tu veux. Il secoua la tête. Il devait avoir dix ans de plus qu'elle ; la trentaine, pensa-t-elle. Mais elle n'en était pas sûre.

Elle avait de nouveau envie de chanter.

Lydia Grajauskas, Lydia Grajauskas, Lydia Grajauskas.

Comme d'habitude, il leva la main, toucha délicatement sa robe noire, laissa glisser son doigt le long des bretelles et lui caressa le sein. Toujours à travers le tissu.

Elle ne bougea pas.

Sa main décrivit un large cercle autour de son sein gauche avant de se diriger vers l'autre. Elle retint son souffle, resta immobile et s'efforça de sourire.

Puis il cracha. Elle garda le sourire.

Ils étaient tout près l'un de l'autre. Il parut lâcher sa salive plutôt que la projeter. Le crachat lui atteignait rarement le visage : en général, il atterrissait devant ses pieds, devant ses escarpins noirs.

Il la trouva trop lente. Il pointa son index vers le sol.

Lydia se baissa. Elle continuait de lui sourire, elle savait qu'il aimait ça ; parfois, il souriait aussi. On entendit un petit déclic quand elle serra les genoux. Elle se mit à quatre pattes et leva la tête. Elle demanda pardon. Il exigeait qu'elle le fasse. Il avait appris comment on le disait en russe ; c'était important, il voulait être sûr qu'elle employait le bon mot. Elle prit appui sur ses bras, s'accroupit, s'affaissa presque. Son nez toucha le sol. En avalant le crachat, elle sentit le froid du carrelage contre sa langue.

Puis elle se redressa. C'était ce qu'il lui avait ordonné de faire. Elle ferma les yeux, essaya de deviner quelle joue ce serait.

La droite ; ce serait sûrement la droite.

Ce fut la gauche.

Il la gifla du plat de la main ; sa paume lui recouvrit entièrement la joue. Ce fut à peine douloureux. Ça laisserait une trace, il l'avait frappée de toutes ses forces, mais elle sentait juste une brûlure. Si on décidait que ça ne ferait pas mal, on sentait juste une brûlure.

Il pointa de nouveau son index.

Son geste était inutile, Lydia savait ce qu'il attendait d'elle. Mais il faisait toujours ça, il agitait toujours son doigt. Elle devait aller dans la chambre, se mettre debout devant le lit recouvert d'un couvre-lit rouge. Elle le précéda, il fallait marcher lentement en se caressant négligemment les fesses ; il voulait qu'elle respire fort et elle sentait son regard dans son dos. Comme si ses yeux lui touchaient le corps.

Elle s'arrêta devant le lit.

Elle défit les trois boutons dans le dos de sa robe, la laissa glisser sur ses hanches et la fit tomber par terre.

Son soutien-gorge, son slip : de la dentelle noire comme il l'aimait, des sous-vêtements qu'il lui avait achetés et qu'il lui avait fait jurer de n'utiliser avec personne d'autre.

Il se coucha sur elle et elle n'eut plus de corps.

C'était comme ça qu'elle s'y prenait. Toujours.

Elle pensait à ceux qui étaient à la maison, à ce monde qu'elle avait connu et qui lui manquait. Qui lui manquait chaque jour depuis qu'elle était ici.

Ici, ici et maintenant, elle n'existait pas. Ici, elle n'était qu'un visage sans corps. Elle n'avait pas de gorge, pas de seins, pas de sexe, pas de jambes.

Quand il la touchait brutalement, quand il la pénétrait, quand elle saignait de l'anus, ce n'était pas elle. Elle était ailleurs ; tout ce qui restait d'elle, c'était un visage qui chantait *Lydia Grajauskas* sur un refrain d'autrefois.

Il pleuvait quand il se gara sur le parking.

C'était un de ces étés où, au réveil, on se dirigeait lentement vers la fenêtre de sa chambre en retenant son souffle, dans l'espoir que le soleil allait enfin apparaître. C'était un de ces étés de pluie incessante et de regards résignés devant la grisaille et les trombes d'eau contre les vitres.

Ewert Grens poussa un soupir. Il coupa le contact et resta là sans bouger. Au bout d'un moment, il ne voyait plus rien, le pare-brise n'était plus qu'un lit de rivière. Il n'avait pas le courage d'y aller. Pas la force. L'accablement le submergeait ; une semaine s'était encore écoulée et il avait presque cessé de penser à elle.

Il respirait lourdement. Jamais il ne pourrait l'oublier.

Il vivait toujours auprès d'elle, chaque jour, chaque heure depuis vingt-cinq ans. Il n'y avait rien à faire.

La pluie s'était un peu calmée et il distinguait la maison. Une grande villa en briques rouges des années soixante-dix, avec un jardin presque trop soigné. Ce qu'il préférait, c'étaient les pommiers ; il y en avait six, qui venaient juste de terminer leur floraison.

Il détestait cette baraque.

Il lâcha le volant, ouvrit la portière et descendit. Le bitume défoncé était couvert de grosses flaques d'eau ; il essaya de les éviter, mais il eut les chaussures trempées avant même d'avoir fait la moitié du chemin. Il tenta de chasser son sentiment de malaise, mais à chaque pas sa vie lui semblait s'éteindre un peu plus.

Ça sentait le vieux. Il venait là tous les lundis matin, mais il ne s'y était jamais habitué. Ils n'étaient même pas spécialement vieux, tous ces gens qui se promenaient en fauteuils roulants ou avec des déambulateurs. Il ne comprenait pas d'où venait cette odeur.

— Elle est dans sa chambre.

— Merci.

— Elle sait que vous venez.

Elle n'en savait rien du tout. Mais il hocha la tête ; la jeune aide-soignante l'avait reconnu, elle avait simplement voulu se montrer aimable. Elle ne pouvait pas deviner combien cela lui faisait mal.

Il passa devant un homme assis dans un fauteuil du hall, un type de son âge qui souriait en permanence et faisait signe de la main à tous les visiteurs. Puis il y avait Margareta, qui poussait toujours de grands cris si on ne lui demandait pas comment elle allait. Tous les lundis matin ils étaient là, comme s'ils posaient pour une photo que personne ne prenait. Lui manqueraient-ils si un jour ils disparaissaient ? Ou en éprouverait-il du soulagement ?

S'arrêtant devant la porte, il resta un instant immobile.

La nuit, il lui arrivait parfois de se réveiller en sueur. Elle lui avait souhaité la bienvenue d'une voix bien audible, lui avait tendu la main et serré la sienne, heureuse d'être aimée. En pensant à ce rêve récurrent, il eut le courage d'ouvrir la porte et d'entrer dans son univers : quatorze mètres carrés, avec une fenêtre donnant sur le parking.

— Bonjour.

Elle était assise au milieu de la chambre, son fauteuil roulant tourné vers la porte. Elle le regardait, mais rien dans ses yeux n'indiquait qu'elle l'avait reconnu. Elle n'avait même pas entendu sa voix. Il s'avança, caressa sa joue froide, lui parla de nouveau.

— Bonjour, Anni. C'est moi. Ewert.

Elle éclata de rire. Un rire incongru, trop fort ; celui d'une enfant.

— Tu me reconnais, aujourd'hui ?

Elle rit de nouveau, toujours aussi fort et mal à propos. Il approcha la chaise posée devant le bureau qui ne servait à rien et s'assit à côté d'elle. Il lui prit la main et la garda entre les siennes.

Ils s'étaient donné du mal pour la faire belle.

Ils avaient coiffé ses cheveux blonds, les avaient retenus avec des barrettes, une de chaque côté. Et ils lui avaient mis une robe bleue qu'il n'avait pas vue depuis longtemps et qui sentait le propre.

Il était toujours aussi étonné de voir comme elle avait peu changé. Vingt-cinq ans dans un fauteuil roulant, au pays de l'inconscience. Elle paraissait à peine plus âgée

30

qu'à l'époque. Lui-même avait pris vingt kilos, plein de rides et perdu ses cheveux. Elle était inaltérable. Comme si son exclusion du monde lui avait conféré une sorte de jeunesse insouciante.

Il essaya de nouveau de lui parler. Son babillage. Quand elle se tourna vers lui, il eut encore le sentiment qu'elle voulait lui dire quelque chose. Il lui serra la main en déglutissant.

— Demain, il sort.

Elle gloussa et se mit à baver. Il prit un mouchoir et lui essuya le menton.

— Tu comprends ce que je te dis, Anni ? Demain, il sort. Il sera libre. Il viendra encore nous foutre la merde.

Sa chambre était exactement comme le jour où elle était arrivée. C'était lui qui avait choisi les meubles qu'elle allait emporter, c'était lui qui les avait installés ; il était le seul à savoir qu'elle aimait dormir face à la fenêtre.

La première nuit, elle avait paru confiante.

Il l'avait portée jusqu'au lit. Il l'y avait couchée en bordant bien son corps si léger. Il était resté auprès d'elle jusqu'au petit jour. Elle avait dormi profondément. Il l'avait quittée à son réveil. Laissant la voiture, il avait fait tout le chemin jusqu'à l'hôtel de police de Kungsholmen à pied. Ça lui avait pris la matinée.

— Cette fois-ci, je ne le raterai pas.

Elle le regarda comme si elle l'écoutait. Il savait qu'il n'en était rien, mais cela lui donna presque l'impression qu'ils se parlaient comme autrefois.

Son regard. Attentif ou tout simplement vide.

Si j'avais eu le temps de m'arrêter.

Si ce salopard ne t'avait pas tirée hors de la voiture.

Si ton crâne n'avait pas été plus fragile que la roue.

Ewert Grens se pencha au-dessus d'elle et lui embrassa le front.

— Tu me manques.

Il venait de partir. Celui qui portait un costume sombre et une pince à cravate en or, celui qui avait l'habitude de cracher par terre devant ses pieds. Cette fois-ci, ça n'avait servi à rien de penser à Klaipeda, d'occulter son propre corps, de n'être plus qu'un visage. Elle l'avait senti en elle ; il lui arrivait parfois d'avoir mal quand on la pénétrait en lui criant de remuer.

Lydia se demanda si l'odeur était vraiment à lui.

Cette odeur qui ressemblait à celle des hommes qui travaillaient avec son père dans ce dépôt d'armes crasseux. Elle se demanda si c'était une bonne chose de l'avoir reconnue, si cela voulait dire qu'elle était encore liée à tout ce passé qui lui manquait tant. Ou si elle se faisait souffrir en pensant à ce qu'elle avait perdu. Si elle se blessait à force de se cogner à ses souvenirs.

Après avoir fini, il n'avait pas dit grand-chose. Il s'était contenté de la regarder et de lui faire signe du doigt une dernière fois. Puis il avait ajouté quelques mots. En partant, il ne s'était même pas retourné.

Lydia éclata de rire.

Si elle avait eu un sexe, elle n'aurait pas supporté qu'il le remplisse de son sperme. Elle aurait senti son organe en elle. Mais elle n'avait pas de sexe. Elle n'était qu'un visage.

Tout en riant, elle se frottait le corps avec une serviette blanche. Elle insistait, sa peau devenait rouge, elle se frictionnait le cou, les épaules, les seins, le sexe, les cuisses, les pieds.

Elle faisait tout disparaître à grande eau. Son odeur, son haleine, ses mains. Le jet était brûlant, à la limite du supportable, la honte était une pellicule visqueuse qui refusait de s'en aller.

A la fin, elle s'assit par terre dans la cabine de douche et se mit à chanter. Son refrain, celui de la chanson de Klaipeda.

Lydia Grajauskas
Lydia Grajauskas
Lydia Grajauskas

Elle adorait cette chanson. C'était leur chanson à elle et à Vladi ; tous les matins ils l'avaient chantée à tue-tête sur le chemin de l'école. Une syllabe à chaque pas, leurs noms encore et toujours.

— Arrête de chanter !

Dans l'entrée, Dimitri criait en direction de la salle de bains. Elle continua. Il frappa contre le mur, cria de nouveau : qu'elle se dépêche de sortir, nom de Dieu ! Elle resta assise sur le carrelage mouillé mais cessa de chanter.

— Qui c'est qui vient maintenant ?

Sa voix était à peine audible.

— T'as des dettes à rembourser, salope !

— Je veux savoir qui vient.

— Lave-toi la chatte. T'as un nouveau client.

Lydia entendit la colère monter dans sa voix. Elle se redressa, s'essuya, se mit devant le lavabo et se regarda dans la glace. Elle s'appliqua du rouge à lèvres, plusieurs couches. Puis elle enfila les sous-vêtements crème en soie légère que quelqu'un avait fait livrer et que Dimitri lui avait donnés le matin même.

Quatre Rohypnol et un Valium. Elle déglutit, sourit à son reflet et avala les comprimés avec un demi-verre de vodka.

Elle ouvrit la porte de la salle de bains. Le prochain client, le second de la journée, un nouveau qu'elle n'avait encore jamais vu, attendait sur le palier. Dimitri s'était installé dans la cuisine. En se dirigeant vers la porte d'entrée, elle le vit lui jeter un regard furieux.

Elle laissa frapper une deuxième fois, puis elle ouvrit.

Hilding Oldéus se grattait énergiquement une plaie dans le nez.

A cause de l'héroïne, il souffrait d'une infection chronique de la narine droite ; quand il sniffait, ça le démangeait. Depuis des années, son nez était à vif ; ça le brûlait et il ne pouvait s'empêcher d'y plonger le doigt. En farfouillant avec son index, il s'arrachait des lambeaux de peau.

Il jeta un œil autour de lui.

Cette salle d'attente, qu'est-ce qu'il pouvait la détester ! Pourtant, il y revenait toujours. Dès qu'il y avait un problème, il était là, prêt à se fendre d'un sourire pour qu'on lui refile un peu de fric. Ça faisait huit jours qu'il était dehors. Il avait salué les gardiens d'Aspsås, dit tchao à Jochum. Jochum Lang, à qui il avait fait de la lèche pendant des mois. Il avait eu besoin de s'abriter derrière quelqu'un, et Jochum était sacrément balèze ; personne n'aurait osé s'en prendre à Hilding quand Jochum était là. Jochum lui avait dit à la prochaine, il lui restait juste une semaine à tirer – Hilding se rendit compte tout à coup que ça y était, que la semaine était passée – mais ils ne se reverraient sans doute jamais. Jochum l'avait protégé, mais il était clean et les gens clean avaient tendance à disparaître de la vie de Hilding.

Il n'y avait pas grand monde. Quelques Gitanes, un connard de Finlandais et un couple de retraités. Ils avaient besoin de fric, ces deux-là ? Hilding grattait encore sa plaie, c'était interminable, ces gens lui faisaient perdre son temps.

Ça n'allait pas. Il avait les nerfs en pelote. Il ne voulait rien sentir, rien, et là c'était l'enfer, tout l'agressait, il lui fallait sa dose, oublier cette merde, seule l'héro pouvait le soulager, et puis tous ces crétins qui traînaient dans cette salle d'attente, ce n'était pas bientôt son tour maintenant ?

— A qui le tour ?

Elle venait enfin d'ouvrir la porte, cette grosse connasse d'assistante sociale.

Il se mit debout. Maigre comme un clou, il marchait d'un pas saccadé. On voyait qu'il était jeune, qu'il n'avait pas encore la trentaine, avec ses traits enfantins que sa peau abîmée ne parvenait pas à altérer. En route vers on ne sait quoi, mais certainement pas vers la vie.

Il se gratta de nouveau le nez. Il était en nage ; on était au mois de juin, mais il pleuvait tout le temps et il se promenait avec un grand imper. On ne respirait pas là-dedans, il s'était dit qu'il fallait l'enlever, mais il n'en avait pas eu la force. Il s'installa sur la chaise de visiteur, devant un bureau parfaitement rangé et des étagères vides. Il regarda nerveusement autour de lui, mais il n'y avait personne d'autre. En général elles étaient toujours deux, pourtant. Deux connasses d'assistantes sociales.

Klara Stenung referma la porte et s'assit derrière son bureau. Elle avait vingt-huit ans, le même âge que le junkie en face d'elle. Elle l'avait déjà reçu, elle connaissait son identité et savait comment il allait finir. Des types comme lui, elle en avait vu beaucoup. Elle avait passé deux ans dans un service social de banlieue et cela en faisait trois qu'elle travaillait à l'institut Katarina-Sofia, dans le centre-ville. Maigres, stressés, parlant fort, fraîchement sortis de prison, ils défilaient dans son bureau. Ils disparaissaient parfois pendant des mois, mais ils revenaient toujours.

Elle se leva et lui tendit la main. Il la contempla, eut envie de lui cracher à la figure, mais prit finalement sa main et la serra mollement.

— J'ai besoin d'argent.

Soutenant son regard, elle attendit la suite. Elle connaissait son dossier, elle savait tout de lui. Hilding Oldéus était comme les autres. Pas de père, une mère dépassée par les événements, deux sœurs aînées qui se débrouillaient comme elles pouvaient. Plutôt intelligent, plutôt timide, complètement paumé. Alcool à treize ans, cannabis à quinze. A partir de là, tout s'était accéléré. Héroïne sous forme de joints, en piqûres, première peine de prison à dix-sept ans. A vingt-huit ans, il en était à dix séjours derrière les murs. Pour des vols, parfois pour du recel. Des affaires minables. Il était du genre à se précipiter dans un 7-Eleven armé d'un couteau à pain et à réclamer la caisse, puis à rester devant le magasin pour filer son fric aux dealers et se shooter dans la cage d'escalier d'à côté. Et à ne rien comprendre quand les gens de la boutique indiquaient sa cache à la police et qu'il se retrouvait dans le panier à salade.

— Tu connais ma réponse. Je ne peux pas te donner de l'argent.

Il s'agita sur sa chaise, se balança, faillit tomber.

— Mais merde enfin, je sors de taule !

Elle l'observa. Il criait en se grattant le nez. Sa plaie saignait.

— Désolée. Tu n'es pas enregistré. Ni en tant que chômeur, ni en tant que demandeur d'emploi.

Il se leva.

— Espèce de connasse ! J'ai pas un rond ! Et j'ai faim, bordel !

Des gouttes de sang tombèrent par terre, ça coulait de son nez, le lino jaune se teintait de rouge. Il criait, il menaçait, mais ça n'irait pas plus loin. Jamais. Il saignait, mais il ne cherchait pas la bagarre et elle le savait. Pas une seconde elle n'envisagea d'appeler à l'aide.

Il frappa contre l'étagère.

— Vos règles à la con, j'en ai rien à foutre !

— Ce n'est pas la peine de t'énerver. Tu n'auras pas

d'argent. Mais je peux te donner des bons de nourriture pour deux jours.

Un camion passa devant la fenêtre, le bruit résonna dans la rue étroite. Hilding ne l'entendit pas. Il n'entendait rien. Cette conne lui parlait de bons de nourriture. Depuis quand est-ce qu'on pouvait acheter de l'héro avec ça ? Il regardait cette grosse fille qui lui proposait des bons de nourriture, il regardait ses gros nichons et son collier de perles en bois. Il ricanait, il gueulait ; à la fin, il donna un coup de pied dans la chaise et l'envoya valser contre le mur.

— J'en ai rien à foutre de tes bons ! Va falloir que je me démerde pour trouver du fric tout seul. Espèce de gourdasse !

Il traversa la salle d'attente en courant, faisant sursauter les Gitanes et le Finlandais et les retraités. Se tassant sur leurs chaises, ils levèrent la tête mais gardèrent le silence. « Espèces de cas sociaux à la noix », leur cria-t-il. Puis il ajouta quelques mots incompréhensibles. Sa voix se brisa dans l'aigu, brouillée par le sang qui coulait de son nez et laissait des traces partout. Dans l'escalier, dans le hall, dans Östgötagatan et jusqu'à Skanstull.

C'était un été pourri.

Du vent, des températures ne dépassant guère vingt degrés, quelques rares matinées de soleil, puis la pluie qui frappait de nouveau contre les toits et noyait les barbecues.

Ewert Grens lui avait tenu la main aussi longtemps que possible. Au bout d'un moment elle avait commencé à s'agiter et à baver plus fort, comme elle le faisait quand elle en avait assez de rire et de babiller. La prenant dans ses bras, il lui avait embrassé le front en lui disant qu'il reviendrait la semaine prochaine. Sans faute.

Si seulement tu avais pu résister un peu plus longtemps.

Il traversait maintenant le pont de Lidingö. Il se rendait chez Bengt Nordwall, qui s'était installé à Eriksberg, à quelques dizaines de kilomètres au sud de Stockholm. Il roulait trop vite et il vit soudain cette image qui ne cessait de le hanter : lui-même au volant d'une autre voiture. Celle de la brigade de recherche et d'intervention dont il avait été le chef vingt-cinq ans plus tôt.

Il avait aperçu Lang et il savait qu'il était recherché. Il s'était lancé à la poursuite du fuyard. Assis à l'arrière, Bengt avait ouvert la portière, et Anni, qui était à côté de lui, avait attrapé Lang en criant qu'il était en état d'arrestation.

C'était elle qui occupait cette place.

C'était pour ça que Jochum Lang avait pu la tirer hors de la voiture.

Ewert Grens mit le clignotant et s'arrêta au bord de la route, laissant défiler les salariés stressés qui se rendaient à leur travail. Il coupa le moteur et ne bougea plus en attendant que les images s'effacent. Depuis quelques années, quand il venait de lui rendre visite, c'était toujours pareil : les souvenirs cognaient dans sa tête et l'empêchaient de respirer. Il resta garé un bon moment sans se préoccuper des coups de klaxon. Le temps de se sentir prêt à repartir.

Encore un quart d'heure et il y serait.

Bengt l'attendait dans la petite rue du quartier pavillonnaire. Ils se saluèrent, puis ils restèrent un moment côte à côte sous la pluie en contemplant le ciel.

Ils n'étaient pas du genre à sourire à tout propos ; c'était peut-être un effet de l'âge, à moins qu'ils n'aient toujours été comme ça. Mais la grisaille compacte et les trombes d'eau finirent par leur arracher une moue d'amusement. Que faire d'autre ?

— Qu'est-ce que tu en dis ?

— Ce que j'en dis ? Que j'ai décidé de m'en foutre.

Ils haussèrent les épaules et s'assirent sur les coussins détrempés de la banquette de jardin.

Ils se connaissaient depuis trente-deux ans. Ils

s'étaient rencontrés quand ils étaient jeunes, mais la vie avait passé vite, il ne leur en restait même plus la moitié.

Ewert Grens regarda son ami. Son seul véritable ami, le seul qu'il fréquentait en dehors du travail, le seul qu'il supportait. Toujours mince, il avait conservé ses cheveux. Ils avaient le même âge, mais Bengt paraissait bien plus jeune. Peut-être à cause de ses enfants encore petits. Ça vous empêche de vieillir.

Ewert n'avait pas d'enfants, il était chauve et son corps s'était alourdi. Sa démarche claudicante, les pas légers de Bengt : ils avaient un passé commun, ils étaient policiers tous les deux, mais ils n'avaient pas le même rapport au temps. Comme si Ewert avait brûlé sa vie plus vite.

Bengt poussa un soupir.

— Toute cette flotte. Pas moyen d'emmener les gosses dehors.

Ewert se demandait pourquoi son vieil ami continuait de l'inviter. Avait-il du plaisir à le voir ou était-ce par devoir ? Avait-il pitié de lui, à le savoir si seul, si désemparé dès qu'il quittait l'hôtel de police ? Ewert ne refusait jamais ses invitations, mais il ne pouvait s'empêcher de se poser des questions.

— Aujourd'hui, elle allait bien. Elle m'a dit bonjour. J'en suis certain.

— Et toi, Ewert, comment vas-tu ?

— Qu'est-ce que tu veux dire ?

— Je ne sais pas. Mais tu parais… abattu depuis quelque temps. Surtout quand tu parles d'Anni.

Ewert ne répondit pas. Il regarda distraitement autour de lui, observa cet univers banlieusard auquel il ne comprenait rien. Il n'était pas mal, leur pavillon.

Comme les autres : en brique, entouré d'arbustes bien taillés et d'une pelouse où traînaient des jouets en plastique décolorés par le soleil. S'il avait fait beau, les deux enfants auraient été en train de jouer derrière la maison. Bengt était devenu père sur le tard, à près de cinquante ans. Lena avait vingt ans de moins que lui. Il avait eu droit à un nouveau départ. Ewert ne comprenait pas ce qu'une jeune femme intelligente et jolie pouvait trouver à un flic entre deux âges. Il était ravi de voir Bengt heureux, mais ça le dépassait.

Ils étaient trempés, leurs vêtements pesaient lourd. Ils ne s'en apercevaient même pas, ils avaient oublié la pluie. Ewert se pencha vers son ami.

— Tu sais quoi ?

— Non ?

— Jochum Lang sort aujourd'hui.

Bengt secoua la tête.

— Il faut laisser tout ça derrière toi.

— C'est facile pour toi de parler. Ce n'était pas toi qui étais au volant.

— Et ce n'était pas moi qui l'aimais. Mais ce n'est pas ça le problème. Il faut que tu arrêtes d'y penser. Ça s'est passé il y a vingt-cinq ans, Ewert.

Il s'était retourné vers la banquette arrière.

Il l'avait vue s'accrocher au fuyard.

Ewert Grens respirait lourdement. Il passa sa main sur son crâne dégoulinant, sentit la rage qui surgissait dès que le passé revenait.

Jochum Lang avait fait volte-face. Il l'avait tirée hors de la voiture. Bengt n'avait pas eu le temps de l'attraper par son ceinturon.

Ewert poussa un soupir, se frotta de nouveau le crâne.

C'était à ce moment-là, quand elle était tombée et que la roue arrière lui avait heurté la tête, qu'il avait compris que leur vie commune était terminée.

En s'enfuyant, Lang avait ri. Et il avait encore ri quand on l'avait condamné à quelques mois de prison pour coups et blessures.

Ewert Grens le haïssait.

Bengt ouvrit le bouton du haut de sa chemise trempée. Il chercha le regard de son ami.

— Ewert ?

— Oui ?

— On dirait que tu n'es pas là.

Ewert Grens contempla la pelouse détrempée, les tulipes qui ployaient sous l'eau dans les plates-bandes soignées. Il était fatigué.

— Je le coincerai, ce salopard.

Bengt lui entoura l'épaule de son bras. Grens sursauta ; il n'en avait pas l'habitude.

— Laisse tomber, Ewert.

Tout à l'heure elle avait ri comme une gamine et il lui avait tenu la main. Une main froide, molle. Il se rappelait sa main d'autrefois, chaude et ferme.

— A partir d'aujourd'hui, il se promènera dans les rues. Tu comprends ça ? Lang se promène dans les rues et il nous emmerde.

— Tu es sûr que c'était la faute de Lang ? C'était peut-être la mienne ; je n'ai pas été capable de la retenir. C'est peut-être moi que tu devrais haïr. C'est peut-être moi que tu devrais coincer.

Le vent s'était levé, la pluie leur fouettait le visage. Derrière eux, la porte de la terrasse s'ouvrit. Une femme apparut, un parapluie à la main. Elle avait une trentaine

46

d'années, ses cheveux formaient une auréole autour de sa tête et elle souriait.

— Mais vous êtes fous !

Ils se retournèrent. Bengt répondit à son sourire.

— Allez, venez. Le déjeuner est prêt.

— Là, tout de suite ?

— Là, tout de suite, oui. Les gosses ont faim.

Ils se levèrent. Leurs vêtements leur collaient à la peau. Ewert Grens regarda le ciel ; il était toujours aussi gris.

C'était encore le matin. Elle entendait les oiseaux, ils n'arrêtaient pas de chanter. Assise sur le lit, Lydia les écoutait ; c'était beau, ils chantaient comme ils le faisaient entre les immeubles en béton de Klaipeda. Elle s'était réveillée plusieurs fois pendant la nuit, elle ne savait pas pourquoi ; elle avait rêvé du jour où sa mère et elle étaient allées à Vilnius, à la prison de Lukuskele. Elle avait rêvé que son père lui faisait signe de la main pour lui dire au revoir. Elles l'avaient quitté dans le couloir sombre de la section des tuberculeux. Elles venaient de passer devant une quinzaine de prisonniers en train de moisir dans la pièce réservée aux séropositifs quand Lydia l'avait vu s'écrouler. Elle s'était figée. Comme il ne s'était pas relevé, elle s'était précipitée, elle avait essayé de le remettre debout et elle y était enfin parvenue. Il avait toussé, crachant du sang et de la bile. Dans son rêve elle avait tout revu ; maman s'était approchée, elle avait pleuré et crié jusqu'à ce qu'une infirmière vienne emmener papa.

Elle avait refait plusieurs fois le même rêve. Un rêve qu'elle n'avait jamais fait avant.

Lydia soupira longuement, se poussa un peu et ouvrit les cuisses comme l'homme en face d'elle le lui avait demandé.

Il était assis à quelques mètres d'elle. Un homme entre deux âges ; il devait avoir la quarantaine. L'âge qu'aurait eu son père.

Il venait une fois par semaine depuis un an. Tous les lundis matin. Il était ponctuel. C'était son troisième client de la journée ; il frappait toujours à la porte au moment où elle entendait neuf heures sonner à l'église.

Il ne crachait pas. Il ne voulait pas la pénétrer. Elle échappait à son organe. Elle ne connaissait pas son odeur.

Il la prenait dans ses bras quand elle lui ouvrait la porte, mais ensuite il ne la touchait plus. Il se contentait de se tenir fermement le sexe en lui faisant signe de se déshabiller.

Il voulait qu'elle remue le bassin pendant qu'il se masturbait. Il voulait qu'elle gémisse comme la chienne qu'il avait eue autrefois. A force de se toucher, il avait le sexe violacé. Au moment de jouir, il se renversait dans son fauteuil, laissant son sperme couler sur le cuir noir.

A neuf heures vingt, il eut terminé. Il quitta l'appartement avant que ne sonne la demie. Après son départ, Lydia resta assise sur le lit. Les oiseaux gazouillaient ; elle les entendait de nouveau.

Tout le long de l'Östgötagatan, des gouttes de sang tombaient de sa narine droite. Hilding courait à moitié. Son séjour à Aspsås n'avait pas amélioré sa forme physique, il n'était pas de ceux qui calmaient leur haine ou se donnaient une contenance en soulevant de la fonte, mais il courait de son mieux, paniqué et furieux après sa rencontre avec cette conne d'assistante sociale de l'institut Katarina-Sofia. A l'approche du boulevard circulaire et de la station de métro de Skanstull, il soufflait comme un phoque.

J'en ai rien à foutre de tes bons ! Va falloir que je me démerde pour trouver du fric tout seul.

— Hé !

Une gamine se tenait devant lui sur le quai. Hilding lui donna une tape dans le dos. Elle devait avoir douze ou treize ans. Comme elle ne répondait pas, il recommença. Se détournant ostensiblement, elle regarda fixement l'endroit où la rame ne tarderait pas à apparaître.

— Hé ! Je te parle.

Il avait vu son téléphone portable. Ignorant ses protestations, il s'avança d'un pas et le lui arracha des mains. Puis il composa un numéro et attendit qu'on décroche.

Hilding se racla la gorge.

— C'est moi. Ton frère.

Elle tarda à répondre.

— J'ai besoin que tu me prêtes du fric.

Il l'entendit pousser un soupir.

— Tu n'auras pas un sou.

— S'il te plaît. Pour manger. Et pour m'acheter des fringues. Rien d'autre.

— Va voir les services sociaux.

Il regarda l'appareil d'un air furieux, prit une profonde inspiration et se mit à hurler.

— Bordel ! Va falloir que je me démerde, alors. Tu sais ce que ça veut dire. Ce sera ta faute !

Sa réponse fut la même que la dernière fois :

— Tu as fait un choix. C'est ton problème. Je ne veux rien savoir.

Puis elle raccrocha. Poussant un juron, Hilding Oldéus jeta le téléphone ensanglanté par terre. Quand il monta dans le wagon, la gamine était en larmes.

Il resta debout contre la porte, farfouillant dans sa narine. Des taches de sang, de la transpiration, un visage creusé et inexpressif. Il devait puer.

Il descendit à la gare centrale et prit l'escalator. La pluie s'était presque arrêtée, il se demandait d'ailleurs s'il avait plu dans la matinée. Il regarda autour de lui. Il continuait de transpirer dans son imper, ça lui coulait dans le dos. Traversant Klarabergsgatan, il poursuivit son chemin sur le trottoir d'en face. Du côté de la statue de Nils Ferlin, il pressa le pas et s'engouffra dans le cimetière de Sankta Clara.

C'était désert. Exactement comme il l'avait espéré.

Un type ivre mort dans l'herbe un peu plus loin. Sinon personne.

Contournant la tombe de Bellman, il se dirigea vers un banc posé sous un arbre ; ce devait être un orme.

Il étendit les jambes en chantonnant. Glissa sa main dans la poche droite de l'imper. Sentit la poudre à laver, y plongea ses doigts. Fouilla dans la poche gauche de l'autre main, sortit un paquet contenant vingt-cinq pochettes pour timbres. Des petites enveloppes de huit centimètres sur six. Puis il mélangea la poudre à laver avec l'amphétamine qui se trouvait dans les pochettes.

Il avait besoin de fric et il en aurait bientôt.

C'était le soir. Sa journée était terminée, il ne viendrait plus personne.

Lydia traversa lentement l'appartement. La pénombre lui plaisait, la plupart des lampes étaient éteintes. L'appartement était grand, c'était le plus grand qu'elle avait connu depuis qu'elle était là : quatre pièces.

Elle s'arrêta dans l'entrée.

Elle contempla le dessin du papier peint, sans savoir pourquoi. Suivit du regard les fines rayures qui couraient du sol au plafond. Elle le faisait souvent, elle restait là, sans doute parce que ça lui rappelait quelque chose qu'elle avait vu autrefois, sur les murs d'une autre pièce.

Lydia se souvenait de cette autre pièce avec une grande précision.

La police militaire qui enfonçait la porte, les hommes alignés contre le mur, les voix qui criaient « *Zatknis, zatknis* » et l'étrange silence qui avait suivi.

Elle savait que son père avait déjà fait de la prison. Qu'il avait accroché un drapeau lituanien chez eux et qu'il avait été condamné à cinq ans de prison à Kaunas. A l'époque elle était petite, elle n'avait que trois ou quatre ans, mais tout de même, de la prison pour un drapeau ! Elle secoua la tête, elle ne comprenait toujours pas. Bien sûr, on n'avait plus voulu de lui à l'armée. Un jour il avait gueulé, elle s'en souvenait très bien ; il n'y avait plus de vodka et il avait les joues rouges, cela s'était passé dans la pièce au papier peint rayé, au milieu des armes volées qu'il s'apprêtait à revendre. Il avait gueulé : « Mais qu'est-ce que je peux faire d'autre ? Qu'est-ce que je peux faire d'autre quand les gosses meurent de faim et que l'Etat refuse de me verser ma solde ? »

Lydia s'était attardée dans l'entrée. Elle aimait le silence, le crépuscule qui tombait doucement et qui apportait le calme. C'était un appartement ancien, le plafond était haut et elle devait pencher la tête en arrière pour suivre du regard les fines rayures du mur. Il lui était arrivé de travailler seule dans des appartements plus petits, mais la plupart du temps elles étaient deux. Comme ça, les hommes avaient le choix.

Elle recevait douze hommes par jour.

Parfois plus, jamais moins. Sinon, Dimitri la frappait, ou il la prenait de force pour arriver au bon compte. Toujours par-derrière.

Elle avait son rituel. Tous les soirs.

Elle prenait une douche ; l'eau brûlante chassait leurs mains. Elle avalait ses comprimés, quatre Rohypnol et un Valium, avec un peu de vodka. Elle enfilait des vêtements amples qui gommaient sa silhouette ; personne ne la voyait, personne ne pouvait la toucher.

Malgré cela, il lui arrivait d'avoir mal au bas-ventre.

Aujourd'hui, c'était le cas. Elle savait pourquoi : elle avait eu deux nouveaux clients et les nouveaux étaient toujours brutaux. Mais elle ne disait jamais rien, il ne fallait pas les décourager de revenir.

Elle en eut assez de regarder le papier peint et se tourna vers la porte d'entrée. Ça faisait une éternité qu'elle ne l'avait pas franchie. Combien de temps ? Elle ne savait plus, quatre mois peut-être. Elle avait pensé à la fenêtre de la cuisine. On ne pouvait pas l'ouvrir, pas plus que les autres fenêtres, mais elle avait envisagé de casser la vitre et de sauter. Finalement elle avait eu peur, l'appartement était au sixième étage et elle n'avait aucune idée de ce qu'on ressentait en s'écrasant au sol. Elle se dirigea vers la porte, la toucha. Du métal, gris et froid. Respirant lentement, elle ferma les yeux, tendit les mains vers le voyant rouge et se maudit de n'avoir pas réussi à découvrir le fonctionnement de la serrure électronique. Elle avait essayé de voir comment faisait Dimitri, mais il savait qu'elle l'observait et il lui masquait toujours la porte.

Elle quitta l'entrée, traversa la pièce vide que pour une raison ou une autre elle s'obstinait à appeler salon et passa devant sa chambre. Elle regarda le grand lit qu'elle haïssait, mais où elle était obligée de dormir.

Elle continua jusqu'à la chambre suivante, celle d'Alena.

Sa porte était fermée, mais Lydia savait qu'elle avait terminé sa journée, qu'elle avait pris sa douche et qu'elle était seule.

Elle frappa.

— Oui ?

— C'est moi.

— J'essaie de dormir.

— Je sais. Je peux entrer quand même ?

Silence. Lydia attendit qu'Alena se décide.

— Bien sûr. Viens.

Alena était allongée sur le lit défait. Nue. Sa peau, plus foncée que celle de Lydia. Ses cheveux encore mouillés qu'elle aurait du mal à démêler demain matin. Après le départ du dernier client, elle restait souvent comme ça, regardant le plafond, se disant qu'elle n'avait jamais parlé à Janoz de son départ, que plusieurs années avaient passé et qu'il lui manquait toujours autant. Mais elle ne partait que pour quelques mois, elle allait revenir, ils allaient se marier.

Lydia ne bougea pas. Elle regarda la nudité d'Alena, pensa à son propre corps, ce corps qu'elle devait cacher sous des vêtements informes. Elle ne comprenait pas comment Alena pouvait rester sans vêtements dans ce lit. Alena était tout le contraire d'elle-même. Elle ne cachait rien, ne se défilait pas.

Alena fit un geste vers le lit, vers la place libre.

— Assieds-toi.

Lydia pénétra dans une chambre semblable à la sienne : le même lit, la même étagère, rien d'autre. Elle s'assit sur les draps froissés. Où quelqu'un d'autre s'était vautré il y a peu. Arrêta un instant son regard sur le papier peint rouge ; des fleurs minuscules, comme de la soie, qui formaient des guirlandes. Elle chercha la main d'Alena, la prit, la serra fort en chuchotant presque.

— Comment vas-tu ?

— Oh, tu sais.

— Comme d'habitude ?

56

— Comme d'habitude.

Elles se connaissaient depuis plus de trois ans. Elles s'étaient rencontrées sur le ferry. Elles avaient ri. Leur voyage commençait. Les vagues, l'écume blanche ; elles n'étaient jamais allées sur un bateau.

Lydia posa la main de son amie sur ses genoux, la serra toujours aussi fort, la caressa de sa main libre, mêla ses doigts à ceux d'Alena.

— Je sais. Je sais.

Alena resta immobile, ferma les yeux.

Sur son corps, il n'y avait pas de bleus. Sur celui de Lydia, si.

Lydia s'allongea à côté d'elle. L'espace d'un instant elles partagèrent le silence ; Alena auprès de Janoz qu'elle avait abandonné, à qui elle n'avait pas parlé de ses projets, et Lydia dans la prison de Lukuskele, parmi les hommes au crâne rasé, à la section des malades.

Puis Alena se redressa. Elle s'appuya contre le mur en glissant un oreiller derrière son dos. D'un geste, elle montra un journal qui traînait par terre.

— Prends-le.

Lydia lâcha la main d'Alena, se pencha en avant, ramassa le journal.

Elle ne demanda pas à Alena comment elle se l'était procuré. Elle comprit que c'était un client qui l'avait apporté, quelqu'un qui demandait des extras. Lydia n'avait pas beaucoup de clients qui lui apportaient des choses. Ce qu'elle voulait, c'était de l'argent. Priver Dimitri de la seule chose qui l'intéressait. Ceux qui lui demandaient des extras devaient payer un supplément. Cent couronnes.

Elle l'avait dit à Alena.

— Ouvre-le. Page sept.

Les clients leur donnaient cinq cents couronnes. Elle savait combien ça faisait, douze fois cinq cents couronnes tous les jours. Mais Dimitri leur piquait presque tout. Pour une journée complète, il leur laissait à chacune deux cent cinquante couronnes. Le reste, c'était pour la nourriture et le remboursement de leur dette. Elle avait demandé plus, mais Dimitri l'avait prise par-derrière et elle avait dû lui promettre de ne pas recommencer. C'était alors qu'elle avait décidé de se faire payer un supplément de cent couronnes de temps à autre. Surtout pour tromper ce salopard de Dimitri.

On la frappait.

Elle se laissait frapper.

La plupart ne frappaient pas fort, c'était juste pour s'exciter avant de la prendre. Elle leur comptait six cents couronnes. Elle en filait cinq cents à Dimitri, qui ne se doutait de rien. Elle avait commencé il y a un moment déjà, elle avait fait des économies et Dimitri ignorait tout.

Lydia ne parlait pas le suédois. Et le lisait encore moins. Elle ne comprenait ni le gros titre, ni le chapeau, ni l'article. Mais elle voyait la photo. Alena avait déplié le journal pour bien la lui montrer. En la voyant, elle poussa un cri, éclata en sanglots et se précipita dehors pour revenir aussitôt, en rage contre le journal.

— L'ordure !

Elle se jeta sur le lit à côté du corps nu d'Alena. Elle pleurait toujours, mais elle criait moins fort.

— L'ordure, l'ordure, l'ordure !

Alena attendit un instant. Ça ne servait à rien de

parler, il fallait laisser Lydia pleurer tout son soûl. Comme elle l'avait fait elle-même.

Elle la serra dans ses bras.

— Je vais te le lire.

Alena parlait le suédois. Lydia ne comprenait pas comment elle avait eu le courage de l'apprendre.

Elles avaient passé autant de temps en Suède toutes les deux, elles avaient reçu le même nombre d'hommes. Mais Lydia s'y refusait. Pas question d'apprendre la langue dans laquelle on la violait.

— Tu veux que je te le lise ?

Lydia ne voulait pas. Elle ne voulait pas. Elle ne voulait pas.

— Oui.

Elle se blottit contre la peau nue d'Alena, bénéficia de sa chaleur. Alena était toujours chaude à toucher. Elle-même avait tout le temps froid.

La photo, sans intérêt, représentait un homme entre deux âges appuyé contre le mur d'une maison. Il avait l'air content, comme si on venait de le complimenter. Il était mince, il portait la moustache et ses cheveux blonds étaient bien coiffés. Alena montra du doigt son visage, puis le gros titre, qu'elle lut en suédois avant de le traduire en russe. Lydia resta immobile, écouta, n'osa pas bouger. Puis venait l'article, rédigé à la hâte. Un drame qui s'était dénoué le matin même, quelques heures avant le bouclage. L'homme, un policier, avait réussi à engager le dialogue avec un petit braqueur qui avait pris cinq personnes en otage dans la salle des coffres d'une banque. En parlementant, il l'avait persuadé de se rendre. Ça n'avait rien d'extraordinaire. Pour un flic, c'était le quotidien ; demain, un autre le remplacerait dans le journal.

Mais il souriait.

Sur la photo, le flic souriait. Lydia pleurait de rage.

Il y en avait plein à Plattan, la partie basse de Sergels Torg. Qui se défonçaient au speed. Plus ou moins en manque.

Hilding s'éloigna un peu, se posta dans l'escalier qui montait vers Drottninggatan. Il se tenait toujours là, il fallait qu'on le voie. Des flics avec des jumelles se promenaient un peu partout, mais il s'en foutait.

Elle attendait plus loin, près de la bouche de métro. Une basanée. Il n'avait jamais vu une nana aussi petite, elle ne devait pas faire plus d'un mètre cinquante. Elle avait à peine vingt ans, mais elle était moche comme un pou avec sa masse de cheveux et sa veste crade. Elle était raide depuis trois ou quatre jours, elle ne pensait qu'à se shooter et à se faire sauter, à se shooter et à se faire sauter. Il savait qu'elle s'appelait Mirja. Elle avait un accent à couper au couteau, on avait du mal à la comprendre. Et quand elle était dans cet état-là, c'était encore pire. Comme si sa bouche refusait de lui obéir.

— T'en as ?

Il ricana.

— De quoi tu parles ?

— T'en as ?

— Si j'en ai ? T'en veux combien ?

— Un gramme.

Quelle pute. La came et la baise, il n'y avait que ça qui l'intéressait. Hilding s'étira, promena son regard sur Plattan, sur les flics qui déambulaient.

— Méthadone ou comme d'hab ?

— Comme d'hab. Pour trois cents couronnes.

Elle se pencha, fouilla dans sa chaussure, au niveau des lacets. Extirpant quelques billets froissés, elle lui en tendit trois.

— Comme d'hab.

Mirja était raide depuis une semaine.

Elle n'avait rien mangé, il lui fallait sa came, elle avait des lignes à haute tension dans le crâne, la parano ne la lâchait plus, ça tournait dans son cerveau et ça lui faisait mal comme seules les lignes à haute tension pouvaient le faire.

Elle se dépêcha, monta l'escalier jusqu'à Drottninggatan, continua jusqu'à l'église et pénétra dans le cimetière.

Elle entendait parler les gens à son passage. Leurs voix fortes. Ils savaient tout, ils connaissaient ses secrets, ils parlaient parlaient parlaient, mais ils allaient bientôt se taire. Du moins pour quelques minutes.

Mirja s'assit sur un banc près de l'entrée. Elle était pressée. Elle posa son sac et en sortit une bouteille de Coca à moitié remplie d'eau. Puis elle prit une seringue et aspira un peu d'eau qu'elle envoya dans l'enveloppe en plastique.

Elle était en manque, ça faisait si longtemps, elle ne se rendit pas compte que ça moussait dans l'enveloppe.

Elle souriait en remplissant la seringue. Elle la tint immobile un bref instant.

Elle l'avait fait tant de fois. Elle se dénuda le bras, se fit un garrot, chercha une veine et y enfonça l'aiguille.

La douleur fut immédiate.

Elle se leva d'un bond, voulut crier, mais sa voix était à peine audible. Elle tenta d'aspirer ce qu'elle avait déjà injecté.

La veine avait enflé, ça faisait un œdème de plus d'un centimètre de large sur tout l'avant-bras.

Puis elle ne sentit plus rien. Sa peau était devenue noire, le détergent avait fait exploser la veine.

MARDI 4 JUIN

Jochum Lang ne dormait pas. La dernière nuit était toujours la pire.

C'était l'odeur. Quand la clé tournait dans la serrure pour la dernière fois, il retrouvait l'odeur. Quelle que soit la taule, les cellules sentaient toujours pareil ; les murs, le lit, le placard, la table et le plafond étaient imprégnés de relents immédiatement reconnaissables.

Il s'assit sur le bord du lit. S'alluma une cigarette. Même la pression atmosphérique était identique. C'était idiot, personne ne le croirait, mais il le savait : dans chaque cellule, dans chaque prison, dans chaque maison d'arrêt, c'était pareil. Une pression qui n'existait nulle part ailleurs.

Il sonna. Il faisait toujours ça la dernière nuit. Se dirigea vers le boîtier métallique encastré dans le mur et appuya longuement sur le bouton rouge.

Le maton mit un certain temps à se manifester.

— Tu veux quelque chose, Lang ?

Le voyant rouge était allumé, c'était le surveillant-chef qui avait répondu. Se penchant en avant, Jochum colla sa bouche contre le microphone.

— Je veux prendre une douche pour me débarrasser de cette odeur.

— Oublie ça. Tu es toujours enfermé. Comme tout le monde.

Jochum les haïssait. Il avait purgé sa peine, mais ces petits merdeux tenaient à l'humilier jusqu'au bout.

Il retourna s'asseoir. Regarda autour de lui. Il attendrait dix minutes, puis il sonnerait de nouveau. En général, ils finissaient par céder. Trois ou quatre tentatives, et ils se pointaient, s'écartant juste assez pour le laisser passer. Ils savaient bien qu'il n'était pas assez fou pour les menacer alors qu'il ne lui restait qu'une nuit à tirer. Mais ils savaient aussi qu'ils risquaient de le croiser en ville dès le lendemain et qu'il valait mieux éviter les contentieux.

Il se leva. Fit quelques pas jusqu'à la grille de la fenêtre, puis se dirigea vers la porte métallique.

Il commença à préparer ses affaires : deux bouquins, quatre paquets de clopes, un savon, une brosse à dents, une pile de lettres et un paquet pas entamé de tabac à rouler. Deux années et quatre mois qu'il empilait dans un bac en plastique en prenant son temps. Après avoir terminé, il posa le bac sur la table.

Il sonna de nouveau, siffla d'énervement contre le microphone, contre le boîtier en métal que son haleine couvrit de buée. Ce salopard tardait encore.

— Je veux mes fringues.

— Tu les auras demain matin à sept heures.

— Je vais réveiller tout le monde.

— Tu fais comme tu veux.

Jochum se mit à tambouriner contre la porte. En face,

quelqu'un l'imita. Puis quelqu'un d'autre. Ça faisait du boucan. Cette fois-ci, le maton fut plus rapide à réagir.

— Mais tu es en train de réveiller tout le couloir !

— Je t'avais prévenu.

Le maton poussa un soupir.

— Bon. On va descendre à la réserve. Mais après, tu remonteras. De toute façon, tu ne sortiras pas avant sept heures du matin.

Le couloir était vide.

Derrière les autres portes, ils en avaient encore pour quelques années ; pour eux, le lever du jour viendrait bien assez tôt. Il traversa le couloir, seize cellules, huit de chaque côté, passa devant la salle de billard, le coin télé. Marchant derrière le maton, il contempla son dos. Un gringalet ; une fois sorti, il pourrait le réduire en bouillie en moins de deux. C'était un truc qu'il avait déjà fait.

Ils franchirent la porte au bout de la coursive, descendirent jusqu'aux galeries souterraines qu'il avait parcourues tant de fois, continuèrent jusqu'au centre de surveillance vidéo. La réserve était juste après, derrière le mur bardé de moniteurs. La quille, c'était ça : pénétrer parmi les sacs de jute qui sentaient le moisi, trouver le sien parmi la centaine d'autres, l'ouvrir, essayer les vêtements qu'il contenait. Trop petits ; ils étaient toujours trop petits. Cette fois-ci il avait pris sept kilos, il s'était entraîné comme un malade. Plus balèze que jamais. Il regarda autour de lui. Pas de miroir. Devant lui s'alignaient des boîtes avec des étiquettes portant chacune un nom : les affaires des longues peines qui n'avaient plus de domicile. Tout ce qu'ils possédaient était là, dans des cartons entassés à la réserve de la centrale d'Aspsås.

Il avait pris le flacon d'eau de toilette Karl Lagerfeld. Le maton n'avait rien vu, ou alors il s'en foutait. Jochum Lang n'avait plus senti de parfum pour homme depuis qu'on le lui avait confisqué, le jour de son arrivée. En cellule, pas d'alcool sous aucune forme que ce soit. Il se mit à poil, ôta le bouchon et versa tout le contenu sur son crâne rasé. Ça lui dégoulinait sur les épaules, sur le torse, sur les jambes et formait une flaque à ses pieds. Il sentait la cocotte, mais au moins il était débarrassé de cette odeur de prison qui lui collait à la peau.

Sept heures moins dix. Il était ponctuel, le merdeux.

La porte s'ouvrit en grand. Jochum Lang prit le bac en plastique, cracha sur le sol de la cellule et sortit.

Il ne lui restait plus qu'à traverser le couloir, enfiler les fringues qui le serraient trop, empocher les trois cents couronnes et le billet de train et dire au maton d'aller se faire foutre. Ensuite le portail s'ouvrirait lentement. Il s'approcherait de la caméra de surveillance, son bac en plastique dans les bras, et il lui ferait un doigt d'honneur. Puis il longerait le mur, baisserait son froc et pisserait contre le béton gris.

Dehors, le vent soufflait.

A l'hôtel de police, l'aurore avait la voix de Siw Malmkvist. C'était comme ça depuis toujours. Ewert Grens était dans la police depuis trente-trois ans et cela en faisait trente qu'il avait son propre bureau. Il possédait un lecteur de cassettes qui datait de cette époque, un engin avec un haut-parleur incorporé. On le lui avait offert pour son trentième anniversaire et il le déménageait délicatement à chaque réorganisation du service. Il n'écoutait que Siw Malmkvist. Il s'était concocté une série de compilations : le répertoire complet de la chanteuse, tous ses classiques enregistrés dans des ordres différents sur diverses cassettes.

Ce matin, c'était *En tout petits morceaux*, 1960 (titre original : *Everybody's somebody's fool*). Il arrivait toujours le premier et il poussait le son au maximum ; parfois on lui demandait de baisser le volume, mais en général on lui foutait la paix, car il avait un caractère de chien. La porte fermée, avec Siw à fond la caisse, il se plongeait dans ses dossiers pour oublier la vie.

Les événements de la veille étaient toujours présents. Anni, si belle quand il était arrivé, bien coiffée, avec sa robe fraîchement repassée. Il avait cru pouvoir établir un contact, ne pas être seulement un étranger qui lui tenait la main. Puis Bengt dans son joli pavillon plein de vie. Le déjeuner, avec les gosses barbouillés de nourriture et les parents qui le regardaient avec compassion. Il s'était montré reconnaissant, comme toujours. Il n'avait cessé de hocher la tête. Bengt, Lena et les enfants l'avaient traité comme un membre de la famille et il s'était senti plus seul que jamais. Et ce foutu sentiment ne voulait pas le lâcher. Il poussa encore un peu le son pour le chasser.

Ewert se leva et se mit à arpenter le lino fatigué. Il fallait penser à autre chose. A n'importe quoi, mais pas à ça. Pas d'hésitations ; pas aujourd'hui, plus maintenant. Il avait tout évacué au profit du travail. Au profit de l'existence quotidienne d'un policier. Cela s'était mis en place tout seul. D'abord une journée, puis une autre et encore une autre, puis trente-trois années sans femme ni enfants ni véritables amis, et de bons et loyaux services qui prendraient fin dans dix ans. Ce qui signifierait sa propre fin.

Il regarda autour de lui. Ce bureau était le sien le temps qu'il lui restait à travailler. Ensuite, il reviendrait à quelqu'un d'autre. Il continua de faire les cent pas, traînant la jambe, trimballant maladroitement son corps lourd et massif entre les étagères et la fenêtre. Il n'était pas beau, mais il était fort et impressionnant. Et en ce moment il était surtout en colère. Il se passa la main sur le crâne où un duvet gris coupé ras avait remplacé les cheveux. Il entendit la voix de Siw :

Puis tu m'as envoyé les plus belles des fleurs
Pour me faire oublier ce qui s'était passé

Et pendant un instant, il oublia en effet ; c'était juste une matinée ordinaire, des piles de dossiers l'attendaient, il avait des enquêtes à terminer. Si nécessaire, il y consacrerait ses dernières forces.

On frappa à la porte. Ce n'était pas encore l'heure. Il ne répondit pas.

Quelqu'un l'ouvrit, y passa la tête. C'était Sven.

— Ewert ?

Sans un mot, Ewert Grens fit un geste vers le fauteuil de visiteur. Sven Sundkvist entra. Cheveux blonds coupés court, allure sportive, il avait vingt-cinq ans de moins que son collègue. C'était un type bien, le seul de la maison qu'Ewert ne détestait pas, à part Bengt Nordwall. Sven s'assit. Il ne dit rien ; cela faisait longtemps qu'il avait compris ce que Siw Malmkvist représentait pour Ewert : une époque révolue, des souvenirs que Sven ne partagerait jamais mais dont il devinait l'importance.

Ils écoutèrent en silence.

Puis il y eut le bruit qu'on entend quand une cassette se termine et le petit déclic du bouton *play* d'un vieux magnétophone quand il revient à sa position initiale.

Deux minutes et demie.

Ewert était toujours debout. Il se racla la gorge ; il n'avait pas encore prononcé un mot de la journée.

— Oui ?

— Bonjour.

— Oui ?

— Bonjour.

— Bonjour.

Ewert se dirigea vers son bureau. En s'asseyant, il regarda Sven.

— Tu voulais quelque chose ? A part me dire bonjour ?

— Tu sais que Lang sort aujourd'hui ?

Ewert fit un geste d'énervement.

— Je le sais.

— C'était tout ce que j'avais à te dire. En fait, je m'apprête à interroger un type. Le junkie qui vend du détergent.

Quelques secondes de silence. Puis les deux mains d'Ewert Grens s'abattirent violemment sur les piles de dossiers qui encombraient son bureau. Les documents s'éparpillèrent par terre.

— Vingt-cinq ans.

Il frappa de nouveau. Contre le vide laissé par les dossiers. Ses paumes contre le plateau en bois.

— Vingt-cinq ans, Sven.

Elle s'était retrouvée sous la voiture.

Il s'était arrêté. S'était précipité vers son corps inanimé, vers le sang qui giclait de sa tête.

Le sol était jonché de papiers. Sven Sundkvist voyait bien qu'Ewert était en proie à des idées qu'il ne partagerait avec personne. Il se pencha, ramassa quelques documents au hasard et lut à voix haute :

— Une étudiante découverte nue dans le parc de Rålambshov. Une jambe et les deux pouces fracturés. *Aucune preuve.*

Il prit un autre document.

— Un agent d'assurance découvert à Eriksdalslunden. Quatre coups de couteau à la poitrine. Neuf témoins, personne n'a rien vu. *Aucune preuve.*

Ewert sentit sa colère monter. Ça partait du ventre, ça lui faisait mal, il fallait que ça sorte. D'un geste, il fit

signe à Sven de reculer, de ne pas le gêner. Sven obéit ;
il avait compris. Ewert prit son élan, donna un coup de
pied dans la corbeille à papier, l'envoya valdinguer. Le
contenu se répandit par terre. Une pluie silencieuse.
Sans un mot, presque mécaniquement, Sven se pencha
pour ramasser des boîtes de tabac à priser et des
gobelets de café vides. Puis il se redressa et reprit sa
lecture.

— Soupçons de maltraitance grave. *Aucune preuve.*
Soupçons de tentative de meurtre. *Aucune preuve.*
Soupçons de meurtre. *Aucune preuve.*

Sven ne se rappelait plus combien de fois il avait
interrogé Jochum Lang. Il avait employé les méthodes
apprises à l'école et d'autres techniques que l'expérience lui avait enseignées. Quelques années plus tôt, il
avait presque réussi ; en lui faisant comprendre qu'il
était prêt à écouter les pires horreurs, il avait été sur le
point de gagner sa confiance. Si Jochum Lang voulait se
confesser, Sven Sundkvist était là. Mais au dernier
moment, Lang avait reculé. Il avait tenté de le taxer
d'une clope, s'était mis à regarder par la fenêtre, puis il
s'était de nouveau réfugié dans la dénégation. Ne
jamais avouer ; pas même qu'on est allé aux chiottes.

Sven se tourna vers son supérieur hiérarchique.

— Ewert, avec tous ces papiers que tu as balancés
par terre, je peux continuer ma lecture pendant un bon
bout de temps.

— Ça suffit.

— Pressions sur témoins, enlèvements… mis en
examen à vingt reprises sur indices concordants.

— Ça suffit, je te dis.

— Condamné trois fois seulement, et à de courtes

peines. Première condamnation… voilà… *coups et blessures…*

— La ferme !

Sven Sundkvist sursauta. Il ne reconnaissait pas le visage qui lui criait dessus. Il avait déjà vu Ewert Grens crier contre des gens, mais jamais contre lui. Jamais.

Ewert lui tourna le dos. Il se dirigea vers son antique magnétophone et le mit en route. C'était toujours la même bande et le volume était assez fort pour empêcher toute lecture à voix haute.

> *En tout petits morceaux je te découperai*
> *Et tes supplications ne serviront à rien.*
> *Jamais, au grand jamais, je ne te sourirai.*
> *En tout petits morceaux je te découperai.*

Grens écoutait. La voix de Siw calmait sa colère. Je n'en peux plus, se dit-il. Pendant trente-trois ans, Jochum Lang avait nourri son acharnement ; il l'avait poussé à ne jamais lâcher le morceau, à ne jamais respirer tant que le verdict ne serait pas tombé. Sans cette crapule il ne lui resterait plus qu'à tout arrêter, à rentrer chez lui et oser vivre enfin. Depuis un an, ces pensées lui venaient de plus en plus souvent. Il avait beau les chasser, elles ressurgissaient toujours, de plus en plus insistantes.

Sven s'assit en face de lui, se frotta le menton, passa la main dans ses cheveux blonds.

— Ecoute.

Ewert leva la main.

— Chut.

Encore quelques minutes.

Et n'imagine pas que j'aurai des regrets.
En tout petits morceaux je te découperai.

Sven attendit. Siw se tut. Ewert leva la tête.

— Oui ?

— Je ne sais pas. C'est juste une idée. La prison d'Aspsås. Je pense à Hilding Oldéus. Le junkie que je m'apprête à interroger.

Il regarda Ewert. Celui-ci hocha la tête ; il connaissait Oldéus.

— Nous savons qu'il y était en même temps que Lang. Nous savons même qu'ils sont devenus amis, si tant est qu'on puisse devenir ami avec un type comme Jochum Lang. Hilding a gagné ses faveurs en lui proposant de la gnôle. Il l'avait planquée dans un extincteur ; d'ailleurs ça faisait jaser, puisque les matons les voyaient parfois ivres morts.

— Hilding proposait de la gnôle et Lang lui offrait sa protection ?

— C'est ça.

— Et ton idée ?

— Quand je l'aurai interrogé sur le détergent, on devrait lui parler de Lang. Oldéus pourrait nous mettre sur sa piste.

La musique s'était tue. Renonçant à Siw, Ewert regarda autour de lui. Son bureau n'était pas grand et il était totalement impersonnel. A part la présence du lecteur de cassettes, rien ne le distinguait de n'importe quel autre bureau de la fonction publique. Du mobilier en bois blond comme on pouvait en voir à l'administration fiscale ou à la sécurité sociale. Ewert y passait pourtant plus de temps que chez lui. Il était là dès l'aube et il partait le plus tard possible. Souvent, il y restait même dormir. Le canapé était bien trop petit pour contenir son corps, mais il y dormait mieux que dans son lit. Ça lui évitait les longues nuits d'insomnie, les heures passées à chasser les ombres sans trouver le repos. Il ignorait pourquoi, il savait seulement que ça lui arrivait de plus en plus fréquemment. Au début, il s'était contenté d'y passer une nuit de temps en temps ; désormais, il y restait parfois des semaines entières sans retourner chez lui.

— Oldéus et Lang. J'en doute. Ils vivent dans des mondes différents. Oldéus se shoote, pour lui il n'y a que la drogue, c'est tout ce qui l'intéresse. Lang est un criminel, pas un drogué ; il a dû être testé positif au hasch une fois ou deux à Aspsås, mais ça s'arrête là. Ils n'ont rien en commun. Pas dehors.

Sven changea de position, se renversa dans son fauteuil. Il poussa un soupir, parut fatigué. Ewert le regarda longuement. Il connaissait cet état d'esprit. Le découragement.

Il pensa à Oldéus. Il en avait marre de perdre son temps avec des junkies qui avaient les narines à vif. Les crétins de ce genre, il y en avait à la pelle, et la vie était trop courte.

— Et puis merde. On y va. Un connard de plus ou de moins. On va l'interroger sur Lang.

Une voiture flambant neuve s'approchait lentement de la grille. Une de ces voitures qui sentent le cuir et le bois précieux dès qu'on ouvre la portière.

Jochum Lang la vit en arrivant dans la cour. Il ne leur avait pas parlé, il n'avait pas demandé de voiture, mais il n'était pas surpris. Il savait qu'elle serait là ; ça faisait partie des usages.

Il salua le chauffeur d'un bref mouvement de tête. Le chauffeur répondit tout aussi brièvement à son salut.

Le moteur tournait. Jochum fit un doigt d'honneur à la caméra de surveillance et aspergea d'urine le mur de béton. Pas question de renoncer à son rituel : la voiture attendrait. Le temps de finir son jet, il se paya même le luxe de faire un deuxième doigt d'honneur. Puis il baissa son froc et montra son cul pendant que la grille se refermait lentement. C'était stupide, puéril, mais il avait besoin de marquer le coup. Maintenant c'était lui qui faisait chier les autres. Il avait attendu ce moment deux ans et quatre mois, et la quille, c'était ça : pisser contre le mur et montrer son cul aux gardiens.

Il se dirigea vers la voiture, ouvrit la portière côté passager et s'installa sur le siège.

Ils se dévisagèrent en silence, se jaugèrent sans savoir pourquoi.

Slobodan avait vieilli. Il n'avait que trente-cinq ans, mais ses cheveux longs commençaient à grisonner et il avait des pattes-d'oie. Il arborait à présent une petite moustache qui grisonnait aussi.

Au bout d'un moment, Jochum tapota doucement la vitre.

— T'as changé de voiture.

Slobodan hocha la tête, l'air content.

— Qu'est-ce que t'en penses ?

— Trop yougo.

— Elle n'est pas à moi. C'est celle de Mio.

— La dernière fois t'avais une bagnole volée, avec un tournevis qui te servait de clé de contact. Ça t'allait mieux.

Une légère pression sur l'accélérateur, et la voiture démarra. Jochum Lang sortit le billet de train de la poche arrière de son pantalon, le déchira et baissa la vitre. Prenant l'accent d'Uppsala, il entreprit d'agonir l'administration pénitentiaire dont les cadeaux d'adieu n'étaient même pas bons à se torcher le cul. Puis il laissa les morceaux de papier s'envoler. Le portable de Slobodan sonnait depuis un moment et il se décida enfin à répondre. En même temps, il appuya sur le champignon et ils laissèrent la grille et le haut mur gris derrière eux. Au bout de quelques centaines de mètres, la pluie commença à tomber. Slobodan mit les essuie-glaces.

— C'est pas par plaisir que je viens te chercher. C'est Mio qui me l'a demandé.

— Qui te l'a ordonné.

— Il veut te voir d'urgence.

Jochum Lang était impressionnant. Epaules larges, crâne rasé. Une cicatrice courait de son oreille gauche jusqu'à sa bouche, souvenir d'un pauvre type qui avait essayé de se défendre avec un cutter. Il prenait beaucoup de place sur son siège de voiture ; il gesticulait, occupait d'autant plus d'espace qu'il était en train de s'énerver.

— La dernière fois que je lui ai rendu service, je me suis retrouvé au trou.

Ils avaient quitté le petit chemin de la prison, la route était plus large, il y avait davantage de circulation. Des gens qui partaient au boulot.

— D'accord. Mais on s'est occupés de toi et de ta famille. Pas vrai ?

Slobodan Dragovic se tourna vers Jochum avec un sourire dévoilant ses dents gâtées. Puis son portable sonna de nouveau. Gardant le silence, Jochum fixa des yeux les essuie-glaces évacuant la flotte vers les bords du pare-brise. Slobodan avait raison. C'était une histoire de recouvrement qui avait mal tourné. Et avec ce témoin infoutu de se taire, sa condamnation n'avait pas fait un pli. Jochum suivait du regard les gouttes de pluie contre la vitre. Il le savait bien : *shit happens*. Mais Mio avait toujours été là, il avait veillé sur lui à distance, grâce à des yeux et des oreilles d'emprunt. Chaque matin, quand Jochum s'était réveillé dans sa cellule, Mio avait été présent. Il s'était occupé de tout, il faisait toujours ça.

La voiture flambant neuve roulait plus vite. Les villages cédaient la place à la banlieue ; ils s'approchaient de Stockholm.

Le local d'interrogatoires était situé au rez-de-chaussée, juste sous les cellules de garde à vue.

C'était une pièce assez minable. Des murs sales qui avaient dû être blancs, une fenêtre grillagée tout au fond, une table au milieu et quatre chaises. La table en pin ressemblait à une table de cuisine. Les chaises, d'un bois différent, faisaient penser à celles que l'on voit dans toutes les cantines de collège.

Commissaire Sven Sundkvist (SS) : Je préférerais que tu restes assis.

Hilding Oldéus (HO) : Pourquoi vous arrêtez des gens qui n'ont rien fait ?

SS : Vendre de l'amphétamine coupée avec du détergent, tu appelles cela ne rien faire ?

HO : Je suis pas au courant.

SS : Tu vendais de la drogue frelatée. Pour l'instant, on a trois personnes avec les veines bousillées. Elles ont toutes donné ton nom.

HO : De quoi tu causes ?

SS : On a trouvé de la drogue frelatée sur toi.

HO : Elle était pas à moi.

SS : Le labo de la police judiciaire a analysé le contenu des sachets de poudre blanche qu'on a trouvés sur toi au moment de ton arrestation. Il y en avait six.

HO : Ils étaient pas à moi, je te dis !

SS : Vingt pour cent d'amphétamine, vingt-deux pour cent de glucose et cinquante-huit pour cent de détergent. Reste assis, Oldéus.

Ewert Grens poussa la porte et entra. Depuis qu'il avait quitté son bureau, il était passé devant huit portes fermées, mais il n'en avait même pas été conscient. Il ruminait encore les dossiers. La voix de Sven continuait de lui tourner dans la tête : *coups et blessures*. Une voiture de patrouille qui n'avait pu s'arrêter à temps, lui-même qui serrait le corps d'Anni dans ses bras, les ambulanciers qui la déposaient sur le brancard.

Il lutta contre la voix de Sven, chercha à s'en débarrasser, plissa les yeux sous la violente lumière de la lampe du plafond. Puis il baissa le regard vers le visage anguleux de son collègue, vers l'autre type qui n'arrêtait pas de farfouiller dans son nez, vers le sang qui lui coulait sur le menton.

SS : Ewert Grens, commissaire de la police judiciaire, pénètre dans la pièce à 09 h 22.

HO : (inaudible)

SS : Qu'est-ce que tu dis ?

HO : C'était pas à moi.

SS : Ecoute, Hilding. On sait que tu vendais de la drogue frelatée sur Plattan.

HO : Vous ne savez rien du tout.

SS : On t'a chopé là-bas. Avec tes sachets. Du détergent.

HO : C'était pas à moi, je te dis. C'est un type qui me les avait refilés. L'espèce de salaud, me vendre de la came pourrie à moi. Quand je sortirai d'ici, je le coincerai, ce mec.

Ewert Grens (EG) : Tu ne sortiras pas d'ici.

HO : De quoi tu te mêles ?

SS : Il y a pas mal de gens qui en ont après toi. Si un des clients à qui tu as fourgué ta merde accepte de porter plainte, on t'inculpera de tentative de meurtre. Ça fera entre six mois et huit ans.

Son corps maigre quémandait sa drogue. Il se consumait, vomissait, agonisait devant leurs yeux. Il se leva, se mit à déambuler d'un pas saccadé, écarta soudain un bras, le laissa tomber, marcha encore un peu, s'arrêta, éructa des phrases incompréhensibles en dodelinant de la tête. Ewert se tourna vers Sven. Le spectacle leur était familier. Le type pouvait s'asseoir et leur raconter tout ce qu'ils voulaient savoir. Il pouvait aussi se coucher par terre en position fœtale, se mettre à trembler et sombrer dans l'inconscience.

EG : Entre six mois et huit ans. Sauf qu'aujourd'hui on est d'humeur arrangeante. Ta drogue frelatée pourrait bien disparaître.

HO : Comment ça, disparaître ?

EG : Il y a des choses qu'on voudrait savoir. Sur un type qui s'appelle Jochum Lang. Tu le connais, à ce qu'il paraît.

HO : Jamais entendu parler de ce mec.

Parcouru de tics, Hilding leva les yeux au ciel, tourna la tête dans tous les sens, se gratta le nez. Il avait peur. Le nom de Jochum lui pesait, il se secoua pour s'en délivrer, pour ne pas se laisser écraser. Il s'apprêtait à protester quand on frappa à la porte. Une jeune policière, Ewert ne se souvenait plus de son nom. Elle faisait un remplacement pendant l'été et parlait le dialecte de la Scanie.

— Excusez-moi de vous interrompre, mais je crois que c'est important, commissaire Grens.

Ewert lui fit signe d'entrer.

— De toute manière, on n'arrive à rien. Ce petit con est pressé de retrouver la rue pour se faire descendre.

Bref regard vers Sven, qui hocha la tête. Elle pénétra dans la pièce exiguë, se mit derrière Hilding. Hilding se retourna, la montra du doigt en remuant mollement le bassin.

— Vous vous emmerdez pas, Grens ! Ça, c'est de la chatte !

Elle le gifla brutalement du plat de la main.

Hilding perdit l'équilibre, faillit tomber. Penché en avant, il se tâta la joue où apparaissait une grosse tache rouge.

— Espèce de nazie !

Elle le dévisagea.

— Pour toi, je suis le brigadier Hermansson.

Hilding se tenait toujours la joue. En quittant la pièce, il n'arrêtait pas de jurer. Sven marchait derrière lui, le tenant par le bras, le poussant dehors.

Ewert chercha en vain le regard de Sven, puis il se tourna vers sa jeune collègue.

— Hermansson, c'est ça ?

— Oui.

Elle devait avoir dans les vingt-cinq ans. Le regard ferme, elle ne laissait rien paraître, ni surprise ni colère. Ni devant la réplique ordurière de Hilding, ni devant la violence de sa propre réaction.

— Tu disais que c'était important ?

— C'est police secours. Ils veulent que vous vous rendiez à Völundsgatan 3. C'est dans le quartier de l'Atlas.

Ewert chercha dans ses souvenirs. Il connaissait ; il y était allé assez récemment.

— Près de la gare ? Du côté de Sankt Eriksplan ?

— C'est ça. J'ai vérifié sur la carte.

— Il s'agit de quoi ?

Elle avait un papier à la main, une feuille de bloc-notes. Elle y jeta un œil. Pas question de se tromper. Pas devant Ewert Grens.

— Des collègues ont forcé la porte d'un appartement du sixième étage. Un cas de maltraitance grave.

— Oui ?

— C'est urgent.

— Oui ?

— Ils ont un problème.

C'était un immeuble ancien dans un quartier cossu.

Façades soigneusement rénovées, carrés de pelouse impeccables devant les entrées, plates-bandes aux fleurs rouges et jaunes, petits arbres un peu à l'étroit.

Ewert Grens ouvrit la portière de la voiture. Un immeuble 1900, de ceux où l'on entend les voisins quand ils marchent un peu lourdement, quand ils poussent le son du journal télévisé à fond, quand ils sortent sur le palier pour descendre les ordures. Il suivit du regard les rangées de fenêtres ornées de rideaux hors de prix. Etage après étage. Il y avait là-dedans des gens qui y passaient leur vie, qui y naissaient et mouraient. Des mondes évoluant à quelques mètres les uns des autres, mais sans se croiser. Des mondes où on voulait tout ignorer de son voisin.

Après s'être garé, Sven Sundkvist vint se poster à côté de lui.

— Völundsgatan 3. Ça ne doit pas être bon marché. Qui peut s'offrir un appartement ici ?

Sixième étage. Huit fenêtres. Ewert Grens les scruta longuement, l'une après l'autre. Elles étaient toutes semblables : mêmes rideaux, mêmes pots de fleurs. Seuls les couleurs et les dessins variaient.

Il prit une profonde inspiration avant de souffler bruyamment en direction de l'élégante façade.

— La maltraitance, je n'aime pas ça. Surtout dans des endroits comme ça. Pourtant, c'est toujours là que ça arrive.

Il regarda autour de lui. Une ambulance, deux voitures de police, gyrophares allumés. Des badauds, une dizaine. Heureusement, ils se tenaient à l'écart près des voitures, faisant preuve d'un respect qui n'allait pas de soi. Ewert et Sven remontèrent les dalles de l'allée. Maintenu par une corde attachée au râtelier à vélos, le portail était grand ouvert. En entrant, Ewert eut un hochement de tête. Il ne s'était pas trompé : dans le hall, des chiffres en fer forgé indiquaient 1901. Il se tourna vers les sonnettes. Sixième étage, quatre noms de famille : Palm, Nygren, Johansson, Löfgren.

Que des noms suédois. Ce genre d'immeuble.

— Tu vois des gens de chez nous, Sven ?

— Personne.

— Ils sont plutôt discrets.

— Et toi, tu en vois ?

— Non plus.

L'ascenseur était minuscule. Etroit, avec une porte en fer ajourée qu'il fallait replier. Trois personnes maximum, deux cent vingt-cinq kilos. Un type en uniforme y montait la garde, un collègue âgé qu'Ewert n'avait pas vu depuis longtemps.

J'oublie tous ces connards qu'on fréquente dans nos services, se dit-il. Celui-là, il m'était complètement sorti de l'esprit. Quand on ne les voit pas, ils n'existent plus.

Ewert regarda le bonhomme avec un sourire.

Du genre à se tenir les jambes écartées comme les flics des séries télévisées quand la musique se fait dramatique et qu'il se passe quelque chose de grave. Du genre à claquer les talons quand il répond à une question. Du genre à épeler les mots à voix haute quand il rédige un procès-verbal. Le genre à qui on ne confiera jamais d'autres tâches que de surveiller les ascenseurs.

Le collègue aux jambes écartées ne répondit pas à son sourire. Il avait senti son mépris et se tourna ostensiblement vers Sundkvist pour faire son rapport.

— On nous a alertés il y a une heure. Un mac ivre mort. Et une pute tabassée.

— Oui ?

— Des voisins ont appelé. Il lui a foutu une sérieuse raclée. Elle est inconsciente. Il lui faut des soins. Et il y en a une deuxième. Pute elle aussi, on dirait.

— Tabassée également ?

— Je ne crois pas. Il n'a pas eu le temps, je suppose.

Ewert Grens s'était tu pendant que Sven parlait avec le crétin chargé de surveiller l'ascenseur. Maintenant sa patience était à bout.

— Une heure ! Qu'est-ce que vous attendez pour pénétrer dans l'appartement ?

— On ne nous laisse pas entrer. Territoire lituanien, il paraît.

— Qu'est-ce que c'est que cette histoire ? S'il s'agit d'un cas de maltraitance, vous y allez, c'est tout.

Ewert Grens respirait avec difficulté. Chaque marche était un enfer et il y avait six étages à monter ; il aurait dû prendre l'ascenseur, mais il s'était précipité pour échapper au minus posté devant. Des voix discutaient ; il les entendait de plus en plus fort à mesure qu'il grimpait. Au cinquième, un médecin et deux ambulanciers attendaient. Il les salua d'un mouvement de tête et poursuivit son chemin.

Il soufflait bruyamment. Du coin de l'œil, il vit Sven monter d'un pas léger ; ce n'était pas le moment de faiblir. Pourtant, ses jambes n'avaient plus de force.

Au dernier étage, il y avait quatre portes. Dans l'une, il y avait un grand trou. Trois collègues poireautaient devant. Il ne se souvenait pas de les avoir déjà vus, mais il aperçut derrière eux un visage connu. C'était Bengt Nordwall. En civil, comme Ewert Grens et Sven Sundkvist. Vingt-quatre heures avaient passé depuis leur dernière rencontre, dans le jardin noyé sous la pluie. Invité à déjeuner, Ewert avait été bichonné par la famille heureuse. Désormais ils se voyaient rarement dans le cadre du service. Ewert regarda son ami d'un air ébahi.

— Qu'est-ce que tu fais là ?

Ils se serrèrent rapidement la main, comme d'habitude.

— La fille là-dedans, elle ne parle que le russe.

Bengt Nordwall était parmi les rares russophones de la police de Stockholm. Il lui résuma brièvement la situation.

— Une prostituée est rouée de coups par son mac. En arrivant, les policiers l'entendent hurler et enfoncent la porte. Et tombent sur celui-là.

Bengt Nordwall montra du doigt un homme qui se tenait à l'intérieur, l'air de surveiller le trou. Un type d'une quarantaine d'années, trapu et légèrement bedonnant, vêtu d'un costume gris satiné qui avait dû coûter cher et qui ne lui allait pas du tout.

— Il brandit un passeport diplomatique, prétend que l'appartement est territoire lituanien, que la police suédoise n'a pas le droit d'y pénétrer. Il refuse de libérer la fille. Il refuse de laisser entrer notre médecin. Seul un médecin envoyé par l'ambassade lituanienne sera autorisé à y pénétrer, dit-il. Nous n'arrivons pas à entrer en contact avec la fille maltraitée, mais l'autre n'arrête pas de crier. Elle traite le type de « salopard de mac de Dimitri » – en russe, bien sûr. Ça le rend fou furieux, mais il se contente de l'engueuler. Tant qu'on est là, il n'osera pas aller plus loin, j'imagine.

Sven Sundkvist s'était arrêté quelques marches plus bas. Un téléphone portable à la main, gesticulant de l'autre tout en terminant sa conversation, il tenta d'attirer l'attention de Grens. Il finit par ranger son appareil et monter jusqu'au sixième.

— Je viens d'avoir le syndic. Le propriétaire de l'appartement s'appelle Hans Johansson. Et il ne l'a pas mis en location. D'ailleurs, il y a son nom sur le tableau de l'entrée.

Ewert Grens regarda la porte en silence. Et ce type qui était là avec son costume gris satiné, qui se croyait autorisé à maltraiter des femmes. Puis il se tourna vers les policiers en uniforme qui s'agglutinaient autour de Bengt, tendit la main, demanda qu'on lui passe une matraque.

— Eh bien, dans ce cas, ce salopard de mac de Dimitri peut toujours brandir son passeport diplomatique, ça ne lui servira pas à grand-chose.

Il se dirigea vers la porte. Après avoir fait semblant de lui barrer la route, le type en costume gris satiné recula en écartant les bras. Grens continua d'avancer, enfonçant sa matraque entre les boutons de la veste du mac. Celui-ci finit par s'écarter, se tenant le ventre en grommelant quelque chose en russe. Plus question de territoire lituanien, apparemment. Ewert Grens le laissa en plan, appela le médecin et les ambulanciers qui attendaient à l'étage au-dessous, fit signe aux policiers en uniforme de pénétrer dans l'appartement. Puis il traversa un long couloir et une salle de séjour déserte.

Tout d'abord il ne comprit rien à ce qu'il vit.

Sur le couvre-lit rouge, une femme nue était allongée. Elle lui tournait le dos et il avait du mal à distinguer les contours de son corps, tant celui-ci se confondait avec la couleur du tissu.

Cela faisait longtemps qu'il n'avait pas vu quelqu'un dans un état pareil.

Aux urgences de l'hôpital Söder, la lumière était toujours la même.

Matin, midi et soir : une lumière qui ne changeait jamais.

Un jeune médecin, les yeux fatigués, le corps long et maigre, fixait du regard une des lampes du plafond. Marchant à côté d'une civière, il essayait de se concentrer, d'écouter l'infirmière. Plus que ce patient et il pourrait peut-être rentrer chez lui, rejoindre l'autre lumière, celle qui changeait selon les heures du jour.

— Femme inconsciente, probablement maltraitée, traumatisme crânien, risques d'hémorragie interne.

Sans assistance, elle respire difficilement. Je préviens le service de traumatologie.

Le jeune médecin regarda l'infirmière en silence, il ne voulait plus rien entendre, plus rien savoir des êtres humains et de leur façon de se détruire.

— Il va falloir l'intuber.

Il fit oui de la tête, resta un instant immobile à côté de la civière. Quelques secondes qui n'étaient qu'à lui. La journée avait été longue, il avait vu plus de jeunes que d'habitude, des gens de son âge, il les avait rafistolés, avait soigné leurs corps du mieux qu'il avait pu en sachant qu'aucun d'eux ne pourrait continuer à vivre comme avant. Ils seraient marqués à jamais par cette journée. Pour certains, elle resterait gravée dans leur corps ; d'autres en conserveraient des séquelles psychiques.

Il scruta le visage de la femme. Elle n'était pas suédoise. Elle n'était pas non plus d'un pays lointain. Blonde, sans doute belle. Elle lui rappelait quelqu'un, il ne savait pas qui. Il sortit un papier de l'enveloppe en plastique, celle que les ambulanciers lui avaient transmise. Il vit qu'elle s'appelait Lydia Grajauskas. Son nom avait été donné par l'autre femme qui se trouvait dans l'appartement.

Il la regarda.

Toutes ces femmes.

Quelle tête faisait-elle quand on la frappait ?

Que disait-elle ?

Des personnes en blanc et en vert se hâtèrent à travers le couloir. Elles attendaient le médecin aux yeux fatigués. Cherchant son regard, elles lui firent comprendre qu'elles étaient prêtes. Elles s'emparèrent de la civière, la poussèrent jusqu'au service de traumatologie, soulevèrent délicatement la jeune femme et la déposèrent sur la table d'opération. Elles lui prirent le pouls, lui firent un électrocardiogramme, vérifièrent sa tension. Elles lui ouvrirent la bouche et aspirèrent le contenu de son estomac. Son corps parut rétrécir, devenir moins humain ; elle n'était plus que statistiques et courbes. Cela la rendait moins problématique.

Avait-elle dit quelque chose ?

Elle avait peut-être crié. Comment crie-t-on quand quelqu'un s'arroge le droit de vous frapper ?

Le médecin aux yeux fatigués ne parvenait pas à s'en aller.

Il voulait voir. Il ne savait pas quoi, mais il voulait voir.

Un de ses confrères était à quelques mètres de lui. Il souleva délicatement celle dont on savait maintenant qu'elle s'appelait Lydia Grajauskas, retourna son corps léger, découvrit les lambeaux de peau ensanglantés et cria, mal à l'aise :

— Il me faut de l'aide !

Le médecin aux yeux fatigués se précipita vers lui. Il vit ce que voyait son confrère.

Il les compta.

Il y en avait au moins trente.

Les bords étaient rouges et enflés.

Il fit un effort pour se maîtriser, pour ne pas céder aux larmes qu'il sentait venir. Pour raisonner en professionnel. La femme devait rester statistiques, courbes. Je ne la connais pas, essaya-t-il de se dire, je ne la connais pas. Mais il ne parvint pas à se rendre insensible : la

94

journée avait été trop dure, il avait vu trop de choses qu'il ne comprenait pas.

Ces plaies rouges. Il ne put s'empêcher de s'exclamer. Pour entendre les mots, pour en informer les autres ? Il n'en savait rien.

— Mais on l'a fouettée !

Il le répéta. Plus bas, plus lentement.

— On l'a fouettée. De la nuque jusqu'aux reins. Quelqu'un lui a déchiré la peau.

C'était un bel appartement, il s'en rendit compte. Parquets bien entretenus, poêles en faïence dans chaque pièce, plafonds hauts : un logement où la paix aurait dû régner. Ewert Grens était assis dans la cuisine, sur une des quatre chaises pliantes en plastique. Avec Sven Sundkvist et deux techniciens, il avait fouillé l'appartement de fond en comble dans l'espoir d'apprendre quelque chose. Qui était-elle, cette femme qui s'appelait Lydia Grajauskas ? Qui était son amie, qui disait s'appeler Alena Sliousareva ? Qui était ce salopard de mac de Dimitri qui brandissait un passeport diplomatique en parlant de territoire lituanien ?

Les deux femmes – Grajauskas et son amie Sliousareva, qui avait réussi à s'enfuir entre le départ des ambulanciers et l'arrivée des techniciens – étaient des prostituées venues de l'autre rive de la Baltique ; cela, il l'avait compris. Des filles de ce genre, il en avait déjà vu pas mal. C'était toujours la même histoire. Des jeunes filles baltes à qui on faisait miroiter un bon travail et une vie meilleure et à qui on fournissait de faux passeports. Des jeunes filles pleines d'espoir qui, dès l'instant où elles acceptaient les faux papiers, se voyaient transformées en professionnelles du vice. Les passeports coûtaient cher, elles se retrouvaient avec des dettes qu'il fallait rembourser. Celles qui refusaient se faisaient tabasser et violer par leurs recruteurs jusqu'à avoir le vagin en sang. On leur braquait un pistolet sur la tempe : ouvre les cuisses, tu vas travailler pour payer tes papiers et ton voyage, tu vas me laisser te baiser ou tu auras ma bite dans le cul ! Et ensuite elles étaient revendues par celui qui les avait embobinées et frappées, menacées et violées. Trois mille euros pour chaque adolescente. Elles n'avaient plus qu'à faire semblant de geindre de plaisir quand on les prenait de force.

Ewert Grens poussa un soupir. Sven Sundkvist arriva pour faire état de ses découvertes dans le dressing.

— Rien. Pas d'affaires personnelles.

Plusieurs paires de chaussures, quelques robes, pas mal de sous-vêtements, des flacons de parfum, des trousses de maquillage, une boîte de préservatifs, des godemichés et des menottes. C'était tout. Ils n'avaient rien découvert. Rien qui puisse les renseigner sur la personnalité des occupantes des lieux, réduites à des trous à remplir.

Ewert écarta les bras.

— Des enfants sans visage.

Ces filles n'existaient même pas. Elles n'avaient ni carte de séjour, ni permis de travail. Aucune identité. Elles respiraient à peine dans un appartement du sixième étage, derrière une porte électroniquement fermée, dans une ville qui n'avait rien à voir avec les villages qu'elles avaient quittés.

— Il y en a combien comme elles dans cette ville, Ewert ?

— Autant qu'il faut pour répondre à la demande.

Ewert Grens soupira de nouveau. Se penchant en avant, il toucha le mur. C'était dans cette pièce que ce salopard l'avait fouettée. Il sentait le sang séché sur les fleurs du papier peint. Des lés entiers étaient tachés ; il y en avait jusque sur le plafond. Il était fatigué, en colère ; il aurait voulu élever la voix mais il se contenta de murmurer.

— Elle est ici clandestinement. Il lui faut une protection.

— On est en train de l'opérer.

— Après. Dans sa chambre.

— Ça va prendre quelques heures, d'après les médecins.

— Tu t'en occupes, Sven ? Quelqu'un pour monter la garde. Je ne voudrais pas qu'elle disparaisse.

Devant la belle façade, tout était désert et silencieux.

Ewert Grens scruta les fenêtres. Celles avec des rideaux et des plantes en pot. Celles où il n'y avait rien. Toutes paraissaient semblables.

Il sentait le dégoût l'envahir.

La femme au dos lacéré, le mac en costume satiné. Et Bengt et les collègues qui avaient attendu pendant près d'une heure alors qu'elle perdait son sang.

Il grelottait. Il s'ébroua pour se débarrasser de tout cela. Mais comment se débarrasser d'un monde qu'on ne connaît pas ?

Il était dix heures et demie. A l'Auberge d'Ulriksdal, Jochum Lang se resservit au buffet du petit déjeuner. C'était leur habitude, aux Yougos : inviter les gens dans des endroits chic et chers pour parler boulot. Après avoir traversé la banlieue nord, ils allaient causer, Slobodan et lui. Mais d'abord il allait reprendre un bout d'omelette et un café. Et puis un cure-dents au goût de menthe.

Lang jeta un œil vers le fond de la salle à manger. Des nappes blanches, des couverts en métal argenté et des participants à un séminaire d'entreprise. Des femmes aux joues rouges qui allumaient une cigarette, des hommes qui approchaient leur chaise en avalant leur deuxième tasse de café. Leur jeu de séduction le faisait sourire, il ne s'était jamais livré à ce genre de manège, ne comprenait pas à quoi ça servait. Tout cela lui paraissait trop prévisible.

— Tu voulais me dire quelque chose.

Depuis que Slobodan s'était présenté devant Aspsås dans sa bagnole rutilante, depuis que Jochum s'était installé sur le siège en cuir et qu'il avait jeté son billet de train par la vitre, ils s'étaient à peine adressé la parole. Ils étaient maintenant face à face, assis à une table soigneusement dressée dans un restaurant cher à dix minutes du centre de Stockholm.

— C'est Mio.

Jochum garda le silence. Avec sa grosse tête au crâne rasé, son bronzage artificiel et sa cicatrice courant de la bouche jusqu'à l'oreille, il était toujours aussi imposant.

Slobodan se pencha en avant.

— Il veut que tu dises quelques mots à un type qui vend notre marchandise coupée avec du détergent.

Jochum attendit. Long silence. Puis le téléphone portable se mit à sonner. Au moment où Slobodan tendait le bras, Jochum lui saisit le poignet.

— C'est avec moi que tu parles. Tes affaires, tu t'en occuperas plus tard.

Pendant quelques secondes, l'autre eut un regard de défi. Jochum attendit que la sonnerie s'arrête pour le lâcher.

— Il vend de la saloperie. A la nièce de Mio, entre autres.

Jochum prit la salière posée sur la nappe bien repassée, la fit rouler sur la table, la laissa tomber par terre, côté fenêtre.

— Mirja ?

Slobodan fit oui de la tête.

— C'est ça.

— Jusqu'ici, Mio ne s'est jamais occupé d'elle. Une pute qui carbure aux amphètes.

Une musique d'ascenseur sortait des haut-parleurs fixés au mur. Les femmes aux joues rouges allumèrent une nouvelle cigarette en riant, les hommes défirent le bouton du haut de leur chemise en essayant de dissimuler leur alliance.

— Je pense que tu le connais, ce type.

— Où tu veux en venir ?

— C'est coupé avec du détergent. Et c'est notre marchandise. Tu comprends ?

Il éleva la voix.

— Ça ne me plaît pas. Ça ne plaît pas à Mio. De la marchandise frelatée !

Jochum se renversa sur sa chaise, ne dit rien. Slobodan était écarlate.

— Ce genre de truc, ça se sait rapidement. Du détergent dans les veines de quelqu'un, ça fait causer.

Jochum commençait à en avoir sa claque des femmes en chaleur et de leurs cigarettes, de l'odeur de saucisses grillées, des serveuses trop polies. Il voulait s'en aller, retrouver la lumière du jour. Sortant d'Aspsås, il aurait dû apprécier ce genre d'endroit, mais c'était le contraire qui se passait : après quelques années à l'ombre, c'était toujours aussi dur de supporter tout ce cirque.

— Dis-moi enfin ce que tu veux que je fasse.

Slobodan le voyait s'impatienter.

— On ne laissera personne couper notre marchandise avec du détergent. Quelques doigts brisés. Un bras. Mais pas plus.

Ils se dévisagèrent. Jochum fit oui de la tête.

Une musique d'ascenseur ; un pianiste en train de massacrer des vieilles rengaines pop. Il se leva, se dirigea vers la voiture.

La gare centrale avait encore les traits tirés alors que la matinée touchait à sa fin. Des gens pressés, d'autres à la recherche d'un abri de fortune pour dormir, des hommes et des femmes luttant contre la solitude. Il pleuvait depuis minuit, les SDF s'étaient réfugiés sous la grande voûte pour s'allonger sur les bancs du hall aussi vaste qu'un terrain de football. Pour éviter de se faire chasser par les vigiles, ils se déplaçaient à intervalles réguliers, se mêlant aux voyageurs stressés qui allaient et venaient, un sac dans une main et un gobelet de café dans l'autre.

Hilding Oldéus venait de se réveiller. Deux heures de sommeil au milieu de la journée. Il regarda autour de lui. Il avait mal partout, les bancs étaient durs et les vigiles n'avaient pas arrêté de le harceler. Il n'avait rien mangé, à part les biscuits offerts par les flics pendant l'interrogatoire. Il n'avait pas faim. Pas envie de sexe. Il n'était rien.

Il s'esclaffa bruyamment. Deux femmes le regardèrent. Il leur fit un doigt d'honneur. Il n'était rien et il lui fallait de l'héro pour continuer à n'être rien, pour tirer le rideau et rester insensible.

Il se redressa. Il sentait l'urine, il avait les cheveux gras et emmêlés, et le sang coagulé formait une croûte sous son nez. Il était maigre et sale, il avait vingt-huit ans et il n'avait jamais été si près de basculer de l'autre côté.

Il se dirigea lentement vers l'escalator immobilisé, s'agrippa à la main courante en caoutchouc noir, s'arrêta chaque fois qu'il sentait la tête lui tourner.

Les consignes étaient en face des toilettes où il fallait payer cinq couronnes pour faire ses besoins. Plutôt pisser dans les couloirs du métro, dans ce cas.

Olsson était toujours allongé près des derniers casiers, quelque part entre le 120 et le 150. Il dormait. Un de ses pieds était nu ; plus de chaussure ni de chaussette. Ce type avait du blé, alors une chaussure de plus ou de moins…

Il ronflait. Hilding le prit par le bras, le secoua.

— Je veux mon fric.

Olsson le regarda, encore dans les vapes.

— Tu entends ? Il me faut mon fric. Tu devais me payer la semaine dernière.

— Demain.

On l'appelait Olsson. Hilding l'avait connu dans une clinique de désintoxication en Scanie, mais il ignorait son vrai nom.

— Mille couronnes, Olsson. Tout de suite. T'as sniffé l'héro toi-même ou quoi ?

Olsson était parvenu à se redresser. Il bâilla, écarta les bras.

— Merde, Hilding, j'ai pas un rond.

Hilding Oldéus farfouilla dans son nez. Ce salopard n'avait pas un rond. Comme l'assistante sociale. Comme sa sœur. Il l'avait rappelée, s'était traîné à ses pieds comme il l'avait déjà fait quelques jours plus tôt dans le métro, et elle avait sorti les mêmes phrases : « Tu as fait un choix, c'est ton problème, je ne veux rien savoir. » Il continua de gratter sa plaie, la croûte tomba, il se mit à saigner abondamment.

— Il me faut du fric. Tu comprends rien ?

— J'en ai pas. Mais j'ai une information qui vaut au moins mille balles.

— Quel genre d'information ?

— Jochum Lang te cherche.

Hilding se gratta de nouveau. Il se sentit oppressé, fit un effort pour ne pas déglutir.

— Qu'est-ce que tu veux que ça me fasse ?

— Pourquoi il te cherche, Hilding ?

— On était en taule ensemble. A Aspsås. Il veut bavarder, je suppose.

La joue d'Olsson se tendit comme s'il clignait des yeux. Un tic de junkie.

— Ça vaut pas mille balles, ça ?

— Je veux mon fric.

— J'ai pas un rond.

Olsson tapota la poche de son coupe-vent.

— Mais j'ai un peu de poudre.

Il sortit un sachet en plastique, le montra à Hilding.

— Un gramme. Je t'en file un peu. Comme ça on est quittes.

Hilding cessa de gratter sa plaie.

— Un gramme ?

— C'est un truc vachement fort.

Hilding tendit les mains, donna une petite bourrade à Olsson.

— Montre.

— Héro et acide. C'est vachement fort.

— Un quart. Je me fais un shoot avec un quart. OK ?

Le train pour Malmö et Copenhague avait du retard. Quinze minutes. L'annonce des haut-parleurs inondait le hall, il n'y avait plus qu'à se rasseoir et attendre. Un peu plus loin s'élevait le brouhaha du buffet ; des odeurs de café et de viennoiseries flottaient dans l'air. Hilding et Olsson n'entendaient rien, ne sentaient rien. Ils étaient insensibles au vaste espace qui les entourait, aux banlieusards qui couraient pour attraper leur train, aux routards venus de nulle part et en route vers on ne sait où avec leurs sacs à dos décorés de petits drapeaux, aux familles qui partaient en période bleue pour payer moins cher et qui brandissaient leurs billets sous le regard méprisant des hommes d'affaires. Ils ne voyaient rien. Ils se dirigèrent vers le photomaton près de l'entrée. Olsson monta la garde, veillant à ce que personne n'y pénètre, et donna des conseils à Hilding pour lui éviter l'overdose. Hilding s'assit sur le tabouret. Il tremblait.

Il tira le rideau. On voyait encore ses jambes, et Olsson se déplaça un peu pour les cacher.

La cuiller était dans la poche intérieure de son imper.

Il la remplit de blanche, y ajouta quelques gouttes d'acide citrique, la chauffa avec son briquet jusqu'à faire fondre le contenu, mélangea le tout avec de l'eau et remplit sa seringue.

Il avait sacrément maigri. Avant, il bouclait sa ceinture au troisième trou ; maintenant, il pouvait la serrer jusqu'au septième. Ce qu'il fit, tirant violemment dessus pour entourer son avant-bras de la longueur qui restait. Le cuir lui cisailla la chair.

Se penchant en avant, il maintint le garrot avec ses dents, mais ne vit pas apparaître les veines. Il chercha avec la pointe de la seringue, l'enfonça dans les cartilages jusqu'à l'endroit où des années d'injections lui avaient bouffé une partie du bras.

Après plusieurs essais, il sentit soudain l'aiguille forcer la paroi d'une veine. Il sourit ; d'habitude ce n'était pas aussi facile, la dernière fois il avait dû se piquer dans le cou.

Il vit un filet de sang se mélanger au liquide transparent. On aurait dit les pétales d'une fleur rouge en train d'éclore. C'était beau.

Quelques secondes plus tard il s'écroula, inconscient.

Gisant sur le sol du photomaton, bien visible sous le rideau, il ne respirait plus.

MERCREDI 5 JUIN

Elle venait de se réveiller.

Lydia essaya de se retourner, de se mettre sur le côté gauche ; dans cette position, son dos la brûlait un peu moins. Elle était seule dans une grande chambre. Elle était restée inconsciente pendant douze heures ; c'était ce que lui avait dit une des infirmières, celle qui parlait le russe.

Son bras gauche était cassé. Elle ne se rappelait pas comment c'était arrivé, elle ne savait pas ce qu'il avait fait à son bras, elle avait dû perdre connaissance avant. Elle portait un plâtre ; elle devait le garder une quinzaine de jours.

Il lui avait envoyé plusieurs coups de pied dans le ventre. Ça, elle s'en souvenait. Il avait crié qu'elle était une pute, qu'une pute, ça baisait quand on lui disait de le faire. Et il avait joint le geste à la parole. Quand il avait arrêté de lui balancer des coups de pied, il l'avait prise par-derrière. D'abord avec son sexe, puis avec ses doigts.

Pour essayer de l'en empêcher, Alena lui avait donné des coups de poing dans le dos. Mais il l'avait enfermée dans sa chambre et obligée à se déshabiller. Ensuite, ce serait son tour à elle.

Lydia savait ce qui s'était passé avant les coups de fouet. Jusque-là, elle se rappelait tout.

Il avait commencé par des coups légers sur les fesses. *Ton cul, je ne veux pas l'abîmer. Le dos, par contre, personne ne le baise. Le dos, on s'en fout.*

Elle en avait compté onze. Ses souvenirs s'arrêtaient là. Mais il avait dû continuer. L'infirmière le lui avait affirmé. Qu'il y en avait beaucoup plus, que les marques étaient bien visibles.

— Bonjour.

L'infirmière était brune. Elle s'appelait Irena et elle était polonaise, on l'entendait à son accent quand elle parlait le russe. Elle vivait en Suède depuis près de vingt ans, elle était mariée et avait trois enfants. Elle disait qu'elle aimait bien la Suède, qu'elle s'y plaisait beaucoup.

— Bonjour.

— Bien dormi ?

— A peu près.

Irena lui nettoya ses plaies comme elle l'avait déjà fait la veille. D'abord le visage, puis le dos. Sur ses jambes, il n'y avait que des hématomes, ils partiraient tout seuls.

Elle sursauta quand Irena la toucha.

— Ça te brûle ?

— Oui.

— Je vais faire attention.

Quelqu'un montait la garde devant sa chambre.

Un uniforme vert, comme ceux qu'elle avait vus dans les gares scandinaves qu'ils avaient parcourues au pas de course quand Dimitri les avait obligées à déménager, Alena et elle. Cinq endroits différents en trois ans. Les appartements se ressemblaient, toujours au dernier étage, toujours avec des couvre-lits rouges, toujours avec des serrures électroniques.

Le désinfectant raviva sa douleur. Elle pensa soudain à l'enterrement dans le village situé sur la route entre Klaipeda et Kaunas, dans le cimetière où reposaient déjà grand-père et grand-mère et où papa allait reposer aussi. Il ne lui manquait plus, l'homme au crâne rasé qui lui avait paru si petit dans la prison de Lukuskele. Il n'était plus là, il avait déjà disparu quand elle s'était serrée contre sa mère en pleurant.

Lydia s'agita, réprima un cri ; ses plaies la faisaient souffrir. Elle fixa du regard l'agent de police. Si elle s'efforçait de ne penser qu'à lui, elle aurait peut-être moins mal.

Elle ignorait pourquoi il était là. Parce que Dimitri risquait de revenir ? Ou parce qu'ils avaient peur qu'elle s'enfuie ?

Irena continua de lui parler tout en lui désinfectant le dos. Elle l'interrogea sur le cahier qu'elle gardait sur sa table de nuit, lui demanda ce qu'elle pensait de la nourriture. Elles savaient toutes les deux que c'étaient des questions sans signification, uniquement destinées à la détendre, à lui faire oublier la douleur. Lydia répondit que c'était un carnet de notes, qu'elle y écrivait ses pensées, ses rêves d'avenir. Et qu'elle trouvait la nourriture assez insipide, mais qu'elle avait des difficultés à mâcher car ça lui faisait mal.

— Ma pauvre petite.

Irena la regarda en secouant la tête.

— Ma pauvre petite, je ne comprends pas comment on a pu te faire une chose pareille.

Lydia ne répondit pas. Elle savait. Elle savait ce qu'on lui avait fait. Son corps, ce corps qu'elle avait rendu insensible, elle savait à quoi il ressemblait maintenant. Elle savait ce qu'elle avait noté dans son cahier, celui qui était posé sur la table roulante.

Elle savait que cela ne se reproduirait plus jamais.

— Ça y est, c'est terminé. Je reviendrai cet après-midi. Chaque fois, ça te fera moins mal. Tu es courageuse.

Irena lui caressa l'épaule, lui fit un sourire, se dirigea vers la porte. En sortant, elle croisa un médecin accompagné de quatre personnes, trois hommes et une femme. Le médecin s'adressa d'abord à l'agent, puis à Irena. Celle-ci revint dans la chambre.

— Lydia.

Irena était de nouveau à côté de son lit, elle montra du doigt le médecin et les autres, tous vêtus de blouses blanches.

— C'est le médecin. Tu l'as déjà vu, c'est lui qui t'a examinée quand tu es arrivée. Il vient avec quatre étudiants qui se forment à l'hôpital Söder. Il veut leur montrer tes blessures. Tu l'autorises ?

Lydia les dévisagea. Elle ne les connaissait pas. Elle n'avait pas envie de se laisser regarder, ça ne lui disait rien, elle avait mal, elle ne voulait pas.

— C'est d'accord.

Irena traduisit. Le médecin se tourna vers Lydia, lui fit un geste de remerciement.

Il demanda à Irena de rester, de continuer à traduire, Lydia devait tout comprendre. Puis il se tourna vers les étudiants, leur expliqua ce qui se passait quand une personne arrivait aux urgences, leur parla du parcours de Lydia, de l'ambulance jusqu'au service de chirurgie. Il sortit un crayon laser de la poche de sa blouse, éclaira son dos nu, promena la pointe rouge le long de ses plaies.

— Très rouges et enflées. Vous voyez ?

« Elle a reçu des coups violents. Des coups de fouet. Vous voyez ?

« On pense qu'il s'agit d'un fouet en cuir tressé. De trois ou quatre mètres. Vous voyez ?

Il se tourna de nouveau vers Lydia, chercha son regard. Irena traduisit. Lydia hocha la tête, confirma. Les quatre étudiants restèrent silencieux, ils n'avaient jamais vu un être humain ayant reçu de tels coups. Le médecin devina leurs pensées.

— Ce genre de fouet, on s'en sert pour le bétail. Elle a reçu trente-cinq coups.

Il continua de parler, mais Lydia n'eut plus le courage de l'écouter. Puis ils s'en allèrent. Elle remarqua à peine leur départ.

Elle regarda son carnet de notes.

Elle savait.

Elle savait ce qu'on lui avait fait.

Elle savait que cela ne se reproduirait plus jamais.

A l'étage au-dessous, dans la chambre 2 du service de médecine générale, trois hommes étaient alités.

Ils ignoraient tout de la femme au dos lacéré.

Elle ignorait tout d'eux.

Le sol de Lydia Grajauskas était leur plafond. C'était leur seul lien.

Debout au milieu de la chambre 2, le Dr Lisa Öhrström regardait ses patients. Cela faisait un moment qu'elle était là. Elle avait trente-cinq ans et elle était fatiguée. Elle exerçait depuis quelques années seulement, et elle était déjà épuisée. Tout comme ses confrères masculins du même âge. Ils en parlaient souvent entre eux. Elle travaillait beaucoup et elle avait toujours le sentiment de ne pas en faire assez. Plus que les longues journées, c'était cette insatisfaction qui lui pesait quand elle rentrait chez elle, et qui la poursuivait encore quand elle s'endormait. Ne pas avoir le temps de parler avec les malades, se contenter de griffonner un diagnostic et une ordonnance et se hâter jusqu'au lit suivant. Etre obligée de prendre des décisions dans l'urgence, ne pas pouvoir s'arrêter et réfléchir.

Elle regarda les trois hommes à tour de rôle.

L'homme âgé près de la fenêtre était assis dans son lit. Il souffrait, se tenait le ventre, cherchait la sonnette qui devait se trouver quelque part sur la table roulante, à côté de l'assiette à laquelle il n'avait pas touché.

A côté de lui, un jeune homme, un gamin plutôt, dix-huit ou dix-neuf ans. Depuis bientôt cinq ans, il avait été hospitalisé à plusieurs reprises dans divers services. En assez bon état quand il était arrivé, il avait vite dépéri. Il refusait de mourir, il se raccrochait à la vie en pleurant et en jurant. Il respirait avec difficulté, il avait perdu pas mal de kilos et tous ses cheveux, mais il était toujours là. Presque étonné de s'être encore réveillé, il regardait fixement le mur.

Le troisième était nouveau.

Lisa Öhrström prit une profonde inspiration. C'était lui qui causait sa fatigue, qui l'empêchait de bouger alors que les sonnettes des patients retentissaient de tous les côtés.

Il était arrivé la veille. C'était étrange, injuste ; elle se trouvait monstrueuse d'avoir cette pensée, mais elle ne pouvait s'en empêcher : parmi ces trois-là, lui seul allait survivre, lui seul allait quitter l'hôpital avec un cœur qui battrait.

Ce type qui avait tout fait pour cesser d'exister. Qui lui mangeait son temps, qui lui prenait ses forces. Il avait failli y passer, mais il s'en foutait. Il ne comprenait rien. Ou peut-être que si : il recommencerait, et elle serait là, au milieu de la chambre, découragée et en colère. Elle ou un de ses confrères.

C'était pour cela qu'elle le détestait.

Elle se dirigea vers son lit. Il le fallait bien.

— Tu es réveillé.

— Qu'est-ce qui s'est passé ?

— Une overdose. On t'a sauvé de justesse.

Il s'arracha le pansement qui lui couvrait la tête et commença à se gratter une plaie dans le nez. Une plaie qu'il avait depuis longtemps. A l'époque où elle se faisait encore du souci pour lui, elle avait essayé de l'empêcher de farfouiller dans sa narine. Elle jeta un œil sur la fiche accrochée au pied de son lit. Elle savait déjà tout. Hilding Oldéus, vingt-huit ans. Elle vérifia les dates, elle les connaissait par cœur, c'était la douzième fois qu'il était là, la douzième fois qu'il occupait un lit à cause d'une overdose. Les cinq ou six premières fois, morte d'inquiétude, elle avait pleuré. Maintenant, elle n'éprouvait plus que de l'indifférence.

Elle devait se ménager, s'occuper des autres patients.

Elle ne pouvait rien pour lui.

Elle n'avait plus le courage de s'inquiéter pour son avenir.

— Tu as eu de la chance. La personne qui a donné l'alerte – un de tes amis, je crois – t'a fait un massage cardiaque et de la respiration artificielle. Dans un photomaton de la gare centrale, apparemment.

— C'était Olsson.

— Sinon, ton corps n'aurait pas résisté. Pas cette fois-ci.

Il se gratta de nouveau la plaie. Elle fut tentée de l'en empêcher, mais elle y renonça. Elle savait qu'il recommencerait aussitôt. Tant pis, il pouvait bien se gratter jusqu'au sang.

— Je ne veux plus te voir ici.

— Mais enfin, frangine…

— Jamais plus.

Hilding essaya de se redresser, mais retomba immédiatement. La tête lui tournait, il se tâta le front.

— Tu vois ce qui se passe quand tu refuses de me prêter du fric. De la blanche. Tu comprends ?

— Pardon ?

— On ne peut compter sur personne.

Lisa Öhrström poussa un soupir.

— Ecoute. Ce n'est pas moi qui ai dissous l'héroïne dans de l'acide citrique. Ce n'est pas moi qui ai rempli la seringue. Ce n'est pas moi qui t'ai fait l'injection. C'est toi, Hilding.

— Tu peux toujours causer.

— Oh, et puis à quoi bon. Je ne sais même plus ce que je dis.

Elle n'en avait pas la force. Pas aujourd'hui. Il était vivant. Pour le reste, elle ne voulait rien savoir. Petit à petit, sa dépendance était devenue son affaire à elle. Comme si c'était elle qui avait tenu les seringues, séjourné dans des cliniques de désintoxication. Elle avait cessé de respirer à chacune de ses overdoses. Elle avait fréquenté les réunions destinées aux proches, suivi des thérapies. On lui avait expliqué qu'il fallait faire abstraction de ses propres sentiments. Pendant de longues périodes elle avait à peine existé. La toxicomanie de Hilding avait régi toute sa famille.

Elle n'avait pas encore gagné le couloir quand il se mit à crier. Elle était décidée à ne pas y retourner, à continuer sa ronde, mais il criait de plus en plus fort.

Elle résista quelques minutes, puis elle revint sur ses pas.

— Qu'est-ce que tu veux ?

— Mais enfin, frangine…

— Dis-moi ce que tu veux !

— Tu me laisses tomber ? Alors que je viens de faire une overdose ?

Lisa Öhrström sentit les regards de l'homme âgé et du garçon qui refusait de mourir. Elle aurait dû les réconforter, mais elle n'en pouvait plus.

— Je veux un tranquillisant.

— Ici, on ne joue pas les dealers. Tu peux toujours demander au médecin chef, il te dira la même chose.

— Du Stesolid.

Elle déglutit, des larmes coulèrent le long de ses joues. Il avait réussi son coup.

— Pendant des années, on a tout fait pour toi. Maman et Ylva et moi. On a vécu avec tes angoisses. Alors, arrête de geindre.

Hilding ne l'écoutait même pas. Il ne l'aimait pas quand elle prenait ce ton.

— Ou du Rohypnol.

— On était contentes quand tu étais en prison. Comme dernièrement, à Aspsås. Tu comprends ? Comme ça, on savait au moins où tu étais.

— Ou du Valium. S'il te plaît.

— La prochaine fois, tâche de faire ça proprement. Si tu dois faire une overdose, prends-en suffisamment pour mourir.

Lisa Öhrström se pencha en avant. En larmes, se tenant le ventre, elle se détourna. Elle ne voulait pas qu'il la voie dans cet état. Elle ne dit rien, se dirigea vers

118

l'homme âgé. C'était lui qui avait sonné. Il était assis en se tenant la poitrine, il avait besoin d'un analgésique, le cancer le rongeait. Elle lui prit la main, puis elle se tourna de nouveau vers Hilding.

— Au fait, tu as une visite.

Hilding ne répondit pas.

— J'avais promis de te le dire à ton réveil.

Pressée de quitter cette chambre, elle s'engouffra dans le couloir turquoise.

Hilding la suivit du regard. Il ne comprenait pas.

Comment pouvait-on savoir qu'il était ici ?

Lui-même le savait à peine.

Quittant la voiture garée devant l'hôpital Söder, Jochum Lang laissa derrière lui l'odeur de cuir noir qu'il avait fini par détester tout autant que celle de la cellule où il venait de passer deux ans et quatre mois de sa vie. Une odeur différente, mais au fond assez semblable. Une odeur qui vous enfermait, qui charriait des relents de pouvoir et de contrôle. Depuis le temps qu'il était dans le business, il l'avait compris : recevoir des ordres d'un maton ou de Mio, c'était du pareil au même.

Il franchit la porte, traversa le hall plein de patients qui rêvaient de rentrer chez eux, parcourut un couloir où se hâtaient des médecins et des infirmières, et pénétra dans l'ascenseur où une aimable voix synthétique annonçait les étages.

Il n'a qu'à s'en prendre à lui-même.

C'est sa faute.

Jochum Lang avait un mantra. Toujours le même. Ça fonctionnait immanquablement, il le savait.

Il n'a qu'à s'en prendre à lui-même.

Il savait où le trouver. Service de médecine générale. Sixième étage. Chambre 2.

Il s'y dirigea d'un pas ferme. Il avait une mission, il tenait à s'en acquitter le plus vite possible.

Le silence régnait dans la chambre. Ils dormaient tous les deux, le vieux en face de lui et le petit jeune qui paraissait plus mort que vif. Hilding n'aimait pas le silence. Il ne l'avait jamais aimé. Il jeta un regard inquiet vers la porte.

Il le vit dès que la porte s'ouvrit. Ses vêtements étaient trempés, il devait tomber des cordes.

— Jochum ?

Son cœur battait la chamade. Il se gratta le nez, essaya de se défendre contre la peur qui le submergeait.

— Qu'est-ce que tu fais là ?

Jochum Lang n'avait pas changé. Toujours aussi baraqué, toujours aussi chauve. Hilding avait les nerfs à fleur de peau. Il allait craquer. Il voulait du Stesolid. Ou du Rohypnol.

— Redresse-toi.

Jochum était impatient. Il parlait bas, mais bien distinctement.

— Redresse-toi.

Jochum s'empara du fauteuil roulant garé devant le lit du vieux. Il se pencha en avant, libéra le frein, poussa le fauteuil à travers la chambre et s'arrêta devant Hilding, qui tardait à se mettre debout.

Jochum fit un geste vers le fauteuil.

— Tu vas t'asseoir là-dedans.

— Qu'est-ce que tu veux ?

— Pas ici. Je te le dirai dehors. On va prendre l'ascenseur.

— Qu'est-ce que tu veux ?

— Tu t'assois, oui ou merde ?

Jochum lui indiqua de nouveau le fauteuil. *Il n'a qu'à s'en prendre à lui-même.* Hilding cligna des yeux, son corps maigre n'avait plus de forces, cela faisait quelques heures seulement qu'il s'était écroulé dans le photomaton. *C'est sa faute.* Lentement, il se leva du lit pour s'installer dans le fauteuil. Il s'arrêta soudain pour se gratter la narine. Du sang coulait sur son menton.

— J'ai rien dit.

Jochum se mit derrière le fauteuil et commença à le pousser. Ils passèrent devant le vieillard et le petit jeune, qui dormaient toujours.

— J'ai rien dit, Jochum. Tu entends ? Les flics, ils m'ont posé des tas de questions sur toi, mais j'ai rien dit.

Le couloir était désert. Sol turquoise, murs blancs. Il y faisait froid.

— Je te crois. T'as trop la trouille.

Ils croisèrent deux infirmières. Elles les saluèrent d'un mouvement de tête. Hilding pleurait. Il n'avait pas pleuré depuis qu'il était gosse. Avant l'héro.

— Mais tu vends de la marchandise frelatée. A des gens à qui il vaut mieux pas.

Ils franchirent les portes du service, arrivèrent sur le palier. C'était plus large, les couleurs n'étaient pas les mêmes. Sol gris, murs jaunes. Hilding tremblait, il ne savait pas que la peur pouvait faire aussi mal.

— Des gens à qui il vaut mieux pas ?

— Mirja.

— Mirja ? Cette espèce de tarée ?

— C'est la nièce de Mio. Et toi, t'es assez con pour lui fourguer du détergent mélangé à la marchandise des Yougos.

Hilding essaya de retenir ses larmes. Des larmes qui ne lui paraissaient pas les siennes.

— Je comprends pas.

Ils s'arrêtèrent devant les ascenseurs. Il y en avait quatre, dont deux qui montaient.

— Je comprends pas.

— Tu vas comprendre. On va causer un peu, toi et moi.

— S'il te plaît, Jochum !

Les portes de l'ascenseur. En tendant les bras, il pouvait les atteindre, s'y agripper.

Il ne savait pas.

Il ne savait pas d'où venaient ces foutues larmes.

Alena Sliousareva marchait le long des quais de Värtahamnen.

Elle contemplait l'eau sombre. Il pleuvait. Il avait plu toute la matinée. Quand le soleil brillait, la mer était bleue ; maintenant elle était noire. Des vagues frappaient les parois de béton. C'était un temps d'automne, pas un temps d'été.

Elle pleurait. Depuis vingt-quatre heures, elle n'avait cessé de pleurer. De peur, puis de rage et de tristesse. Et maintenant de désespoir.

Pendant ces vingt-quatre heures, elle avait revécu les trois années qui venaient de s'écouler. Elle avait tout revu depuis le moment où Lydia et elle étaient montées à bord du ferry. Deux hommes les avaient accompagnées. Leur tenant les portes avec des gestes chevaleresques. Leur disant combien elles étaient belles. L'un était suédois, mais il parlait bien le russe. Il leur avait donné des faux passeports, des clés pour une nouvelle vie. La cabine était immense, aussi grande que la chambre de Klaipeda où elles dormaient à quatre. Alena

123

avait ri de bonheur. Elles étaient en route vers un avenir meilleur.

Elle était encore innocente.

Le ferry venait de quitter le port.

Elle sentirait toujours le sang lui couler le long des cuisses.

Trois ans. Stockholm, Göteborg, Oslo, Copenhague, puis de nouveau Stockholm. Toujours douze clients au moins. Chaque jour. Elle essaya de se rappeler à quoi ils ressemblaient : leurs visages, ceux qui la frappaient, ceux qui se couchaient sur elle, ceux qui se contentaient de la regarder se toucher.

Elle ne se souvenait d'aucun.

Ils n'avaient pas de visage.

C'était comme Lydia avec son corps, sauf que c'était l'inverse. Lydia disait que son corps n'existait pas. Alena n'avait jamais pu comprendre ça. Elle, elle avait un corps. Son corps aussi, on le profanait, elle le savait bien. Chaque soir elle faisait le compte du nombre de fois, elle s'allongeait nue sur le lit et elle calculait : douze multiplié par trois cent soixante-cinq multiplié par trois.

Elle avait un corps. Même si on cherchait à le lui voler.

C'étaient leurs visages qui n'existaient pas. Pour elle, c'était comme ça.

Alena avait essayé de la mettre en garde. De la calmer. En vain. Quand elle avait découvert l'article du journal, Lydia avait changé du tout au tout. Sa réaction, son regard : c'était de la haine. Alena avait vu Lydia se faire avilir, mais elle ignorait qu'elle pouvait haïr. Elle

124

regrettait de lui avoir montré le journal. Elle aurait dû le cacher, le jeter, comme elle y avait d'abord pensé.

Lydia debout devant Dimitri, bien droite. Elle avait dit qu'à partir de maintenant elle garderait l'argent, que c'était elle qui se faisait pénétrer, que l'argent était pour elle. Il avait commencé par la gifler. Elle devait s'y attendre, c'était toujours comme ça qu'il réagissait. Elle n'avait pas reculé. Elle avait dit qu'elle ne recevrait aucun client pendant quelques jours. Que personne ne se coucherait sur elle. Elle était fatiguée, elle en avait marre.

Jusque-là, Lydia n'avait jamais protesté. Pas devant Dimitri. Elle avait eu peur des coups, peur de souffrir, peur du pistolet qu'il leur collait parfois sur la tempe.

Alena s'assit sur le bord du quai, laissant pendre ses jambes au-dessus de l'eau. Trois ans. Janoz lui manquait tellement que cela lui faisait mal. Pourquoi était-elle partie, pourquoi ne lui avait-elle pas dit où elle allait ?

A l'époque, elle était encore une enfant.

Maintenant, elle était quelqu'un d'autre.

Cela avait commencé quand celui qui parlait le suédois l'avait empêchée de bouger, quand il lui avait craché au visage en la pénétrant. Puis la transformation avait continué et elle était devenue une autre. Petit à petit, chaque fois qu'on lui volait son corps.

De sa chambre, elle avait tout vu. Quand il avait brandi le fouet devant le visage de Lydia, elle s'était précipitée. Elle s'était jetée sur lui. Jusqu'ici, il ne s'était jamais servi du fouet, il s'était contenté de le leur montrer pour leur faire peur. Cette fois, il avait frappé. Elle avait essayé de l'en empêcher, mais il lui avait

donné un coup de pied dans le ventre. Puis il l'avait
enfermée en disant qu'après, ce serait son tour à elle.

Elle contemplait l'eau.

Elle attendait.

Elle allait rentrer. A Klaipeda. Retrouver Janoz, s'il était encore là. Mais pas tout de suite. Pas tant que Lydia n'aurait pas donné signe de vie.

Elle avait compté les coups. L'un après l'autre.
Quand la police était arrivée, elle en était à trente-six.
Elle avait tout entendu à travers la porte fermée. Quand
il levait le fouet, quand il cinglait la peau de Lydia.

Ses pieds. Si elle allongeait les jambes, elle touche-rait presque l'eau noire. Elle pouvait sauter. Elle pouvait se lever, prendre le bateau.

Pas tout de suite.

On les avait obligées à se regarder l'une l'autre pendant qu'elles se faisaient violer. Elle devait attendre.

Quelqu'un avait ouvert sa chambre. Ils avaient
fouillé tout l'appartement. Dimitri était couché par
terre en se tenant le ventre. Elle était restée là sans
bouger, puis elle avait reconnu le policier. Prise de
panique, elle s'était précipitée vers la porte d'entrée où
quelqu'un avait fait un grand trou. Au passage, elle
avait balancé un coup de pied dans les testicules de
Dimitri. Et elle avait dévalé les escaliers déserts.

Le téléphone était dans le fourre-tout qu'elle portait en bandoulière. Elle l'entendit sonner.

Elle savait qui c'était.

— Oui ?

— Alena ?

— C'est moi.

La voix de Lydia lui fit chaud au cœur. Elle souffrait,

Alena s'en rendit bien compte ; elle avait du mal à parler, mais quel bonheur d'entendre sa voix.

— Où es-tu ?

— Au port.

— Tu t'apprêtes à rentrer ?

— J'attendais de tes nouvelles. Je savais que tu appellerais. Je rentrerai, mais plus tard.

Elle s'était fait offrir le téléphone portable. Par un des hommes sans visage. Lydia demandait cent couronnes de plus. Alena ne voulait pas d'argent, elle préférait se faire offrir des cadeaux par ceux qui demandaient des extras. On lui avait donné des vêtements, deux colliers, des boucles d'oreilles. Dimitri n'en savait rien. Même pour le téléphone. Il était neuf. Le type sans visage avait eu droit à des extras avec toutes les deux en même temps. C'était Lydia qui avait eu l'idée, elle voulait qu'elles en aient un, au cas où.

— Qu'est-ce que tu vas faire ?

— Quand ?

— Quand tu seras rentrée.

— Je ne sais pas.

— Tu as le mal du pays ?

Alena retint son souffle. Le passé lui revint, sombre, flou. Klaipeda n'était pas une belle ville.

— Oui. Je veux revoir les gens. Savoir à quoi ils ressemblent. Savoir à quoi nous aurions ressemblé.

Elle raconta comment elle avait dévalé l'escalier sans se retourner, fuyant l'appartement et l'immeuble qu'elle haïssait, comment elle avait erré en ville pendant vingt-quatre heures. Elle dit qu'elle voulait dormir, seulement dormir. Lydia lui parla un peu de l'hôpital où elles étaient déjà allées. De son lit, de la nourriture, de l'infirmière qui était polonaise et qui parlait le russe.

Pas un mot sur ses plaies.

— Alena ?

— Oui ?

— Je voudrais que tu m'aides.

Alena contempla l'eau immobile, y découvrit son reflet brouillé, ses jambes qui pendaient, sa main tenant le téléphone.

— Je t'aiderai. Je ferai tout ce que tu voudras.

Lydia respira lentement. Elle chercha ses mots.

— Tu te souviens de la cave ?

Elle s'en souvenait. La dureté du sol, l'obscurité compacte, l'humidité. Dimitri les y avait enfermées pendant deux jours quand il avait reçu une visite. Des gens avaient besoin de leurs lits. C'était la seule explication qu'il leur avait donnée.

— Bien sûr.

— Je voudrais que tu y ailles.

La surface de l'eau ; son image était en train de s'y estomper, une barque à moteur faisait des vagues.

— Je dois être recherchée. Je ne peux pas aller et venir comme je veux.

— Il faut que tu y ailles.

— Pourquoi ?

Lydia se tut.

— Pourquoi, Lydia ?

— Pourquoi ? Mais parce qu'il ne faut pas que ça se reproduise. Ce qui nous est arrivé ne doit jamais se reproduire. Voilà pourquoi.

Alena se redressa, se mit à faire les cent pas entre les pylônes du quai.

— Qu'est-ce que je dois faire ?

— Dans la cave, il y a un seau à charbon. Dans le seau, il y a une arme enveloppée dans un torchon. Un pistolet. Et du Semtex.

— Du Semtex ?

— Un explosif. Et des détonateurs. Dans un sac en plastique.

— Comment tu le sais ?

— Je l'ai vu.

— Et comment tu sais qu'il s'agit de Semtex ?

— Je le sais, c'est tout.

Alena Sliousareva entendait. Elle entendait, mais elle n'écoutait pas. Elle fit chut. Comme Lydia n'arrêtait pas de parler, elle fit de nouveau chut, siffla dans le téléphone jusqu'à obtenir le silence.

— Je raccroche. Tu peux me rappeler dans deux minutes. Deux minutes, ça suffira.

Il y avait un ferry à midi. Dans une heure et demie. Elle pouvait y embarquer. Elle avait de l'argent, elle avait tout ce qu'il fallait dans son fourre-tout. Elle voulait retourner chez elle. Retourner à l'endroit qu'elle appelait « chez elle ». Elle voulait dormir, oublier que trois années avaient passé ; elle était encore belle, joyeuse, elle avait dix-sept ans et elle n'avait jamais quitté Klaipeda. Elle n'était même pas allée à Vilnius.

Ce n'était pas vrai. C'était une époque révolue. Elle était une autre.

Ça sonnait de nouveau.

— Je t'aiderai.

— Merci. Je t'aime, Alena.

Elle marchait d'un pas inquiet, le téléphone collé à l'oreille.

— Le numéro quarante-six. C'est écrit en haut de la porte. Il y a un cadenas, il est facile à faire sauter. Le seau est à droite en entrant. Le pistolet et les munitions sont dans un petit sac. L'explosif est à côté. Tu prends le tout et tu vas à la gare centrale. A notre casier.

— J'y étais hier.

— Tout est là ?

Alena hésita un instant. Un casier rectangulaire dans un mur en pierre. Leurs vies étaient là. Dans le casier 21.

— Tout est là.

— Alors tu vas prendre la cassette vidéo.

La cassette. Alena l'avait presque oubliée. Le type sans visage qui voulait être filmé. Qui lui avait demandé de faire l'amour avec Lydia. Elle avait dit non, mais Lydia lui avait caressé la joue en expliquant qu'elles devaient se toucher, qu'il pourrait les filmer à condition de les laisser enregistrer une autre cassette après.

— Tout de suite ?

— Oui. Le moment est venu. On va s'en servir.

— Tu es sûre ?

— Absolument sûre.

Lydia se racla la gorge, prit son élan.

— J'ai beaucoup réfléchi. Le bras me fait mal, le dos me brûle, je n'arrive pas à dormir. J'ai tout écrit. J'ai relu, corrigé. Oui, je suis sûre, Alena. Les gens doivent savoir. Il ne faut pas que ça se reproduise.

— Et après ?

— Après, tu viens ici. A l'hôpital Şöder. Je suis surveillée, on ne pourra pas se parler. Je serai dans la salle de télévision. Il y aura certainement d'autres patients, il y en a toujours. Les toilettes sont à côté. Je serai assise sur le canapé ; comme ça, je te verrai passer.

Tu vas dans les toilettes et tu poses le tout dans la corbeille à papier. Avec des serviettes en papier pardessus. Laisse tout dans le sac en plastique, il pourrait y avoir de l'humidité dans la corbeille. Le pistolet, les munitions, l'explosif, la cassette. Et de la corde. Il me faut de la corde ; tu peux t'en procurer ?

— Je dois passer devant toi sans même te dire bonjour ?

— Oui.

Le vent s'était levé. Alena Sliousareva se retourna, s'éloigna du bord du quai. Elle remonta la rue, s'engouffra parmi les entrepôts, se dirigea vers le quartier de Gärdet.

Il y avait beaucoup de monde dans les rues, plein de touristes qui faisaient du shopping pour oublier la pluie. Tant mieux ; plus la foule était dense, plus il était facile de s'y fondre.

Elle prit le métro jusqu'à la gare centrale, alla chercher la cassette, la glissa dans son fourre-tout. Elle resta longtemps devant le casier ouvert, contemplant les deux étagères où s'alignaient leurs affaires. Leur vie. La seule vie qui leur appartenait encore au bout de trois ans.

Elle n'était venue là que deux fois. La veille et le jour où elle avait loué le casier.

C'était il y a deux ans. Dimitri leur avait dit qu'elles devaient quitter Stockholm, travailler dans un appartement de Copenhague pendant quelques semaines. L'appartement était près du port et de Strøget, les clients étaient des Suédois ivres qui débarquaient de

Malmö, ils sentaient le Toblerone et la bière et se payaient souvent deux passes. Entre les deux, ils sortaient se soûler, puis ils revenaient, les frappaient, se branlaient ou les pénétraient avant de rentrer chez eux.

Alors qu'ils attendaient le train pour Copenhague, elle avait prétexté un besoin pressant. Dimitri était seul à les accompagner. Il l'avait prévenue : si elle essayait de filer, si elle n'était pas de retour avant le départ, il tuerait Lydia. Elle l'en savait capable. De toute façon, elle n'aurait pas abandonné son amie. Jamais elle n'aurait pu faire ça.

Elle voulait un casier, un chez-soi.

Un de ses habitués, le patron d'une entreprise de plomberie de Strängnäs qui faisait une heure de route pour venir la voir, lui avait parlé des casiers qu'on pouvait louer pour deux semaines. Des casiers destinés aux touristes, mais qui servaient surtout aux SDF.

Au lieu d'aller aux toilettes, elle avait profité du quart d'heure accordé par Dimitri pour en louer un. Hors d'haleine mais contente, elle avait pu revenir juste à temps, les deux clés planquées dans ses chaussures.

Le plombier s'était chargé de faire des doubles des clés et de renouveler la location ; c'était sa manière de payer les extras. Il la faisait saigner abondamment, mais ça valait le coup.

Elle s'en rendait compte, maintenant qu'elle était là devant le casier ouvert.

Avoir un endroit à elles seules, un endroit ignoré de Dimitri, un endroit qu'il ne connaîtrait jamais malgré ses menaces, ça valait tout ce qu'elle avait subi.

Elle savait qu'elle ne reviendrait jamais. Elle prit tout ce qui était à elle, les colliers, les boucles d'oreilles, les robes, ne laissant que la petite boîte avec l'argent de Lydia. Elles avaient chacune leur clé ; quand Lydia serait guérie, elle viendrait chercher son argent.

Elle referma le casier et s'en alla.

Le métro, de nouveau. La ligne verte. Elle quitta le wagon bondé à Sankt Eriksplan, monta les escaliers jusqu'à l'asphalte mouillé, chercha le restaurant vietnamien qui lui servait de repère. Elle devait passer devant et continuer jusqu'à l'autre escalier, celui qui était si beau, avec des anges en pierre sur la balustrade. Elle descendit les marches et se retrouva dans Völundsgatan.

En arrivant en bas, elle vit la voiture de police. Il y avait deux hommes à bord. En uniforme. Elle se baissa, fit semblant d'enlever un caillou dans sa chaussure. Il fallait vite trouver une solution.

Elle n'y arriverait jamais.

Elle suivit du regard deux enfants poussant des vélos. Ils passèrent devant la voiture de police sans même la remarquer.

Elle était incapable de réfléchir.

Il fallait tenter le tout pour le tout.

Elle remit sa chaussure, se redressa, poursuivit son chemin en ignorant la pluie. Sans se presser. Jusqu'au portail. Pensant aux hommes sans visage, elle marcha d'un pas décidé en regardant droit devant elle.

Les occupants de la voiture ne réagirent pas.

Elle franchit le portail, resta un instant immobile.

Rien.

Ils n'avaient pas bougé. Elle entreprit de compter jusqu'à soixante. Une minute. Dans une minute, elle descendrait au sous-sol.

Elle s'attendait à entendre des pas, des cris lui ordonnant de rejoindre la voiture.

Toujours rien.

Elle eut un frisson, tenta de chasser son inquiétude et prit l'escalier en pierre. Deux niveaux. Elle évita de marcher trop vite, de respirer trop fort ; elle ne voulait pas briser le silence, seulement penser à l'appartement du sixième étage.

Le trou, immense, comme une promesse de liberté.

Elle ferma les yeux. Elle entendait toujours les coups de hache du pompier, le choc du corps de Lydia contre le sol quand Dimitri l'avait lâchée pour se précipiter vers l'homme en uniforme qui s'apprêtait à entrer.

Elle s'arrêta un instant, essaya de calmer sa respiration.

Elle avait passé près d'un an là-dedans.

Elle ne comprenait pas.

Elle était libre depuis vingt-quatre heures et cela avait presque suffi à effacer cette année. Comme si elle n'avait jamais vécu là. Si elle le décidait, c'était vrai : elle n'avait jamais mis les pieds dans l'appartement aux deux grands lits, elle ne s'était jamais attardée dans l'entrée à contempler la serrure électronique.

Elle continua jusqu'au niveau le plus bas, celui des caves. Elle se retourna, pensa à la porte enfoncée et fit un doigt d'honneur aux hommes qui ne viendraient plus y sonner.

La porte d'accès aux caves était en métal, gris et froid. Alena n'était pas forte ; elle ne pourrait jamais l'ouvrir, sauf avec un pied-de-biche. C'était une chose qu'elle avait déjà faite, à Klaipeda il y a longtemps.

À l'époque, cela lui avait paru un cauchemar, mais à présent c'était presque un bon souvenir.

Elle posa son fourre-tout. Elle sortit les vêtements, la cassette et les boîtes en plastique avec les colliers et les boucles d'oreilles, puis elle prit le rouleau de corde et le posa à côté.

Le pied-de-biche était au fond. Le type de la quincaillerie avait rigolé : « Un pied-de-biche et un rouleau de corde, tu prépares un cambriolage ? Tu n'en as pas l'air, pourtant. » Elle avait ri, elle aussi. *« I live in an old house*, avait-elle dit, *you know, you just need a strong man and some tools.* » Elle lui avait décoché le regard dont elle avait gratifié les hommes qui se couchaient sur elle, le regard qu'ils aimaient. Il lui avait fait cadeau de la corde en lui souhaitant bonne chance. Avec la vieille maison et les hommes forts.

Le pied-de-biche était léger. C'était le plus petit qu'ils avaient. Elle le souleva, introduisit les deux dents au-dessus de la serrure et appuya de toutes ses forces. Elle essaya une fois, deux fois, trois fois. Rien ne se passa.

Elle avait peur d'insister, de faire du bruit.

Mais elle n'avait pas le choix.

Elle réintroduisit le pied-de-biche, lui fit faire des va-et-vient entre la porte et le chambranle, puis elle s'arc-bouta.

La serrure céda avec un bruit dont l'écho se répandit dans la cage d'escalier. Tous les locataires avaient dû l'entendre.

Alena se coucha par terre. Comme si elle voulait se rendre invisible.

Elle compta de nouveau jusqu'à soixante.

Sa main lui faisait mal, elle avait présumé de ses forces.

Elle compta encore une fois jusqu'à soixante.

Tout était silencieux. Aucun claquement de porte, aucun pas dans l'escalier. Elle se releva, ramassa ses affaires et les remit dans le fourre-tout.

Elle poussa légèrement la porte, qui s'ouvrit en grand.

Un long couloir, des murs en béton peints en blanc qui semblaient lui tomber dessus. Et tout au bout, une autre porte. Ensuite, il y avait quatre rangées de caves. C'était là qu'elle allait.

Elle s'apprêtait à utiliser le pied-de-biche quand elle s'aperçut que la porte n'était pas fermée à clé.

Il y avait quelqu'un. Quelqu'un qui n'allait pas tarder à revenir.

Elle ouvrit la porte.

Cela sentait le renfermé, les provisions, les paillassons mouillés.

Ses yeux mirent un certain temps à s'habituer à l'obscurité.

Cela sentait aussi autre chose.

L'eau de toilette pour hommes. La transpiration. L'odeur de Dimitri. De certains de ses clients. Alena se figea. L'air lui manquait, elle n'arrivait pas à respirer.

Il y avait quelqu'un.

Elle pensa au ferry, au billet qu'elle avait pris.

Des pas.

Les pas de quelqu'un contre le sol rugueux qui devait être en brique.

Elle se mit à pleurer. Elle se faufila le long du mur de la première rangée de caves, se blottit contre un cagibi en saillie et ferma les yeux. Elle ne les ouvrirait que lorsque ce serait fini.

Elle resta longtemps immobile. Quelqu'un allait et venait entre les caves, ouvrait et fermait des portes, déposait des objets qui paraissaient lourds. Paniquée par les bruits, elle finit cependant par ne plus les entendre.

Le silence qui s'ensuivit fut encore pire.

Elle respirait par saccades, elle pleurait et tremblait.

Puis elle comprit qu'elle était seule.

Elle se releva, les jambes en coton. Elle avait mal à la tête. Elle n'osait pas allumer.

Elle n'avait pas besoin de voir le numéro de la cave.

Elle savait où se trouvait la porte.

Elle était restée enfermée là-dedans pendant deux jours et deux nuits.

C'était dans une des rangées du milieu. Des cloisons de bois barbouillées de peinture marron, avec de petites ouvertures tout en haut. Trop petites pour pouvoir entrer : elles servaient uniquement pour l'aération. Le cadenas. Elle le soupesa, il était tout léger. Elle prit une profonde inspiration.

Elle glissa le pied-de-biche entre le boîtier doré et l'anneau en acier. Puis elle se servit de son corps comme levier.

D'un air étonné, elle contempla le cadenas qui pendait maintenant dans le vide.

Elle poussa la porte et entra.

La pluie tombait toujours aussi dru. On était en juin, il n'était pas encore midi, mais le ciel sombre faisait penser à une soirée de novembre. Ewert Grens ouvrit la portière d'une des voitures banalisées de la police de Stockholm et s'installa sur le siège du passager. Il demanderait à Sven de conduire. De plus en plus souvent il lui laissait le volant. Il se fatiguait vite, les lumières le faisaient pleurer. Il vieillissait et il détestait ça. Ce n'était pas la dégradation de son corps qui le chagrinait : cela faisait longtemps qu'il avait cessé de la combattre, il n'avait personne à qui plaire. Non, c'était la diminution de ses forces. Autrefois, rien ne lui résistait. Maintenant il avait cinquante-six ans et il était seul. Que faire de son passé dans ce cas-là ?

Sven conduisait vite. Ils rentraient de l'aéroport d'Arlanda et ils étaient en retard. Cela avait été une drôle de matinée. Alors qu'ils devaient seulement y passer quelques minutes, ils étaient finalement restés deux heures dans le terminal cinq. Ils avaient tenu à voir embarquer le dénommé Dimitri, à s'assurer qu'il était bien à bord de l'avion blanc et bleu qui atterrirait à

Vilnius une heure plus tard. Pour pouvoir tirer un trait dessus en rédigeant leur rapport.

Ewert regardait fixement la route. Il ne remarqua pas l'irritation dans la voix de Sven.

— On est à la bourre.

— Comment ?

— Je vais accélérer. Il y a des collègues qui se baladent dans le coin ?

— Pas que je sache.

La bretelle de sortie de l'aéroport était presque déserte. Sven dépassait largement la vitesse autorisée. Pressé de rentrer, il avait décidé qu'il serait à l'heure.

Ce salopard de Dimitri était un chapitre terminé. Comme ils l'avaient espéré.

Ils l'avaient vu traverser le hall de départ, encadré par deux balèzes. Ils étaient restés près du comptoir d'enregistrement pendant qu'il se dirigeait vers la porte d'embarquement. Ses mouvements de tête inquiets, ses pas trop mesurés énervaient manifestement son escorte. Alors qu'il fouillait dans ses poches à la recherche de sa carte d'embarquement, un homme d'une soixantaine d'années s'était avancé vers lui. Il lui avait crié quelque chose avant de lui flanquer une gifle magistrale. Pendant quelques minutes, l'homme avait attiré tous les regards, faisant des moulinets avec les bras tout en continuant à vociférer contre Dimitri qui se tassait de plus en plus. Puis il lui avait collé une seconde gifle avant de le pousser vers le portail de détection et le scanner pour bagages à main. Hors de leur vue.

Ewert et Sven n'avaient pas bougé. Si nécessaire, des vigiles interviendraient. Ils étaient seulement là pour s'assurer qu'ils ne reverraient plus jamais cette brute.

Après avoir fini de crier, l'homme s'était dirigé vers eux. Sans hésiter. Il avait su qu'ils étaient là, qu'ils avaient tout vu.

Il s'était approché d'un pas étonnamment léger, un porte-documents dans une main et un parapluie dans l'autre. S'arrêtant devant eux, il avait ôté son chapeau et leur avait serré la main.

Ils arrivèrent sur l'E4 et prirent la direction de Stockholm. Là pluie réduisait la visibilité, les essuie-glaces tournaient à la vitesse 3 et Sven fut obligé de ralentir.

Poussant un soupir, Ewert alluma l'autoradio.

L'homme s'était présenté, mais Ewert s'était empressé d'oublier son nom. Sans se laisser troubler par les passagers retardataires qui se bousculaient autour de lui, il avait engagé la conversation. Expliquant qu'il était chef de la sécurité à l'ambassade lituanienne, il les avait invités à prendre un verre. Ewert avait refusé. Il aurait pourtant volontiers bu quelque chose, il était fatigué et un peu d'alcool lui aurait fait du bien. Mais avec Sven ce n'était pas possible. Un café, alors ? Le diplomate avait insisté : un café dans le bar à côté de l'escalator.

Ils avaient un peu hésité, mais il avait fini par les entraîner vers une table avec vue sur le tarmac. Il était allé chercher trois cafés et trois viennoiseries au comptoir, puis il s'était installé en face d'eux. Il était resté un moment sans rien dire, le temps de boire la moitié de sa tasse.

Il parlait bien l'anglais. Mieux qu'Ewert et Sven, malgré un accent assez prononcé. Il s'était excusé pour l'esclandre, il n'aimait ni la violence ni les éclats de voix, mais parfois il fallait bien s'y résoudre. Et là, c'était le cas.

Il les avait longuement dévisagés avant de leur expliquer combien il avait été abasourdi par ce qu'il avait appris sur son collaborateur Dimitri Simait, combien cette histoire pouvait devenir gênante pour un pays qui venait tout juste de recouvrer sa souveraineté après des décennies d'occupation. Il cherchait manifestement à s'assurer de leur discrétion. D'ailleurs, en constatant qu'on avait promptement réexpédié Dimitri chez lui, ne pouvaient-ils pas renoncer à poursuivre leurs investigations ?

Ewert Grens et Sven Sundkvist l'avaient poliment remercié pour le café et les pâtisseries. Puis ils s'étaient levés et lui avaient fait comprendre qu'il était impossible d'étouffer ce genre d'affaire, qu'il ne fallait pas compter sur eux pour empêcher l'enquête de suivre son cours. Pas dans un cas de trafic d'êtres humains.

Le fond sonore de l'autoradio : cela faisait longtemps qu'Ewert s'était lassé de cette soupe. Il tenait une de ses propres cassettes à la main.

— Sven ?

— Oui ?

— Tu écoutes ça ?

— Oui.

— C'est franchement de la merde.

— J'attends les informations routières, on va bientôt quitter l'autoroute.

— Je mets autre chose.

Grens coupa le sifflet au présentateur de Radio Stockholm au milieu d'une phrase où il était question de tôle froissée. Puis il glissa dans l'appareil une cassette de Siw Malmkvist. Une de celles qu'il s'était confectionnées lui-même. La voix de Siw s'éleva et il ferma les yeux. Il pouvait de nouveau réfléchir.

En les voyant quitter précipitamment la table, le diplomate lituanien avait rougi. Il les avait suppliés de rester encore un peu, de l'écouter. Il avait paru fatigué. Ewert et Sven avaient échangé un regard. Finalement, ils s'étaient de nouveau assis. L'homme transpirait abondamment, sa peau luisait sous les néons et une mèche peu fournie lui tombait sur le front. Il avait posé ses mains noueuses et moites sur les leurs, refusant de les lâcher.

Plusieurs centaines de milliers de jeunes femmes, avait-il dit. Plusieurs centaines de milliers de jeunes femmes de l'Europe de l'Est. Plusieurs centaines de milliers de vies ! Sur le marché du sexe, en Europe de l'Ouest. Et pendant qu'il parlait, d'autres venaient grossir ce chiffre. En ce moment même. Nos filles. Nos filles !

Il était désespéré.

C'est à cause du chômage, avait-il poursuivi. Une fille de dix-huit ou dix-neuf ans, c'est facile de l'embobiner. Qu'est-ce que vous croyez ? Elles sont jeunes, elles sont prêtes à accepter n'importe quel travail, il faut bien gagner sa vie. Et elles rencontrent un homme qui leur promet la lune. Ensuite il passe aux menaces, et pour finir il les vend à quelqu'un qui les installe dans un appartement muni d'une serrure électronique. Comme les deux filles de Völundsgatan. C'était ça leur adresse, n'est-ce pas ? Et après avoir touché son argent, il disparaît dans la nature. Ni vu ni connu. Aucune responsabilité, aucun investissement, aucun risque.

Tout à coup, le diplomate avait porté leurs mains jusqu'à sa joue, les avait maintenues fermement. Ewert avait jeté un regard furieux vers Sven. Il avait failli protester, mais il s'était finalement décidé à rester assis.

Vous comprenez ? avait-il dit. Vous comprenez ?

Dans mon pays, vendre de la drogue est un crime. Les gens se font lourdement condamner. Mais quand on vend des êtres humains, on ne risque rien. En Lituanie, les proxénètes ne sont guère punis. Pas de jugements, pas de condamnations.

Je vois ce qui arrive à nos enfants. Et je pleure avec eux. Mais je ne peux rien faire.

Vous comprenez ?

Ils venaient de quitter l'autoroute.

Laissant s'estomper l'image du petit diplomate avec son chapeau et son porte-documents, Ewert regarda la longue file de voitures luisantes de pluie qui les précédaient. Les feux tricolores en avalaient une dizaine à la fois et il y en avait une bonne centaine devant eux. Il fit un rapide calcul : ils en avaient pour dix minutes au bas mot. Sven poussa un juron, ce qui lui arrivait rarement. Ils n'étaient pas sortis de l'auberge.

Ewert se renversa en arrière et poussa le volume de l'autoradio.

Et quand tu m'as trahie pour la première fois
Je suis rentrée chez moi et j'ai pleuré un coup.

La voix de Siw finit par noyer les klaxons et les bougonnements de Sven. Ewert respirait ; au fond de lui demeurait cette époque lointaine où il avait encore la vie devant lui, où tout était simple comme des photos en

143

noir et blanc. Il contempla l'étui en plastique qu'il tenait entre ses doigts. *Trop tard pour regretter*, 1964 (titre original : *Today's teardrops*). La photo, qu'il avait prise lui-même, représentait Siw dans un parc d'attractions. Elle souriait à la caméra ; il s'était présenté à elle et elle lui avait fait un signe de la main en s'en allant. Il regarda la liste des chansons. Il les avait choisies, enregistrées, il en avait recopié les titres.

Tout en écoutant Siw, il ne put s'empêcher de penser au petit diplomate et à son désespoir. Ewert et Sven avaient enfin réussi à dégager leurs mains des siennes. Ils l'avaient encore remercié. Ils étaient à peine sortis de la cafétéria quand il leur avait crié d'attendre.

Pendant qu'ils descendaient les escaliers, il leur avait expliqué qu'il connaissait Lydia Grajauskas et son père. Qu'il n'était pas venu à Arlanda seulement pour s'assurer que Dimitri Simait avait bien embarqué. C'était aussi une question de respect. De respect envers le père de Lydia, dont l'histoire tragique semblait se prolonger infiniment.

Le temps d'atteindre le hall d'entrée, il s'était tu. Puis il avait repris son récit, leur parlant d'un homme qu'on avait mis en prison et obligé à abandonner sa famille pour avoir fièrement brandi le drapeau lituanien. Qu'on avait chassé de l'armée, une fois sa peine purgée, et qui s'était de nouveau retrouvé en prison quelques années plus tard pour atteinte à la sécurité de l'Etat. En effet, avec trois anciens collègues restés dans l'armée, il avait volé des armes pour les revendre à une puissance étrangère.

Le diplomate s'était soudain interrompu. Il s'était lamenté sur le sort tragique de la jeune fille, puis il leur avait serré la main et s'était fondu parmi les voyageurs qui s'agglutinaient devant les comptoirs d'enregistrement. Ewert et Sven l'avaient longuement suivi des yeux. On aurait dit qu'il avait enfin accompli ce pour quoi il était venu. Il avait pu parler à deux policiers suédois d'une série d'événements qui, pour une raison ou pour une autre, le touchaient de près ; il s'était débarrassé d'un fardeau devenu trop lourd.

Détachant un instant son regard de l'autoradio, Ewert Grens contempla les voitures immobilisées. Il y en avait toujours autant. Sven s'agitait sur son siège, l'air inquiet. Il appuya légèrement sur l'accélérateur, fit rugir le moteur.

— On n'y sera jamais à temps, Ewert.

— Tais-toi. J'écoute Siw.

— Je leur ai promis. Encore une fois, je leur ai promis.

C'était l'anniversaire de Sven Sundkvist. Il avait quarante et un ans. Quand il était parti, Anita et Jonas dormaient encore. Ils feraient la fête plus tard, à l'heure du déjeuner, quand il serait de retour dans le pavillon mitoyen de Gustavsberg. Il avait pris son après-midi. Les anniversaires étaient sacrés. Ces jours-là au moins, il voulait pouvoir embrasser la femme qu'il aimait depuis le lycée, s'asseoir à côté de Jonas et lui tenir la main jusqu'à ce qu'il proteste.

Le fils qu'ils avaient attendu pendant quinze ans.

Très tôt, ils avaient décidé de faire un enfant. Ils n'avaient jamais réussi. Anita était tombée enceinte à trois reprises. Elle avait accouché d'un premier bébé mort-né à sept mois de grossesse. On avait provoqué l'accouchement, elle avait poussé et souffert, puis elle

145

avait pleuré dans les bras de Sven, la petite fille morte à ses côtés. Elle avait encore fait deux fausses couches tardives. Deux petits cœurs qui, soudain, avaient cessé de battre.

Ce sentiment de manque, il lui arrivait encore de l'éprouver. Pendant longtemps il avait déteint sur tout ce qu'ils faisaient. Dérobant leurs forces, il avait presque fini par étouffer leur amour. Jusqu'à ce jour, huit ans plus tôt, où ils s'étaient rendus dans un village à deux cents kilomètres de Phnom Penh. A l'aéroport, ils avaient été accueillis par un représentant du bureau d'adoption qui les avait guidés à travers le paysage exotique. Et c'est là qu'ils l'avaient découvert, dans un petit lit de l'orphelinat local. Il avait des bras et des jambes et des cheveux et dans leur esprit il s'appelait déjà Jonas.

— Je devrais être dans le bus de Värmdö à l'heure qu'il est.

— Tu l'auras, ton bus.

— Ou du moins en train de l'attendre près de Slussen.

— On y est presque.

Il avait promis. Encore une fois.

Il se souvenait de son dernier anniversaire. Il faisait une chaleur torride et la tarte à la crème avait ranci dans la voiture. Une fillette de cinq ans, le bas-ventre déchiré par des coups de couteau, avait été retrouvée dans la forêt près de Strängnäs. Au moment de l'alerte, il était en route vers Gustavsberg où Jonas l'attendait devant la table déjà mise. Cela n'avait pas été facile d'expliquer qu'il ne pouvait pas rentrer tout de suite parce que quelqu'un avait massacré une enfant.

Ils lui manquaient.

— Je mets le gyrophare. Je m'en fous, il faut que je rentre.

Sven regarda Ewert, qui haussa les épaules. Il posa le bidule en plastique sur le toit et attendit le bruit de la sirène. Slalomant entre les voitures qui cherchaient à se rabattre, il changea deux fois de file et parvint à se dégager. Quelques minutes plus tard, le bouchon et les trois feux tricolores étaient derrière eux et ils approchaient du centre-ville.

C'est alors qu'ils furent prévenus.

D'abord ils n'y firent pas attention. Avec la sirène et la voix de Siw à plein tube, l'appel était à peine audible.

Une femme médecin avait découvert Hilding Oldéus.

Mort. Dans une cage d'escalier de l'hôpital où il était soigné.

Très amoché, Oldéus était difficilement reconnaissable. D'une voix faible, la femme médecin avait expliqué qu'il avait reçu une visite ; c'était elle qui avait accueilli la personne en question. On cherchait Grens et Sundkvist, car le signalement qu'elle avait donné ne laissait aucun doute. Un homme grand et baraqué, crâne rasé, bronzage artificiel, une cicatrice courant de la tempe à la bouche.

Ewert regardait droit devant lui. On aurait dit qu'il souriait.

— Vingt-quatre heures, Sven. Ils n'ont pas mis plus de vingt-quatre heures.

Sven lui jeta un coup d'œil.

Il pensait à Anita et Jonas qui l'attendaient, mais il ne dit rien.

Il changea de file, prit la direction de Västerbron et de l'hôpital Söder.

Elle s'était installée au fond de l'autobus. Elle était presque seule maintenant : une vieille dame était assise quelques rangées devant elle et une jeune femme se tenait debout avec une poussette. Alena aurait préféré qu'il y ait beaucoup de monde : elle serait plus facilement passée inaperçue. Mais la plupart des passagers étaient descendus à la salle omnisports d'Eriksdal. Des gens en survêtement qui devaient se rendre à une rencontre sportive.

Le bus quitta le boulevard circulaire et passa devant l'entrée des urgences où Dimitri l'avait accompagnée deux ans plus tôt, quand un des clients qui voulaient des extras y était allé trop fort. Il y avait encore une côte à monter, puis un tournant : l'arrêt se trouvait devant l'entrée principale. Elle n'avait pas appuyé sur le bouton, mais peu importe : c'était le terminus.

Elle se retourna. Apparemment, on ne l'observait pas.

Il pleuvait à verse et elle masquait son visage avec son parapluie. En pénétrant dans le hall d'accueil, elle se glissa discrètement le long des murs ornés d'œuvres d'art en métal. Elle regarda à la dérobée les sièges inconfortables où des gens étaient assis avec des gobelets de café en carton, puis elle jeta un coup d'œil furtif vers les couloirs.

Personne ne semblait faire attention à elle.

Les gens étaient trop préoccupés par leur propre vie, par leur état de santé.

Elle se dirigea vers le kiosque à journaux et la boutique du fleuriste. Elle acheta une boîte de chocolats, un magazine et un bouquet tout prêt enveloppé de papier cristal. Après avoir réglé, elle s'en alla, ses achats bien en vue. Elle se rendait auprès d'un malade. Comme tant d'autres, elle profitait de sa pause déjeuner pour aller visiter un proche. Elle était une anonyme au milieu de la foule.

Les ascenseurs étaient au bout d'un long couloir qui s'enfonçait dans les entrailles du bâtiment. Elle croisa des patients venus pour un examen, d'autres qui s'étiolaient, qui ne savaient plus ce qu'ils faisaient là, qui ne le sauraient plus jamais. A gauche et à droite, elle vit des couloirs identiques à celui qu'elle parcourait. Un véritable labyrinthe. Tout cela ne lui plaisait pas.

Un ascenseur l'attendait, portes ouvertes. Elle appuya sur le bouton du haut. Elle était seule dans l'espace exigu. Dans la glace, elle aperçut quelqu'un, une femme d'une vingtaine d'années vêtue d'un imperméable trop grand. Une femme qui voulait rentrer chez elle.

Les portes s'ouvrirent. Elle tenait la boîte de chocolats et le bouquet de fleurs devant elle comme un bouclier. Un médecin passa dans le couloir. Pressé, il s'engouffra dans une chambre. Deux patients vêtus de pyjamas d'hôpital arrivaient dans le sens inverse, leur bracelet en plastique autour du poignet. Elle les regarda du coin de l'œil, se demanda s'ils étaient là depuis long-temps, s'ils sortiraient un jour.

La salle de télévision était à gauche. En s'appro-chant, elle entendit la voix gorgée de suffisance d'un présentateur. Le son était poussé à fond et l'émission était entrecoupée de vignettes musicales. Un policier était là. Uniforme vert, matraque, étui de menottes, bras croisés, le visage tourné vers les gens assis sur le canapé. Deux adolescents. Et une jeune femme. Son visage portait des traces de coups, elle avait un bras dans le plâtre et le regard absent. Elle fixait l'homme sur l'écran sans le voir. Alena tenta de capter son attention, rien qu'une seconde, mais la femme ne réagit pas. Elle resta immobile, comme si rien n'existait autour d'elle.

Alena laissa derrière elle le policier et les trois malades. Au fond du couloir, elle vit une porte de toilettes avec l'icône « handicapé ». Elle l'ouvrit, y pénétra et referma la porte à clé.

Elle tremblait. Elle laissa tomber ce qu'elle avait dans les bras, se pencha en avant, appuya les deux mains contre le mur. Ses jambes se dérobaient sous elle.

De nouveau, elle aperçut quelqu'un dans la glace.

Une femme qui voulait rentrer chez elle.

Qui voulait rentrer chez elle.

Elle posa son fourre-tout sur le couvercle des toilettes. Elle avait entortillé le sac en plastique, essayant de le rendre aussi petit que possible. Elle le sortit, le soupesa un instant et le glissa dans la poubelle placée sous le lavabo. Elle ouvrit le robinet. Elle aurait dû commencer par ça. Maudissant sa bêtise, elle tira la chasse. Il fallait bien qu'on entende tous ces bruits auxquels personne ne fait attention. Elle prit des serviettes en papier dans le distributeur presque vide, les froissa longuement et les déposa sur le sac en plastique, le dissimulant complètement.

Lydia avait mal.

Son corps la punissait d'avoir bougé. Pour calmer ses douleurs, elle avait demandé deux comprimés de morphine à l'infirmière polonaise.

Elle était assise sur le canapé à côté de deux adolescents. Elle les observait depuis un moment. Elle leur avait souri, mais sans leur adresser la parole. Elle ne voulait rien savoir d'eux. Devant elle, un présentateur de journal télévisé parlait de choses dont elle ignorait tout. A côté de la porte, le policier ne la quittait pas du regard.

Du coin de l'œil, elle avait vu passer une femme avec une boîte de chocolats et un bouquet de fleurs.

Depuis, elle respirait avec difficulté.

Elle devait attendre que la porte s'ouvre de nouveau et que la femme s'en aille. Elle ferma les yeux. Elle avait envie de s'allonger sur le canapé. De dormir et de se réveiller quand tout serait fini.

Ce ne fut pas long. Ou peut-être que si ; elle n'en savait rien.

La femme sortit des toilettes. Lydia l'entendit distinctement ; elle parvenait sans peine à faire abstraction de la télévision, seuls les bruits du couloir l'atteignaient. Les pas de la femme s'approchèrent, elle vit une silhouette bouger ; sans tourner la tête elle la sentit passer devant elle et disparaître par où elle était venue.

Lydia jeta un coup d'œil discret sur l'homme en uniforme.

Il avait vu la visiteuse, mais sans faire attention à elle. Il ne la suivait pas du regard. Elle cessa d'exister dès l'instant où elle quitta la pièce.

Lydia demanda aux deux adolescents de se pousser. Elle voulait se lever. Elle se tourna vers le policier, indiqua son bas-ventre, puis les toilettes. Il acquiesça de la tête ; elle pouvait y aller, il ne bougerait pas.

Elle ferma la porte à clé. Elle s'assit sur le couvercle des toilettes. Elle prit une profonde inspiration.

Cela n'allait plus jamais se reproduire.

Elle se releva avec difficulté. Dimitri lui avait donné un sacré coup de pied dans la hanche. Elle ouvrit le robinet, laissa couler l'eau. Elle tira la chasse deux fois. Puis elle se baissa vers la poubelle. De son bras valide, elle enleva les serviettes froissées.

Elle reconnut tout de suite le sac en plastique, un sac banal avec le logo des supermarchés ICA. Elle le prit, l'ouvrit. Tout était dedans, l'arme, l'explosif, la cassette, le rouleau de corde. Elle ignorait comment Alena s'était débrouillée, mais elle avait tout fait comme il fallait. Elle s'était rendue à la gare centrale puis à Völundsgatan 3 en passant devant les policiers qui devaient certainement surveiller l'immeuble. Elle avait même réussi à forcer les deux portes du sous-sol.

Son rôle était terminé.

Maintenant, c'était au tour de Lydia.

Les patients portaient tous des pyjamas blancs informes. On avait attribué à Lydia une veste trop grande et elle avait demandé qu'on la lui change pour une autre, plus grande encore. Elle pendait autour de son corps – ce corps qui n'existait pas. Lydia prit le rouleau de sparadrap qu'elle avait subtilisé. Elle fixa l'arme sur le côté droit de son torse en s'entourant deux fois le corps de bande adhésive. Puis elle plaça le sachet d'explosif sur le côté gauche en faisant deux autres tours d'adhésif. La cassette et le rouleau de corde étaient encore dans le sac. Elle glissa celui-ci sous sa veste et le plaqua contre son ventre. Puis elle ajusta la ceinture de son pantalon pour bien le maintenir.

Elle se regarda une dernière fois dans la glace.

Son visage était méconnaissable. Elle tâta doucement les hématomes qui lui entouraient les yeux. Son cou était emprisonné dans une minerve. Son bras gauche était immobilisé dans le plâtre.

Cela n'allait plus jamais se reproduire.

Lydia ouvrit la porte des toilettes et sortit en boitant. Le policier se tourna vers elle. De son bras valide, elle fit un geste ; elle ne voulait pas se rasseoir, elle préférait regagner sa chambre, se coucher. Il comprit, hocha brièvement la tête. Elle s'avança lentement, lui fit de nouveau signe de la main. Elle voulait qu'il l'accompagne. Il écarta les bras, désorienté. Elle recommença : elle avait besoin d'aide. Il l'arrêta d'un geste : il avait compris, elle n'avait pas besoin de continuer son manège. Il murmura OK et elle s'inclina aussi bas que possible pour le remercier. Puis elle le précéda jusqu'à la porte de sa chambre et y pénétra.

Elle attendit un instant, le temps de s'assurer qu'il était bien entré. Elle sentit sa respiration dans la nuque.

Ensuite, tout se passa très vite.

Elle arracha le sparadrap qui maintenait l'arme. Elle se mit face au policier. Elle ôta la sécurité.

— *On knee !*

Elle pointa son arme vers le sol. Son anglais était rudimentaire et elle avait un accent très prononcé.

— *On knee ! On knee !*

Il était debout devant elle. Il hésita. La veille, elle était arrivée aux urgences sans connaissance. Elle boitait, elle avait un bras dans le plâtre, des hématomes au visage. Dans ses vêtements flottants, elle avait l'air d'un oiseau apeuré. Et maintenant elle le visait avec une arme.

Lydia remarqua son hésitation. Elle leva le bras. Elle attendit.

A l'époque, elle n'avait que neuf ans.

Elle se rappelait avoir pensé à la mort. Elle n'y avait jamais pensé avant, pas de cette manière, elle avait vécu neuf courtes années et un homme en uniforme, comme celui qui se tenait devant elle, avait braqué un pistolet contre sa tempe en criant « Zatknis, zatknis ». Il lui avait postillonné dessus et papa avait tremblé et pleuré et crié qu'il était prêt à se rendre. Mais qu'il cesse de menacer sa fille.

Maintenant c'était elle qui menaçait quelqu'un avec une arme. Elle la braquait sur la tête de quelqu'un, exactement comme on le lui avait fait autrefois. Lydia savait ce qu'on ressentait dans ces cas-là. Elle connaissait cette peur qui vous prend aux tripes. Une pression du doigt, et la vie s'envole. Il aurait juste le temps de se dire que jamais plus il ne pourrait sentir, goûter, entendre, toucher. Que tout ce qu'il y avait autour de lui continuerait d'être là, que lui seul cesserait d'exister. Lui seul.

Elle pensait à Dimitri et à son pistolet. Celui avec lequel il l'avait menacée. Tant de fois qu'elle avait cessé de les compter. Elle pensait à son sourire, au sourire des hommes de la police militaire quand elle avait neuf ans, au sourire de ceux qui s'étaient couchés sur elle, qui l'avaient tripotée et pénétrée.

Lydia les haïssait.

Elle regarda l'homme qui se tenait devant elle. Elle savait ce qu'il ressentait, elle savait ce que c'était d'avoir un pistolet sur la tempe, elle tenait fermement son arme en le regardant, silencieuse.

Il se mit à genoux.

Il joignit ses mains derrière la nuque.

Avec son pistolet, elle lui fit signe de pivoter, de lui tourner le dos.

— *Around ! Around !*

Cette fois-ci, il n'hésita pas. Il se retourna, toujours à genoux, et se mit face à la porte. Elle empoigna son arme par le canon, dirigea la crosse contre sa tête et le frappa de toutes ses forces à la nuque.

Il tomba à la renverse. Il perdit connaissance avant même de toucher le sol.

Elle sortit le sac en plastique plaqué contre son ventre. Le tenant bien en évidence, comme un sac tout à fait banal, elle quitta sa chambre et se dirigea vers les ascenseurs. Elle en appela un, qui mit quelques minutes à arriver. Trop préoccupées par leurs propres problèmes, les quelques personnes qu'elle croisa ne firent guère attention à elle.

Elle monta dans l'ascenseur et appuya sur le bouton du bas.

Elle n'eut pas besoin de réfléchir pendant le trajet. Elle savait ce qu'elle allait faire.

Elle descendit jusqu'au sous-sol. En sortant de l'ascenseur, elle prit le couloir conduisant à la morgue.

Quand Alena Sliousareva traversa le hall d'entrée de l'hôpital Söder, Jochum Lang y était assis. Il ne la remarqua pas, pour la simple raison qu'il ignorait qui elle était. Pour la même raison, elle ne fit pas attention à lui.

Il essayait de chasser son malaise.

Cela faisait longtemps qu'il n'avait pas tabassé quelqu'un qu'il connaissait.

Il n'a qu'à s'en prendre à lui-même. C'est sa faute.

Il avait besoin de rester là quelques minutes, de se reposer un peu, mettre de l'ordre dans ses pensées, tâcher de comprendre d'où venait cette tension.

Hilding s'était agrippé aux portes de l'ascenseur. Il avait pleuré et supplié, il l'avait appelé par son prénom.

Jochum savait que Hilding était un junkie. Qu'il se shootait, qu'il continuerait à se shooter jusqu'au jour où son corps le lâcherait. Qu'il était prêt à tout pour avoir sa dose. Il ferait des crasses à n'importe qui, mais pas par haine ; uniquement pour se procurer les produits chimiques qui l'aidaient à tirer le rideau sur tout ce qu'il ne supportait pas.

Jochum poussa un soupir.

Normalement il se foutait de savoir qui étaient ses victimes. Peu importe si elles pleuraient et suppliaient.

Normalement il s'en foutait. Mais là, non.

C'est sa faute.

Drôle d'endroit, ce hall d'accueil. Jochum regarda autour de lui. Des gens allaient et venaient. Certains arrivaient, inquiets ; d'autres partaient, soulagés. Personne ne riait, ce n'était pas un lieu pour cela. Jochum n'aimait pas les hôpitaux. Il s'y sentait vulnérable, tout nu. Sans pouvoir sur la vie des autres.

Il se leva, se dirigea vers les portes, qui s'ouvrirent automatiquement. Il pleuvait toujours, l'eau ne s'écoulait plus, le parking était plein de petits lacs.

Slobodan était resté dans la voiture. Derrière l'arrêt d'autobus, sur l'emplacement des taxis, à moitié garé sur le trottoir. Quand Jochum ouvrit la portière, il ne se retourna même pas. Il l'avait vu arriver.

— T'en as mis un temps !

Regardant droit devant lui, Slobodan tourna la clé de contact. Jochum lui prit le poignet.

— Ne démarre pas.

Slobodan coupa le moteur, se tourna enfin vers Jochum.

— Qu'est-ce qu'il y a ?

— Cinq doigts. Une rotule. Le tarif habituel.

— C'est ce que ça coûte de couper notre marchandise avec du détergent.

Slobodan était le bras droit du boss. Il commençait à prendre de mauvaises habitudes. Comme de soupirer bruyamment en levant les yeux au ciel pour montrer à quel point il n'en avait rien à cirer.

— Qu'est-ce qu'il y a ?

Jochum avait connu ce petit con à une époque où il n'avait même pas son permis. Sa façon de jouer les chefs ne lui plaisait pas et il avait l'intention de lui en parler.

Plus tard. On verrait ça plus tard.

— Il a résisté. Je n'ai pas pu l'embarquer dans l'ascenseur. Il a réussi à actionner les roues de son fauteuil et il a dégringolé dans l'escalier. Il est allé droit dans le mur.

Slobodan haussa les épaules. Il tourna de nouveau la clé de contact, embraya, mit les essuie-glaces. Jochum sentit sa colère monter. Il attrapa le bras de Slobodan, l'obligea à lâcher le volant, arracha la clé de contact et la glissa dans sa poche. Lui prenant la tête, il le força à le regarder en face, à l'écouter.

— Quelqu'un m'a vu.

Sven Sundkvist bifurqua vers l'entrée des urgences. Ils s'y rendaient souvent, tout le service les connaissait et on s'y garait facilement. Ni lui ni Ewert ne disaient rien, ils étaient restés silencieux depuis qu'ils avaient reçu l'alerte et que Sven avait changé de file pour prendre la direction de Västerbron, renonçant à son déjeuner d'anniversaire. Ewert avait compris que ce déjeuner était important pour Sven. Lui-même avait tiré un trait sur ces choses-là et il n'avait rien trouvé à lui dire, aucune phrase susceptible de le consoler. Il en avait mentalement passé en revue un certain nombre, mais elles sonnaient toutes aussi creux. Une femme et un enfant qui vous manquent : il ne savait pas ce que c'était.

Si.

Il le savait.

Ils traversèrent la salle d'attente, se dirigèrent vers les ascenseurs et appuyèrent sur le bouton du service de médecine générale. Sixième étage.

Une femme médecin les attendait. Grande, plutôt jeune, assez jolie. Ewert la regarda avec un peu trop d'insistance, conserva sa main dans la sienne un peu trop longtemps. Elle s'en rendit compte, le dévisagea brièvement. Il eut honte.

— C'est moi qui ai accueilli le visiteur. Mais je ne les ai pas vus quitter la chambre.

Lisa Öhrström fit un geste vers l'escalier. Oldéus se trouvait sur le palier juste au-dessous, la tête contre le béton. Le sang, qui commençait à se coaguler, formait une grosse tache autour de lui.

Il ne bougeait pas, ne se grattait pas le nez, ne faisait plus de moulinets avec les bras. Il paraissait paisible, comme s'il s'était vidé de ses angoisses en même temps que de son sang. Ils descendirent les douze marches qui les séparaient de lui. Ewert s'agenouilla, palpa le corps. Il espérait découvrir quelque chose, mais il savait qu'il ne trouverait sans doute rien. Avec Lang, c'était toujours pareil : gants, précautions et absence de traces.

Ils attendaient Ludwig Errfors. Ewert l'avait appelé dès qu'ils avaient reçu l'alerte. Si Lang était dans le coup, il fallait mobiliser toutes les ressources. Et Errfors était le meilleur. Il ne faisait jamais d'erreurs.

Encore quelques minutes. Ewert eut le temps de s'asseoir sur les marches, de contempler le corps.

Hilding Oldéus avait-il réfléchi à la mort ? Avait-il été conscient qu'il allait la hâter par ses abus ? Avait-il eu peur devant elle ? Ou, au contraire, avait-il aspiré à mourir ? Avec la vie qu'il menait, cet imbécile aurait dû se douter qu'il finirait comme ça, à gêner le passage dans une lugubre cage d'escalier avant l'âge de trente ans. Ewert soupira. Il eut un regard de mépris pour cet homme qui ne le voyait plus. J'aimerais savoir où je finirai, se dit-il en se redressant. J'aimerais savoir si je gênerai le passage. Et qui me jettera un regard méprisant. Car il y a toujours un salaud prêt à vous jeter un regard méprisant.

Ludwig Errfors était un homme d'une cinquantaine d'années, grand et brun. Il portait un jean et une veste, comme il le faisait généralement dans son bureau de l'institut médico-légal de Solna. Après les avoir salués tous les deux, il fit un geste vers Hilding Oldéus.

— Je suis un peu pressé. On peut commencer tout de suite ?

Ewert haussa les épaules.

— On est là pour ça.

Errfors s'agenouilla, regarda un instant le mort.

— C'est qui ?

— Un petit dealer. Héroïnomane. Il s'appelait Hilding Oldéus.

— Et moi, qu'est-ce que je fais ici ?

— On cherche son bourreau. Cela fait un moment qu'on voudrait le coincer. Il nous faut un examen du corps dans les règles.

Errfors prit le sac noir posé à côté de lui. Il l'ouvrit et en sortit une paire de gants en latex. Il les enfila avec un geste d'énervement. Il voulait qu'Ewert s'éloigne, monte quelques marches.

Il tâta le pouls, inexistant.

Il écouta le cœur qui avait cessé de battre.

Il éclaira les deux yeux à l'aide d'une petite lampe, prit la température du corps, appuya plusieurs fois sur le ventre avec ses deux mains.

Cela ne fut pas long. Dix ou quinze minutes tout au plus. Plus tard, il effectuerait le véritable travail. Il l'ouvrirait, prélèverait les organes.

Depuis un moment, Sven Sundkvist s'était réfugié en haut de l'escalier. Il contemplait l'interminable couloir bleu. Il se souvenait de la dernière fois qu'il avait vu Errfors travailler. Il avait dû quitter la pièce en larmes. Cette fois-ci, c'était tout aussi dur ; il ne supportait pas la mort, pas quand elle se présentait comme ça. Se redressant à moitié, Errfors jeta un coup d'œil vers Ewert, debout sur la première marche, puis sur Sundkvist, assis sur la dernière. Il chuchota presque.

— Il ne tiendra pas le coup. L'autre fois, c'était pareil.

Ewert se tourna vers son jeune collègue.

— Sven ?

— Oui ?

— Les témoins. Tu peux t'en occuper ?

— Il n'y a qu'Öhrström. On l'a déjà interrogée.

— Retourne la voir.

Tout en maudissant son incapacité à faire face à la mort, Sven Sundkvist fut reconnaissant envers Ewert. Il se leva, quitta l'escalier, s'enfonça dans le couloir et ouvrit la porte que Hilding Oldéus avait franchie un peu plus tôt dans un état de panique.

162

Ludwig Errfors le regarda s'éloigner. Il se tourna de nouveau vers le corps étendu à ses pieds. Un être humain avait perdu la vie, était retourné au néant et allait maintenant faire l'objet d'un rapport. Il se racla la gorge et alluma son petit magnétophone.

— Examen du corps d'une personne de sexe masculin.

Une phrase à la fois.

— Pupilles dilatées.

Pause.

— Quatre doigts brisés à la main droite. Les hématomes entourant les fractures semblent indiquer que les blessures sont intervenues avant la mort.

Respiration.

— Le genou gauche présente une contusion. Les épanchements semblent indiquer que la blessure est intervenue avant la mort.

Il était méticuleux. Il pesait chaque mot. Ewert Grens voulait un rapport en béton. Il l'aurait.

— Abdomen tendu. Un clapotement à la palpation laisse soupçonner une accumulation de sang et une hémorragie interne.

« Traces d'injections plus ou moins récentes, dont certaines sont infectées. Signes d'une toxicomanie probable.

« D'après les témoignages et l'examen médical, la mort remonte à trente ou quarante minutes maximum.

Il continua son enregistrement pendant quelques minutes encore. Plus tard, à l'institut médico-légal, il ouvrirait le corps, mais il savait déjà que ce qu'il disait maintenant correspondait à ce qu'il dirait plus tard. Des morts comme ça, il en avait déjà vu.

Jochum ôta ses mains du visage de Slobodan. Des marques rouges apparurent sur les joues de ce dernier quand il se mit à parler.

— J'ai bien compris ? Quelqu'un t'a vu ?

Slobodan tâta son visage brûlant. Il poussa un soupir.

— C'est mauvais, ça. S'il y a des témoins, va falloir qu'on s'en occupe.

— Un témoin. Un seul. Un médecin.

Avec la pluie qui ne cessait de tomber, on ne voyait pas grand-chose à travers les vitres. En plus, il y avait la condensation provoquée par leur haleine et leur chaleur corporelle. Slobodan fit un geste vers le pare-brise, puis vers la ventilation. Hochant la tête, Jochum fouilla dans sa poche à la recherche de la clé de contact. Il la tendit à Slobodan, qui mit en route le moteur. Petit à petit, l'air chaud finit par chasser l'humidité.

— Je ne peux pas y retourner. Le médecin est là. Et les flics aussi, probablement.

Slobodan attendit que la condensation s'évapore. Il voulait le faire souffrir un peu. Entre eux, c'était une question de rapport de force. Chaque fois que Slobodan s'emparait d'une parcelle de pouvoir, Jochum était obligé de céder du terrain.

Quand on vit à peu près clair à travers la vitre, il se tourna vers Lang.

— Je m'en charge.

Etre l'obligé de quelqu'un, Jochum détestait ça. Mais il n'avait pas le choix.

— Lisa Öhrström. Entre trente et trente-cinq ans. Un mètre soixante-quinze. Mince, presque maigre. Cheveux bruns mi-longs. Elle porte des lunettes, elles sont dans la poche de sa blouse. Des petites lunettes cerclées de noir.

Il lui avait parlé, il connaissait sa voix.

— Un léger accent du Norrland. Une voix claire. Elle zézaie un peu.

Jochum Lang resta seul dans la voiture. Il étendit les jambes, coupa la ventilation.

Dans le rétroviseur, il vit Slobodan franchir les portes automatiques et s'engouffrer dans le hall.

Elle chantait. Comme toujours, quand elle avait peur.

Lydia Grajauskas.
Lydia Grajauskas.
Lydia Grajauskas.

Elle le faisait silencieusement, dans un murmure, il ne fallait pas qu'on l'entende.

Elle se demanda combien de temps il mettrait à se réveiller. Elle l'avait frappé fort, mais il était costaud ; il devait récupérer vite, peut-être avait-il déjà déclenché l'alarme.

Lydia quitta l'ascenseur et s'engouffra dans le couloir du sous-sol. Elle avait toujours l'impression de braquer le policier, d'appuyer le pistolet sur sa tempe pour vaincre son hésitation. Elle avait de nouveau neuf ans, elle était dans la pièce où son père se tenait à genoux, où la police militaire le frappait à la tête en criant que les trafiquants d'armes méritaient la mort.

Elle sortit les feuilles qu'elle avait arrachées à son carnet.

Elle avait longuement étudié la brochure d'information que lui avait prêtée l'infirmière polonaise. Maintenant elle voulait de nouveau consulter le plan de l'hôpital, ou plutôt la copie qu'elle en avait faite tant bien que mal, allongée sur son lit sous la surveillance d'un policier.

C'était bon. La morgue était au bout du couloir.

Lydia pressa le pas, le sac ICA dans la main droite. Celle qui n'était pas dans le plâtre. Sa hanche la faisait souffrir ; quand elle posait son pied valide, cela faisait du bruit et les murs en renvoyaient l'écho. Elle ralentit, il ne fallait pas qu'on l'entende.

Elle savait exactement ce qu'elle allait faire.

Aucun salopard comme Dimitri n'allait lui ordonner de se déshabiller pour se laisser tripoter par des inconnus qui avaient acheté son corps.

Les gens qu'elle croisait ne semblaient pas la voir. Elle sentait pourtant leurs regards. Comme s'ils devinaient qui elle était. Puis elle comprit qu'elle était invisible. Personne ne faisait attention à une patiente se promenant en pyjama d'hôpital dans un couloir d'hôpital.

C'était pour cela qu'elle avait baissé la garde.

Quand elle le vit, c'était trop tard.

Ce qu'elle remarqua d'abord, c'était sa façon de marcher, de bouger. Il était grand, il pressait le pas en gesticulant. Puis il y avait sa voix. Il était accompagné de quelqu'un et il parlait fort. D'une voix claire et nasale. Une voix qu'elle connaissait.

Il faisait partie de ceux qui l'avaient tripotée. Qui l'avaient frappée. Maintenant il portait une blouse blanche. Dans quelques instants ils seraient face à face.

Ils se dirigeaient l'un vers l'autre et il n'y avait aucun endroit pour se cacher.

Elle essaya de marcher plus lentement. Elle baissa les yeux, glissa une main sous sa veste, sentit le pistolet sous ses doigts.

En passant, il la frôla presque.

Il avait la même odeur que lorsqu'il la pénétrait.

Un instant plus tard, il avait disparu.

Il ne l'avait pas vue. La femme qu'il s'était payée tous les quinze jours pendant un an portait une robe noire et des sous-vêtements qu'il avait lui-même choisis. Elle avait de longs cheveux blonds et des lèvres peintes en rouge. Celle qu'il venait de croiser avait des hématomes au visage, un bras dans le plâtre et des pantoufles ornées du logo de l'hôpital. Il ne connaissait pas cette femme-là et il ne fit pas attention à elle.

Elle en fut étonnée. Ce qu'elle ressentit n'était pas de la peur, pas de la panique, juste une sorte d'étonnement qui se transforma en colère. Il se promenait à l'aise et on ne devinait pas ce qu'il avait fait.

Encore quelques mètres à parcourir.

Lydia s'arrêta devant la porte qu'elle allait bientôt ouvrir.

Elle n'avait jamais visité une morgue. Elle s'en était fait une idée – une idée forgée à partir de films améri-cains qu'elle avait vus en Lituanie. Il avait fallu s'en contenter pour élaborer son projet. Grâce à son schéma, elle savait combien de pièces il y avait et elle connais-sait leurs dimensions. Maintenant elle allait y pénétrer. Elle allait rester calme. Elle devait faire face aux morts comme aux vivants.

Pourvu qu'il y ait quelqu'un. Plusieurs personnes, si possible.

Elle ouvrit la porte. Celle-ci lui parut lourde, comme s'il y avait un courant d'air malgré l'absence de fenêtres. Elle entendit des voix. En sourdine, dans la pièce à côté. Elle ne bougea pas. Maintenant, tout dépendait d'elle. Elle disposait d'une arme et des explosifs qu'Alena avait réussi à lui apporter, elle avait déjà tabassé quelqu'un, elle s'était enfuie de sa chambre et elle était parvenue jusqu'à la morgue. La chance lui souriait : il y avait plusieurs personnes.

Elle prit une profonde inspiration.

Elle irait jusqu'au bout.

Elle ferait en sorte que cela ne se reproduise jamais.

Il devait y avoir au moins trois personnes. Elle ne comprenait pas leurs paroles, juste un mot par-ci par-là ; son suédois était plus que rudimentaire et elle s'en voulait maintenant. Pour la deuxième fois, elle ôta le sparadrap qui maintenait le pistolet et empoigna l'arme de sa main valide. Elle traversa lentement la pièce, une sorte de vestibule rectangulaire et vide, comme celui d'un appartement. Elle se dirigea vers les voix.

Et puis elle les vit.

Debout dans la pièce rectangulaire et sombre, elle les observa. Leur attention était accaparée par quelque chose posé devant eux. Elle ne put deviner ce que c'était.

Ils étaient cinq et elle les reconnut tous.

Elle les avait vus le matin même. Autour de son lit. Le plus âgé, celui avec des cheveux gris et des lunettes, était le médecin qui l'avait examinée à son arrivée. Il était revenu avec un groupe d'étudiants. Il leur avait montré son corps, ses blessures, il leur avait parlé du fouet. Les quatre jeunes l'avaient écouté en silence, se demandant combien d'horreurs il fallait affronter pour apprendre à soigner.

Ils se tenaient devant une civière, elle le voyait maintenant. La civière était placée au milieu de la pièce. Deux puissantes lampes l'éclairaient. Un corps y était allongé. Un cadavre. L'homme aux cheveux gris promenait sur le corps le même crayon laser qu'il avait utilisé pour montrer ses blessures aux étudiants. Ceux-ci l'écoutaient. Aussi silencieux, aussi concentrés devant ce mort que devant la femme au dos lacéré.

Lydia s'attarda dans l'obscurité. Ils ne la virent pas.

Elle eut le temps de faire huit pas avant qu'ils ne remarquent sa présence. Seuls deux ou trois mètres la séparaient maintenant d'eux.

Ils la virent, mais sans la reconnaître.

C'était bien la femme qui avait reçu des coups de fouet, celle qui leur avait souri d'un air absent sur son lit d'hôpital couvert d'un drap-housse. Mais il émanait d'elle quelque chose de différent. Elle avait un but, son regard captait l'attention, elle tenait une arme qu'elle dirigeait vers eux. La lumière crue du plafonnier éclairait son visage plein de griffures et de bleus. Elle semblait pourtant ne ressentir aucune douleur. Elle était à la fois tendue et calme. Le médecin avait interrompu sa démonstration ; il recommença son laïus, mais il se tut soudain, laissant sa phrase en suspens.

La femme avait ôté la sécurité de son pistolet.

Elle le leva de quelques centimètres, le dirigea vers leur visage, les visa les uns après les autres.

Elle garda sa posture assez longtemps pour leur

causer une crampe à l'estomac. Cette même crampe qu'elle avait connue chaque fois que Dimitri l'avait menacée.

Personne ne dit rien. Ils attendaient qu'elle parle.

Lydia dirigea son arme vers le sol.

— *On knee ! On knee !*

Ils s'agenouillèrent tous, formant un cercle autour de la civière où gisait la dépouille mortelle d'un être humain. Elle se demanda s'ils avaient peur. Elle chercha leur regard, mais ils n'osèrent pas rencontrer le sien. Deux d'entre eux, la jeune étudiante et un des garçons, baissèrent les paupières. Les autres se contentèrent de regarder droit devant eux. Aucun n'avait la force de la dévisager. Pas même le médecin grisonnant.

Elle avait de nouveau neuf ans. Elle était de retour dans la pièce où la police militaire braquait une arme contre sa tempe, où son père avait été forcé de s'agenouiller, le visage contre le sol. Elle se rappela le bruit lorsqu'il était tombé la tête en avant, le sang qui coulait de ses narines.

Maintenant c'était elle qui tenait une arme.

Lydia fit un dernier pas en avant.

Elle trébucha et faillit tomber. Elle savait qu'elle devait faire attention. Il n'y avait pas que le coup de pied de Dimitri : cela faisait bientôt deux ans qu'elle avait des problèmes d'équilibre. Un connard qui voulait faire des extras, qui aimait la gifler, lui avait proposé double tarif et elle avait dit oui. Quand sa main s'était abattue sur sa joue, elle avait ressenti une douleur insupportable. Elle avait partiellement perdu l'ouïe, et le coup avait provoqué des lésions à l'oreille interne. Elle n'avait jamais su exactement ce qui s'était passé. Sans doute avait-il simplement frappé trop fort.

Elle parvint à se rattraper. Elle continua de viser les cinq personnes qui lui faisaient face.

Elle veilla à garder la même distance par rapport à eux. Deux ou trois mètres, pas plus, pas moins. Elle s'assura que personne ne bougeait, qu'ils restaient bien agenouillés. Puis elle glissa rapidement sa main valide – celle qui tenait le pistolet – sous sa veste de pyjama et s'empara du sac en plastique coincé sous sa ceinture. Elle le fit tomber par terre. Avec son pied, elle sortit le rouleau de corde, qu'elle poussa en direction de la civière.

Elle visa l'étudiante, lui cria :

— *Lock ! Lock !*

Apeurée, la jeune fille cherchait à se faire aussi petite que possible. Lydia l'observa. Elles se ressemblaient. Elles avaient toutes les deux des cheveux blonds mi-longs tirant sur le roux. Elles avaient à peu près la même taille, le même âge. Tout à l'heure, quand Lydia était allongée, l'étudiante s'était penchée sur elle pour regarder son visage.

Lydia esquissa un sourire.

Maintenant c'est le contraire, pensa-t-elle.

Maintenant c'est elle qui est en bas. Et moi qui me penche au-dessus d'elle

— *Lock !*

La jeune fille regardait toujours droit devant elle. Elle voyait quelqu'un la viser avec une arme. Elle entendait quelqu'un lui crier des mots. Mais elle ne comprenait pas leur sens. Elle n'arrivait pas à réfléchir. Pas avec un pistolet dirigé sur son visage.

172

— *Last time ! Lock !*

Le médecin avait compris. Il se tourna lentement vers l'étudiante, chercha ses yeux, lui parla doucement.

— Elle veut que tu nous attaches.

L'étudiante le regarda, mais ne réagit pas.

— Elle veut que tu nous attaches avec la corde.

Sa voix était calme. L'étudiante parut l'écouter. Elle le regarda avant de jeter un œil sur Lydia, l'air paniquée.

— Je ne pense pas qu'elle se servira de son arme. Tu comprends ce que je dis ? Si tu nous attaches, elle ne se servira pas de son arme.

L'étudiante hocha lentement la tête. Puis elle se tourna de nouveau vers Lydia pour lui faire signe qu'elle avait compris. Elle rampa jusqu'au rouleau de corde, s'en empara, se releva et alla jusqu'à la civière. Fouillant autour du corps, elle finit par dénicher le couteau qui avait servi à ouvrir l'abdomen du mort. Elle découpa un bout de corde, se dirigea vers le médecin, s'accroupit derrière lui et entreprit de lui lier les mains.

— *Hard ! Very hard ! You lock hard !*

Faisant un pas en avant, Lydia agita son pistolet sous le nez de la jeune fille. Elle attendit de voir la corde s'enfoncer dans la chair du médecin.

— *Lock !*

La jeune fille reprit le couteau, s'éloigna du médecin et commença à lier les mains de ses camarades. Elle découpa de la corde pour en entourer leurs poignets, serra les nœuds au point de les faire saigner. A la fin elle regarda Lydia. Elle respirait fort, chercha à rencontrer ses yeux.

Avec son arme, Lydia lui fit signe de s'agenouiller en

173

lui tournant le dos. Puis elle s'avança et ramassa le rouleau de corde. En l'appuyant contre son plâtre, elle en découpa un bout et entreprit de lier les mains de l'étudiante.

Cela avait pris six ou sept minutes, plus longtemps qu'elle ne l'avait prévu. Elle n'avait pas imaginé qu'il y en aurait cinq. Un ou deux, oui. Mais pas cinq.

Quelqu'un avait dû découvrir l'homme qu'elle avait frappé. On devait savoir qu'elle avait disparu. On avait certainement prévenu la police.

Elle était pressée.

Elle fouilla rapidement leurs blouses. Les poches intérieures. Les poches extérieures. Puis celles de leurs pantalons. Elle réunit leurs affaires en un tas. Des trousseaux de clés, des portefeuilles, des pièces de monnaie, des cartes d'identité, des gants en latex, des boîtes de comprimés à moitié vides. Dans une des poches du médecin, elle découvrit un téléphone portable. Elle l'examina. La batterie était loin d'être déchargée.

Cinq personnes se trouvaient face à elle, les mains attachées dans le dos, évitant du regard l'arme qu'elle brandissait. A leurs côtés, un mort, l'abdomen ouvert, sur une civière violemment éclairée.

Elle avait pris des otages.

Les otages, ça sert à négocier.

Elle pleurait.

Cela faisait longtemps qu'il n'avait pas réussi à la faire pleurer. Elle le haïssait. Lisa Öhrström haïssait son frère.

Le coup de fil qu'il lui avait passé depuis le quai du métro, l'autre jour. Elle entendait toujours sa voix, sa façon de quémander de l'argent comme d'habitude. Elle s'entendait dire non, comme elle avait appris à le faire dans les réunions destinées aux proches.

Les larmes, la boule dans la gorge, son corps qui tremblait. Elle était allée le récupérer dans des endroits pas possibles. Chaque fois, il lui avait promis que ce serait la dernière. En la regardant comme lui seul savait la regarder. Il lui avait pris ses forces, sa tranquillité. Il avait bousillé des années de sa vie.

Et maintenant il était là.

Dans une cage d'escalier sur son lieu de travail.

Maintenant il n'y aurait plus d'autres fois. Elle en avait presque été soulagée. Puis elle avait eu honte.

Commissaire Sven Sundkvist (SS) : Je sais que Hilding Oldéus était plus qu'un patient pour vous. Mais j'ai besoin que vous répondiez à quelques questions.

Lisa Öhrström (LÖ) : Il faut que je prévienne ma sœur.

SS : Je comprends que ce soit difficile. Mais vous êtes le seul témoin.

LÖ : Il faut que je parle à mon neveu et à ma nièce. Ils adoraient leur oncle. Ils ne le voyaient que lorsqu'il sortait de prison. Il était propre, en bonne santé. Il avait des couleurs aux joues. Celui qui est là-bas, ils ne l'ont jamais connu.

SS : J'ai besoin de savoir où se trouvait l'autre homme. Le visiteur. Par rapport à vous.

LÖ : J'allais les appeler. Vous ne m'écoutez pas.

SS : Il était où ?

Ils étaient assis sur des chaises en bois dans la cage en verre de l'infirmière en chef, au milieu d'un couloir du sixième étage de l'hôpital Söder.

Lisa Öhrström pleurait toujours. Elle essayait de conserver un semblant de dignité, mais elle avait l'impression que la vie lui glissait entre les mains.

C'était son frère.

C'était devenu trop dur à supporter.

Les dernières fois qu'il était venu, elle avait refusé de l'aider. Et tous les pleurs du monde ne suffiraient pas à effacer sa culpabilité.

Sven Sundkvist la regarda en silence. Sa blouse blanche était un peu froissée. Il lui laissa le temps de fermer les yeux, de se moucher. De se passer la main dans les cheveux. Il l'avait déjà rencontrée. Enfin, pas elle, mais des femmes qui lui ressemblaient. Il les avait interrogées. Des femmes qui se tenaient en retrait, qui prenaient tout sur elles, qui se sentaient coupables, montrées du doigt. Il avait fini par les trouver assommantes. Elles créaient toujours des problèmes. Leur obstination à s'accuser donnait du fil à retordre à l'enquêteur le plus chevronné. Elles se rendaient responsables de tout, chacune de ses paroles était immédiatement prise pour un reproche, leur vie entière était une faute. Alors qu'elles n'avaient rien fait, elles avaient le don de compliquer les affaires les plus simples.

LÖ : Vous croyez que ça l'est ?
SS : Comment ?
LÖ : Que c'est ma faute ?
SS : Je comprends que vous puissiez vous sentir coupable. Mais c'est votre problème. Je ne peux rien pour vous.

Lisa Öhrström regarda le policier assis en face d'elle. Il croisait les jambes, essayait de lui tirer les vers du nez.
Elle ne l'aimait pas.
Il était plus affable que l'autre, mais elle ne l'aimait pas. Les policiers avaient toujours quelque chose d'autoritaire. Et là, ce n'était pas un simple interrogatoire. C'était un affrontement. Le début d'une lutte à laquelle elle répugnait.

SS : Le visiteur. Celui qui a probablement tué votre frère. Il était à quelle distance ?

LÖ : A la même distance que vous.

SS : Assez près pour vous permettre de voir son visage ?

LÖ : Assez près pour sentir son haleine.

Elle se retourna, jeta un coup d'œil à travers la paroi vitrée. Elle était mal à l'aise, il y avait plein de monde qui passait, chaque regard curieux lui volait une part d'intimité. Elle n'arrivait pas à se concentrer et lui demanda l'autorisation de s'installer dos à la fenêtre.

SS : Son physique ?

LÖ : Le genre d'homme qui vous fait peur.

SS : Sa taille ?

LÖ : Nettement supérieure à la mienne. Je suis pourtant assez grande, un mètre soixante-quinze. Il devait me dépasser d'une dizaine de centimètres. Comme votre collègue.

Lisa Öhrström fit un mouvement de tête vers le bout du couloir, vers l'escalier où Ewert Grens et Ludwig Errfors se tenaient auprès du corps d'un homme mort. Sven Sundkvist se tourna inconsciemment dans la même direction. De mémoire, il jaugea Ewert Grens.

178

SS : Son visage ?

LÖ : Energique, en quelque sorte. Son nez, son menton, son front.

SS : Ses cheveux ?

LÖ : Il n'en avait pas.

On frappa à la porte. Lisa Öhrström avait le dos tourné, elle n'avait entendu personne approcher. Elle sursauta. Un policier en uniforme entra. Il tendit une enveloppe à Sundkvist et s'en alla.

SS : J'ai quelques photos ici. De différentes personnes. Je voudrais que vous y jetiez un coup d'œil.

Elle se leva. Elle n'en pouvait plus. Elle n'avait aucune curiosité pour l'enveloppe marron posée sur la table.

SS : Asseyez-vous.

LÖ : Il faut que je retourne à mon travail.

SS : Regardez-moi. Rien n'est votre faute.

Sven Sundkvist fit un pas en avant. Il prit la jeune femme par l'épaule, l'empêcha de se refermer sur son deuil, l'obligea à s'asseoir. Il poussa les dossiers qui encombraient la table, ouvrit l'enveloppe et en sortit le contenu.

SS : Je voudrais que vous essayiez d'identifier le visiteur. La personne dont vous avez senti l'haleine.

LÖ : J'ai l'impression que vous connaissez l'homme que je vous ai décrit.

SS : Regardez les photos, s'il vous plaît.

Elle prit les photos, une par une. Elle les examina attentivement. Après les avoir regardées, elle les posa sur la table en les retournant. Elle en avait passé en revue une trentaine quand elle sentit un pincement au cœur. Comme lorsqu'elle était petite et qu'elle avait peur du noir. A l'époque, elle racontait que ça dansait à l'intérieur de son corps. Que la peur la faisait voler.

LÖ : C'est lui.

SS : Vous êtes certaine ?

LÖ : Absolument certaine.

SS : Le témoin désigne l'homme sur la photo numéro trente-deux.

Sven Sundkvist resta un instant silencieux. Il se demanda ce qu'il fallait penser. Il savait que le deuil peut ronger un être humain de l'intérieur, il savait que cette femme était en train d'étouffer. Malgré cela, il l'avait forcée à déglutir, à ravaler sa douleur. Elle pouvait s'effondrer d'une minute à l'autre, mais il avait refusé d'en tenir compte.

Et puis.

Et puis elle avait désigné la personne qu'ils voulaient.

Pourvu qu'elle soit assez forte.

SS : Vous venez d'identifier un individu extrêmement dangereux. Nous savons d'expérience que vous ferez l'objet de menaces.

LÖ : Qu'est-ce que cela implique ?

SS : Que nous envisageons de vous accorder une protection.

Elle aurait préféré ne pas le savoir. Elle aurait aimé qu'il ne se soit rien passé. Elle voulait rentrer chez elle, se coucher, attendre le réveil, prendre son petit déjeuner, s'habiller et se rendre à son travail.

Mais elle ne pourrait pas.

Elle ne pourrait jamais.

Le passé serait toujours là, qu'elle le veuille ou non.

Elle aurait voulu pleurer, évacuer cette douleur qui la rongeait. Mais elle en était incapable. Elle n'avait plus de larmes.

Elle s'apprêtait à sortir, à se réfugier n'importe où, quand la porte s'ouvrit.

On n'avait même pas frappé.

C'était l'autre policier, le plus âgé, celui qui lui avait serré un peu trop longuement la main. Il était rouge de colère.

— Sven !

Il arrivait rarement à Sven Sundkvist de s'énerver contre son chef. Contrairement à ses collègues. La plupart détestaient Ewert Grens, le haïssaient même. Sven avait pris le parti de l'accepter comme il était, de faire contre mauvaise fortune bon cœur. Soit il le supportait, soit il démissionnait. Il avait décidé de le supporter.

Sauf maintenant.

SS : L'interrogatoire de Lisa Öhrström est interrompu par le commissaire Ewert Grens.

— Pardon, Sven. Mais c'est urgent.

Sven se pencha en avant, éteignit le magnétophone. Puis il fit signe à Ewert de parler.

— La femme, celle qu'on a trouvée inconsciente dans l'appartement du quartier de l'Atlas.

— Celle qui a reçu des coups de fouet ?

Ewert fit oui de la tête.

— Elle a disparu. Elle était ici. Dans le service de chirurgie. Il y a encore quelques minutes. Je viens d'avoir un coup de fil : elle n'y est plus. Elle a neutralisé l'agent chargé de la surveiller. Elle doit probablement être quelque part dans l'hôpital, une arme à la main.

— Et pourquoi ?

— Je sais seulement ce qu'on vient de me dire.

Lisa Öhrström posa la photo numéro trente-deux. Elle dévisagea les deux policiers, l'un après l'autre. Puis elle fit un geste vers le plafond.

— Là-haut.

— Comment ?

182

— Le service de chirurgie, c'est là-haut.

Grens leva les yeux vers le plafond blanc. Il était sur le point de quitter la pièce quand Sven le prit par le bras.

— Attends, Ewert. Elle vient d'identifier Jochum Lang de façon certaine.

Son corps lourd s'immobilisa sur le pas de la porte. Il se retourna, fit un signe de tête à Lisa Öhrström et gratifia Sven d'un sourire.

— Enfin, Anni.

— Qu'est-ce que tu dis ?

— Rien.

Perplexe, Sven regarda Ewert. Se tournant vers Lisa Öhrström, il posa la main sur son épaule.

— Il lui faut une protection.

C'était juste après l'heure du déjeuner, le mercredi 5 juin.

Ewert Grens et Sven Sundkvist grimpèrent quatre à quatre un des nombreux escaliers de l'hôpital Söder, entre le sixième et le septième étage.

Décidément, ce n'était pas une journée ordinaire.

Ils commençaient à s'agiter tous les cinq. Remuant timidement une jambe, penchant la tête vers l'épaule. Comme si leurs corps étaient endoloris à force de rester agenouillés sur le sol. Comme si leurs efforts pour se faire oublier les amenaient à bouger.

Lydia connaissait leur angoisse et n'y prêta aucune attention. Elle savait combien il était difficile de respirer quand on se rendait maître de votre corps. Elle se rappelait le *Stena Baltica* : une menace de mort suffisait à faire taire tout appel au secours.

L'un des cinq tomba soudain en avant.

Un des étudiants en médecine venait de perdre l'équilibre, brisant le cercle qu'ils formaient autour de l'homme mort.

Lydia pointa son arme vers lui.

Il était toujours agenouillé, la tête contre le sol, les mains liées dans le dos. Son corps tremblait, il ne parvenait plus à se tenir droit. Il pleurait. Jusqu'à présent il n'y avait jamais pensé : la vie était une évidence, il était jeune, tout allait durer éternellement. Maintenant, il venait de comprendre que cela pouvait se terminer d'un instant à l'autre. Il n'avait que vingt-trois ans, il était secoué de spasmes, il ne voulait pas mourir.

— *On knee !*

Lydia s'avança, lui braqua son arme sur la nuque.

— *On knee !*

Il se releva lentement, se tint de nouveau droit. Mais il tremblait toujours et des larmes coulaient sur ses joues.

— *Name.*

Il la regarda, silencieux.

— *Name !*

Il avait du mal à parler, les mots ne voulaient pas sortir.

— Johan.

— *Name !*

— Johan Larsen.

Elle se pencha au-dessus de lui, appuya le pistolet contre son front. Comme l'homme à bord du *Stena Baltica.*

— *You on knee. If again, boom !*

Il redressa le dos. Il respirait avec difficulté et il tremblait toujours aussi fort. Impossible de s'arrêter. Même lorsque l'urine se mit à couler le long de sa jambe, mouillant son pantalon sans qu'il s'en aperçoive.

Lydia les dévisagea. Ils évitèrent son regard. Elle prit le sac ICA et en sortit le paquet contenant l'explosif et les détonateurs. Elle se dirigea vers une petite table en acier brossé qui se trouvait à côté de la civière, y étala la pâte beige et commença à la pétrir. Sans lâcher son arme, elle appliqua la moitié du produit sur le chambranle de la porte en traçant une fine ligne ininterrompue. Après avoir terminé, elle divisa la seconde moitié en cinq portions qu'elle répartit entre les cinq personnes qui lui faisaient face. Cinq personnes agenouillées par terre autour d'un cadavre qu'elles venaient d'autopsier ; cinq personnes portant maintenant la mort sur leurs épaules sous la forme d'un paquet beige bien visible.

Cela faisait presque vingt minutes qu'elle était là. Il lui avait fallu dix autres minutes pour descendre du septième étage et rejoindre la morgue.

On avait certainement découvert sa fuite.

On avait dû prévenir la police.

Lydia s'approcha de la jeune étudiante. Celle qui lui ressemblait, avec ses cheveux blonds tirant sur le roux et son corps mince. Celle qui avait attaché les mains de ses camarades.

— *Police !*

Elle prit le téléphone portable qu'elle avait découvert dans la poche d'une des blouses, le brandit devant le visage de l'étudiante. Pour lui faire comprendre qu'elle avait intérêt à obéir, elle posa sa main sur l'explosif collé sur l'épaule de la jeune fille. Puis elle commença à défaire ses liens.

— *Police ! Call police !*

La jeune fille hésita. Elle avait peur de se méprendre. Elle jeta un regard inquiet sur le médecin grisonnant.

Il lui parla doucement, maîtrisant sa voix, dissimulant sa peur.

— Elle veut que tu appelles la police.

L'étudiante hocha la tête. Le médecin s'efforça de rester calme.

— Fais-le. Fais ce qu'elle te dit. Tu tapes un, un, deux.

Sa main tremblait. Elle fit tomber le téléphone par terre, le ramassa, se trompa de numéro, jeta un regard vers Lydia en lui demandant pardon. Puis elle recommença : un, un, deux. Lydia entendit la sonnerie et lui ordonna de se coucher à plat ventre. Elle s'empara de l'appareil et le colla à l'oreille du médecin.

— *Talk !*

Le médecin acquiesça. Des gouttes de sueur perlaient sur son front.

Un silence absolu régnait dans la pièce.

Une minute.

Puis une voix répondit.

Elle lui tint l'appareil devant la bouche.

— La police, s'il vous plaît.

Il se tut. Attendit. A ses côtés, Lydia, le téléphone à la main. Dans un autre monde, très loin, ses étudiants fermaient les yeux ou regardaient le sol.

Une nouvelle voix.

Il parla de nouveau.

— Mon nom est Gustaf Ejder. Je suis médecin chef à l'hôpital Söder. En ce moment, je suis à la morgue de l'hôpital, au sous-sol. Avec quatre autres personnes, j'ai été pris en otage par une jeune femme armée d'un pistolet. Elle porte un pyjama de l'hôpital. Elle nous vise avec son arme, dont elle a ôté la sécurité. Elle a également appliqué une sorte de pâte sur nos épaules. Je pense qu'il s'agit d'un explosif.

Un des étudiants, celui qui s'était effondré quelques minutes plus tôt et qui s'appelait Johan Larsen, se mit soudain à crier.

— C'est du Semtex ! Je connais ! Il y en a au moins

cinq cents grammes. Si elle le fait sauter, ça fera un sacré boum !

Lydia tourna son arme vers lui, puis elle se détendit.

Elle avait entendu le mot Semtex. Il avait hurlé ; le message était passé.

Elle sortit une des pages qu'elle avait arrachées de son carnet. Gardant le téléphone collé à l'oreille du médecin, elle la posa devant lui, une feuille blanche avec seulement deux mots dessus. Elle lui fit signe de continuer à parler.

Il obéit.

— Vous êtes là ?

La voix confirma.

— Elle veut que je lise un nom écrit sur un bout de papier. *Bengt Nordwall.* C'est tout.

La voix lui demanda de répéter.

— *Bengt Nordwall.* C'est tout. Son écriture n'est pas facile à déchiffrer, mais je suis sûr de ne pas me tromper. Son anglais est également difficile à comprendre. Je pense qu'elle doit être russe. Ou balte, peut-être.

Lydia éloigna le téléphone de l'oreille du médecin. Elle lui ordonna de reprendre sa position initiale.

Elle l'avait entendu prononcer le nom qu'elle avait écrit.

Elle avait aussi entendu le mot « balte ».

Elle était satisfaite.

Bengt Nordwall regardait le ciel. Toujours aussi gris. Depuis le début de l'été, la pluie avait accompagné chacun de leurs pas. Il poussa un soupir. L'été, c'était pourtant une saison pour se ressourcer, pour se détendre avant de reprendre le collier. Ce serait encore un de ces automnes où, dès la mi-octobre, les gens se terreraient chez eux, ne supportant que leur propre compagnie.

Tout était silencieux. On n'entendait que les gouttes de pluie contre le tissu du parasol.

Lena était assise à côté de lui. Elle était plongée dans un livre, comme souvent. Il se demandait combien de temps elle se souvenait des histoires qu'elle lisait. Jusqu'au lendemain ? Jusqu'au moment de commencer un autre livre ? C'était sa manière de s'échapper ; elle se pelotonnait dans un fauteuil, un coussin derrière le dos, et oubliait tout ce qui l'entourait.

Deux jours plus tôt, sous la même pluie interminable, il s'était trouvé là avec Ewert. Ils n'avaient pas fait attention à leurs vêtements trempés. Leur conversation était plus importante ; il y avait une grande complicité entre eux. Le genre de complicité qui naît avec le temps.

Il ne s'était pas attendu à le retrouver dès le lendemain devant l'appartement des putes baltes.

Bengt la voyait encore.

Son dos, sa peau zébrée de coups de fouet. Cela le mettait mal à l'aise : pas elle, pas ce corps abîmé, pas maintenant.

Le jardin n'était pas grand, mais il en était fier. Un jardin fait pour que les enfants puissent s'y ébattre. Depuis deux ans, il travaillait à mi-temps, il avait cinquante-cinq ans et il n'aurait plus l'occasion de voir de jeunes vies se développer. C'était sa dernière chance et il fallait en profiter à fond. Bien sûr, ils étaient plus grands maintenant, ils avaient moins besoin de lui, mais il voulait être là, participer à distance à leurs jeux. Cet été, ils s'étaient pourtant lassés de rester dehors. La pelouse trempée était déserte ; plus de ballons de football dans les parterres de roses, plus personne pour jouer à cache-cache derrière la haie de lilas. Ils étaient dans leur chambre, devant leurs ordinateurs. Des univers électroniques auxquels il ne comprenait rien.

Bengt jeta un regard sur Lena. Elle était belle. Ses longs cheveux blonds, son visage paisible, ce calme qu'il lui enviait. Il pensait à Vilnius, à l'ambassade de Suède, il y avait travaillé comme chef de la sécurité pendant quelques années et un jour elle était arrivée. Une jeune fonctionnaire curieuse de tout. Il ne comprenait pas pourquoi elle l'avait choisi. Pourtant, elle l'avait bel et bien fait. Lui qui s'estimait déjà au rebut, elle l'avait récupéré, jugé digne de figurer sur une photo de famille.

Un flic désabusé qui avait vingt ans de plus qu'elle.

Il n'avait qu'une crainte : qu'elle se réveille un jour, qu'elle comprenne son erreur et lui dise de partir.

— Lena ?

Elle n'avait pas entendu. Il se pencha en avant, déposa un léger baiser sur sa joue.

— Lena ?

— Oui ?

— On rentre ?

Elle secoua la tête.

— Pas tout de suite. Il me reste encore trois pages.

Cette pluie. Il n'avait pas cru qu'elle puisse encore empirer. Elle tombait de plus en plus fort, menaçant presque de percer le tissu qui protégeait leurs têtes. Autour d'eux, la pelouse était en train de se transformer en marécage.

Bengt regarda sa femme. Elle tenait son livre des deux mains, s'abritant derrière un chapitre à finir.

Puis l'autre femme surgit de nouveau.

Lena était en face de lui, mais ce n'était pas elle qu'il voyait. C'était le dos lacéré de l'autre, son sang coagulé, sa peau en charpie. Il avait beau essayer de chasser son image, elle revenait sans cesse. Il serra les paupières et elle devint encore plus visible ; la civière sur laquelle on l'avait transportée, inconsciente. Il ouvrit les yeux et elle était là, muette. Il inclina la tête, en proie à un malaise que ses efforts pour rester insensible transformèrent en panique.

— Qu'est-ce qu'il y a ?

Lena avait posé son livre sur l'accoudoir du fauteuil de jardin. Elle le dévisagea. Il garda d'abord le silence, puis il haussa les épaules.

191

— Rien.

— Je vois bien qu'il y a quelque chose. A quoi tu penses ?

Comment faire pour paraître indifférent ?

— A rien.

Elle le connaissait trop. Elle savait que ce n'était pas rien.

— Cela faisait longtemps que je ne t'avais pas vu comme ça. Effrayé.

L'une avec sa peau déchirée et l'autre qui courait dans tous les sens en criant. Le corps nu et abîmé. Les images le poursuivaient. Il aurait peut-être dû lui en parler. Lena avait le droit de savoir. Après tout, il n'avait pas été préparé à ce spectacle-là.

— Ton téléphone sonne.

Il la regarda. Elle montra du doigt sa veste. Il fouilla dans sa poche, la sonnerie le stressait. Quatre coups déjà ; il ne fallait pas que ça s'éternise.

— Nordwall.

Tenant le téléphone contre son oreille, Bengt Nordwall écouta. La conversation dura quelques minutes. Il se tourna vers sa femme.

— Il s'est passé quelque chose. Ils ont besoin d'un interprète. Il faut que j'y aille.

— Où ?

— A l'hôpital Söder.

Il se leva, embrassa de nouveau Lena, se baissa pour quitter son abri et se retrouva sous la pluie battante.

L'hôpital Söder. La pute balte. La morgue.

Il avait peur.

L'agent portait un uniforme vert. Il était assis sur l'unique lit de la chambre. Un pansement lui enveloppait le front et la nuque. Il avait beaucoup saigné, le tissu blanc était teinté de rouge. Une infirmière avec un nom polonais brodé sur la poche de sa blouse lui tendait deux comprimés marron. Sans doute un analgésique, pensa Grens.

Il n'avait pas grand-chose à dire.

Elle avait regardé la télévision dans la salle de séjour. En compagnie des deux adolescents de la chambre 4. C'étaient les informations de la mi-journée, il ne se rappelait plus sur quelle chaîne. Elle avait voulu aller aux toilettes. Il ne voyait pas pourquoi il le lui aurait refusé, elle était très faible, elle avait un bras dans le plâtre et une douleur à la hanche la faisait boiter. Il l'avait jugée inoffensive. Et puis, il n'allait quand même pas l'accompagner aux toilettes, non ?

Ewert Grens sourit. Tu aurais dû. Tu étais censé veiller sur elle. Pendant son sommeil. Et jusque dans les W-C.

Le type souffrait, il se prenait la tête, la nuque. Elle n'y était pas allée de main morte.

Elle avait tiré la chasse, il l'avait entendue le faire. Deux fois. Puis elle était revenue. Elle lui avait fait signe qu'elle voulait regagner sa chambre, elle lui avait demandé de l'accompagner. Il n'y avait rien vu de surprenant. Il l'avait suivie dans la chambre 2, là où ils se trouvaient actuellement. Comme d'habitude, elle avait fermé la porte derrière elle.

Et tout à coup il s'était aperçu qu'elle tenait un pistolet.

Il n'avait pas compris d'où elle l'avait sorti. En revanche, il s'était rendu compte qu'elle savait s'en servir. Elle l'avait visé à la tête et il était clair qu'elle ne plaisantait pas.

C'était une pauvre chambre anonyme.

Se tenant la tête, poussant des gémissements, l'agent était parti. Assis sur la chaise destinée aux visiteurs, Grens regarda autour de lui.

Un lit métallique. Une table roulante. Une autre table près de la fenêtre, et la chaise où il était assis. C'était tout. Aussi grande qu'une salle de séjour, prévue pour quatre patients, la chambre avait été aménagée pour accueillir une femme gravement blessée.

Il resta silencieux, laissant ses pensées rebondir contre les murs blancs et froids.

Il attendait. Comme pour mieux prendre son élan. Il devait rester fort, plus fort qu'il ne l'avait pensé quand ils avaient reçu l'alerte et qu'ils avaient changé de file pour se diriger vers l'hôpital Söder. Au départ, c'était

194

l'histoire d'un junkie mort, une histoire qui lui offrait enfin la possibilité de coincer l'homme qui leur avait volé leur vie, à Anni et lui. Maintenant, c'était une prise d'otages avec suffisamment de Semtex pour faire sauter une bonne partie du bâtiment.

Ewert Grens était commissaire. Il enquêtait sur des meurtres et il le faisait mieux que la plupart de ses collègues. Mais cela faisait longtemps qu'il ne s'était pas retrouvé au milieu d'une grosse affaire. Alors qu'il venait d'obtenir un témoignage contre Lang, une prostituée avait neutralisé un agent à l'étage au-dessus avant de s'enfuir. Et elle se trouvait maintenant sept étages plus bas, au sous-sol, avec cinq otages. Cinq otages sur lesquels elle avait appliqué une pâte beige.

Il avait envoyé une voiture de patrouille chercher l'uniforme qui se trouvait dans son bureau à Kronoberg.

Il allait devoir assumer son rôle de chef des opérations.

Il fallait affronter les deux drames.

Se retournant vers la voiture, Slobodan jeta un œil sur Jochum Lang avant de franchir les portes de l'hôpital Söder. Son crâne lisse et bronzé et sa large nuque se distinguaient à peine à travers la vitre mouillée. En réalité, il aimait beaucoup ce type. Jochum avait été comme un grand frère pour lui, un frère qu'on craignait et admirait. Mais maintenant c'était une question d'estime de soi. Il avait trente-cinq ans, il devait voler de ses propres ailes, se faire respecter. Même si on regimbait. Là, c'était Jochum qui avait foutu la merde.

Un témoin l'avait vu. Et c'était à lui, Slobodan, de faire le ménage.

Lisa Öhrström. Accent du Norrland. Trente à trente-cinq ans. Un mètre soixante-quinze. Cheveux bruns. Petites lunettes cerclées de noir dans la poche de sa blouse.

Slobodan prit l'ascenseur, monta jusqu'au septième étage. Il se dirigea vers le service de médecine générale, traversa un couloir désert. Il s'arrêta devant une cage en verre. Une femme y était assise.

Elle lui tournait le dos. Il frappa contre la vitre. Quand elle lui fit face, il vit que ce n'était pas celle qu'il cherchait. Celle-ci était plus âgée. Au moins vingt ans de plus.

— Je cherche le Dr Lisa Öhrström.

— Elle n'est pas là.

Il sourit.

— Je le vois bien.

Elle ne répondit pas à son sourire.

— Elle est occupée. C'est à quel sujet ?

La femme – une infirmière en chef, il le vit à son badge – était tendue, avait la mine soucieuse.

— La police est venue tout à l'heure. Ils l'ont inter-rogée. C'est pour cela que vous la cherchez ?

— Peut-être. Vous disiez qu'elle était où ?

— Je ne vous ai rien dit.

— Elle est où ?

— Elle s'occupe de ses patients. Et il y en a d'autres qui attendent. On a été un peu bousculés aujourd'hui, on a du retard.

Il recula d'un pas, s'empara de la chaise posée contre

le mur du couloir et s'assit. Il lui fit comprendre qu'il n'avait pas l'intention de bouger.

— Je voudrais que vous alliez me la chercher.

Assis près de la fenêtre dans ce qui avait cessé d'être la chambre d'une victime pour se transformer en celle d'une criminelle, il avait passé tellement de coups de fil qu'il avait fini par vider la batterie de son portable.

Ewert avait obtenu que toutes les voitures de police disponibles se dirigent vers l'entrée des urgences de l'hôpital Söder, lieu qu'il estimait suffisamment éloigné de l'épicentre du drame. Il avait ordonné qu'on bloque le trafic en provenance du boulevard circulaire et qu'on barre l'accès à l'hôpital. Il avait fait évacuer toute la partie du bâtiment où se trouvait la morgue. Pas question d'y laisser qui que ce soit, on avait affaire à une femme armée, munie d'explosifs. Qu'on vide les lieux, immédiatement !

Il se leva, dévisagea Sven Sundkvist, qui venait d'entrer, fit un geste vers la porte. Sans rien dire, ils sortirent dans le couloir. Ils venaient de vivre quelques minutes particulièrement intenses.

— Il me faut un expert en explosifs.

— D'accord.

— Tu t'en occupes ?

— Je m'en occupe.

Ils arrivèrent devant les ascenseurs. Il y en avait un qui venait de s'ouvrir, et Sven s'y dirigea.

— On le prend ou on descend par l'escalier ?

Grens l'arrêta d'un geste.

— Pas tout de suite.

Il tenait une enveloppe à la main.

— J'ai trouvé ça à côté de son lit. C'était le seul objet n'appartenant pas à l'hôpital.

Sven Sundkvist prit l'enveloppe, l'examina, la rendit à Grens. Il pénétra dans la pièce la plus proche, y fouilla un moment avant de trouver ce qu'il cherchait. Le paquet de gants en latex était sur une étagère au-dessus du lavabo. Il en prit une paire et l'enfila.

— Voilà. Tu me la redonnes ?

Il l'ouvrit. Un carnet à couverture bleue. Rien d'autre. Il leva les yeux vers Ewert, puis se mit à feuilleter le carnet. On en avait arraché quelques pages. Parmi les restantes, quatre étaient couvertes d'une écriture serrée. Une langue slave, apparemment.

— C'est à elle ?

— Je suppose que oui.

— Je ne comprends pas un mot.

— Je veux une traduction, Sven. Tu t'en occupes ?

Ewert Grens tendit la main, laissa à Sven le temps de remettre le carnet bleu dans l'enveloppe avant de la récupérer. Du doigt, il indiqua un endroit au-delà de l'ascenseur.

— Les escaliers.

— Pourquoi ?

— Pas question de rester coincés si jamais il arrive quelque chose.

En descendant, ils passèrent devant la grosse tache rouge. C'était tout ce qui restait de Hilding Oldéus depuis que les ambulanciers avaient enlevé son corps. Ewert haussa les épaules.

— On verra ça plus tard.

Quelques marches plus bas, Sven s'arrêta soudain. Il

resta un moment immobile, puis il se retourna vers la tache de sang.

— Attends, Ewert.

Il fixa la tache, promena son regard sur les bords. Le sang avait aspergé une bonne partie du mur.

— Qu'est-ce qui pousse les êtres humains à se comporter de la sorte ? Tu vois ça, Ewert ? Les restes de quelqu'un qui était encore en vie il y a un instant.

— On n'a pas le temps.

— Je ne comprends pas. Je sais comment tout cela fonctionne, mais je ne comprends pas.

Sven Sundkvist s'accroupit, se mit à osciller légèrement, faillit perdre l'équilibre en se redressant.

— Il avait tout pour réussir. Hilding Oldéus était intelligent, doué. Mais il y avait ce fardeau. La honte. Il portait sa honte, comme tous les autres. Allez savoir d'où ça vient.

— On est pressés.

— Tu ne m'écoutes pas, Ewert. La honte, ça les ronge. C'est la honte qui les pousse. Ce n'est pas les criminels qu'il faudrait traquer, c'est la honte.

— Je n'ai pas le temps, Sven. On s'en va.

Sven Sundkvist ne bougea pas. Il comprit l'irritation d'Ewert, mais il décida d'y passer outre.

— Hilding Oldéus croyait savoir qui il était. Et il ne voulait pas avoir affaire à cette personne-là. Il ne voulait pas la connaître, il en avait honte. Pourquoi ?

Ewert Grens soupira.

— Je n'en sais rien.

— Lui non plus, sans doute. Mais l'héroïne lui permettait d'oublier. Ça, il le savait. D'oublier la honte.

Sven Sundkvist regarda Ewert Grens. Grens ne l'écoutait pas, il était déjà à l'étage au-dessous.

— On a une pute là-bas qui menace de faire sauter des gens. Tu m'excuseras, Sven. Tes histoires, on les verra plus tard.

Sven venait à peine de le rejoindre quand Ewert se tourna vers lui.

— Sven ?

— Oui ?

— Il me faut quelqu'un pour négocier avec elle.

— Il y a déjà quelqu'un en route.

— En route ?

— C'était une de ses exigences.

Ewert s'arrêta net.

— De quoi tu parles ?

— Je viens juste de l'apprendre. En appelant des renforts. Elle a demandé à un des otages de lui servir de porte-parole. Un médecin. C'est lui qui a décrit la situation. Elle ne parle pas le suédois. A peine quelques mots d'anglais.

— Et alors ?

— Elle lui a demandé de lire un nom qu'elle avait écrit sur un bout de papier. Bengt Nordwall.

— Bengt ?

— Oui.

— Pourquoi ?

— Ce n'est pas très clair. La cellule de coordination estime qu'elle exige sa présence. J'en aurais sans doute tiré la même conclusion.

Cela faisait longtemps qu'Ewert n'avait pas rencontré Bengt dans un contexte professionnel. Sauf la veille, devant la porte enfoncée de l'appartement de

Völundsgatan. Et voilà qu'ils allaient se retrouver à peine vingt-quatre heures plus tard. Il aimait mieux le voir en privé. Leurs déjeuners sous la pluie. Sa seule relation sans uniforme.

Ils traversèrent le rez-de-chaussée. Quelques centaines de mètres de couloir, puis l'accueil des urgences. Ils saluèrent brièvement les médecins et infirmières qu'ils croisèrent, esquivant les questions, trop pressés pour fournir des explications. Franchissant les portes d'entrée, ils arrivèrent sur la rampe de déchargement où, en temps normal, des ambulances stationnaient pour déposer des malades.

C'était là que devaient converger toutes les voitures disponibles. Peu de temps s'était écoulé, mais Sven en compta déjà quatorze. Quinze, avec celle qui arrivait sur le vaste parking, gyrophare allumé.

Ewert Grens attendit encore cinq minutes. Dix-huit voitures étaient maintenant alignées. Il déplia un plan de Stockholm sur le toit de la plus proche.

Regroupés derrière lui, les hommes gardèrent le silence, observant attentivement le commissaire. Gros et ronchon, il boitait légèrement. Il avait les cheveux gris et clairsemés, et la nuque raide à la suite d'une tentative d'étranglement. Un type revêche dont ils avaient tous entendu parler mais qu'ils n'avaient guère eu l'occasion de côtoyer. Ils savaient qu'il passait le plus clair de son temps dans son bureau à écouter Siw Malmkvist en étudiant ses dossiers et qu'il n'ouvrait sa porte à personne. D'ailleurs, peu de gens avaient envie d'y frapper.

Ils patientèrent jusqu'à ce qu'il se retourne pour les

dévisager. Il lui fallut encore de longues secondes avant d'ouvrir la bouche.

— Il s'agit d'une femme. Elle a été retrouvée inconsciente il y a quelques jours dans l'appartement de son souteneur. Elle était soignée ici. Jusque-là, tout est simple. Du déjà-vu.

Il regarda autour de lui. Ils l'écoutaient religieusement. Qu'est-ce qu'ils sont jeunes, pensa-t-il. Jeunes et beaux et forts. Une histoire comme ça, ils n'en ont jamais connu.

— Puis, d'une manière ou d'une autre, cette petite pute se transforme en quelque chose que nous n'aurions jamais imaginé. Elle se procure une arme, Dieu sait comment. Elle peut à peine bouger, mais elle neutralise l'agent chargé de la surveiller. Elle descend tranquillement jusqu'au sous-sol et pénètre dans la morgue. Elle ferme la porte à clé derrière elle et prend en otages les cinq personnes qui s'y trouvent. Elle leur colle du Semtex sur le corps. Puis elle appelle la police.

Ewert Grens s'adressait d'une voix parfaitement calme à ces hommes qu'il n'avait jamais vus et qui ne le connaissaient pas davantage. Il savait ce qu'il avait à faire, ce qu'on attendait de lui.

Il fit évacuer d'autres parties de l'hôpital. La fille disposait d'environ cinq cents grammes d'explosifs et de détonateurs. Cela, c'était la quantité dont on était sûr. Mais il y en avait peut-être beaucoup plus. Elle avait traversé pas mal de couloirs. Elle avait pu étaler cette saloperie n'importe où.

Il fit renforcer les barrages. On installa des barrières tout le long du boulevard circulaire, du parc de

202

Tantolunden jusqu'à l'école d'Eriksdal. Là où les banlieusards se pressaient maintenant pour rentrer chez eux.

Il demanda l'appui des forces d'intervention nationales pour un éventuel assaut une heure plus tard. Il téléphona personnellement au chef des forces d'intervention, John Edvardson, pour lui exposer la situation. Edvardson parlait le russe. Avec Bengt qui était déjà sur place, il disposait de deux personnes pour négocier le sort des otages.

Sven Sundkvist se tenait quelques mètres plus loin. Il regardait les collègues attendant les ordres d'Ewert devant la rampe de déchargement des urgences.

Eux étaient là. Ils y étaient vraiment.

Présents, concentrés, attentifs.

Lui n'y était pas.

Au fond de lui, il se foutait totalement de cette prostituée balte qui tenait en respect cinq blouses blanches ayant eu la malchance de se trouver dans cette morgue au mauvais moment. Tout comme il se foutait de savoir que Jochum Lang avait été identifié comme étant l'assassin de Hilding Oldéus.

Il n'avait rien contre son travail, le problème n'était pas là. Il était encore content d'aller bosser tous les matins. Bien sûr, il y avait parfois pensé : pourquoi ne pas chercher autre chose, un boulot où il n'y aurait pas toute cette violence ? Quelque chose de moins lourd. Mais il avait toujours fini par chasser ces idées. C'étaient des rêveries, rien d'autre. Il était flic. Il n'avait pas envie de changer.

Mais aujourd'hui il était ailleurs.

Il voulait rentrer. Sa vie était auprès d'Anita, auprès de Jonas. Et il leur avait promis. Ce matin, alors qu'ils dormaient encore, il les avait embrassés sur la joue en chuchotant qu'il serait de retour pour le déjeuner et qu'ils seraient de nouveau une vraie famille.

Il se cacha derrière une ambulance pour téléphoner. Jonas lui répondit. En annonçant son prénom et son nom : *Allô, ici Jonas Sundkvist.* Comme toujours. Sven expliqua. Il avait honte et Jonas pleurait, car Sven avait promis. Et sa honte ne cessait de grandir, et Jonas criait qu'il le détestait, car maman avait préparé un gâteau avec des bougies. Sven n'en pouvait plus. Il finit par rester là sans rien dire, le téléphone à la main, en regardant Ewert qui terminait son briefing et le groupe de collègues qui se dispersait. Puis il prit une profonde inspiration, porta le téléphone à sa bouche et murmura « Pardon » au milieu de ce silence électronique qui survient quand quelqu'un vient de raccrocher.

C'était l'été. Apprenant qu'un hôpital du centre de Stockholm était interdit d'accès et partiellement évacué, les médias s'emballèrent. On flairait le sang, le drame ; enfin de quoi remplir les pages et les écrans alors que l'actualité se faisait de plus en plus désertique. Les journalistes s'étaient engouffrés derrière les dix-huit voitures de police qui convergeaient vers Söder, tous gyrophares allumés. Mêlés aux badauds, ils se pressaient derrière les barrières que des policiers en uniforme écartaient de temps en temps pour laisser sortir le personnel soignant. Ewert Grens avait demandé aux responsables de la police et de l'hôpital d'organiser une conférence de presse sur les lieux mêmes, en se montrant le moins diserts possibles. Pas question d'être dérangé dans le local des urgences aménagé en QG opérationnel, ni dans les couloirs du sous-sol. Il se souvenait avec horreur d'une prise d'otages sur la côte ouest, quelques années plus tôt. Les kidnappeurs s'étaient introduits dans une villa et avaient braqué les occupants avec de gros calibres ; la police avait tout juste commencé à négocier lorsqu'un journaliste de télévision, ayant réussi à dégoter son numéro de portable, l'avait appelé en direct pour demander une interview.

Il savait pourtant que cela ne servirait à rien. Il pouvait les envoyer au diable, organiser autant de conférences de presse qu'il voulait, ils ne bougeraient pas de là. Une prostituée balte grièvement blessée prenant en otage le personnel de l'hôpital où on la soignait, c'était une histoire en or.

Le QG était installé dans une salle d'opération. Le bloc des urgences en comportait deux, vides toutes les deux, mais les policiers avaient été dirigés vers une salle de secours rarement utilisée. Avec l'aide du personnel, ils avaient repoussé tout ce qui pouvait être déplacé, et l'équipement stérile servait maintenant de sièges et de tables de bureau. Des agents allaient et venaient, tandis que le groupe de coordination restait là en permanence.

A force de menacer le responsable clientèle de l'opérateur, Ewert Grens avait réussi à obtenir le numéro du portable qui avait servi à appeler la police à douze heures trente et une. Un numéro figurant sur la liste rouge, mais appartenant au médecin chef Gustaf

Ejder, de l'hôpital Söder. Il le fit imprimer en couleur et scotcher sur le mur en face de lui, entre deux armoires métalliques, à côté du numéro du téléphone fixe de la morgue.

Il était assis à la place qu'il s'était attribuée, près de la table d'opération.

Cela faisait bientôt deux heures qu'il attendait. Dissimulant mal son impatience, il buvait du café dans un gobelet en carton.

— Elle joue avec nos nerfs.

Personne ne l'écoutait. Peu importe ; il avait juste besoin de le dire à haute voix. Pour se soulager.

— Si ça se trouve, elle sait très bien ce qu'elle fait. Que son silence nous stresse. Ou alors elle a compris que ça va merder et elle s'en fout.

Il vida son gobelet et le froissa. Puis il se leva et fit quelques pas. Il regarda Sven Sundkvist, assis à l'autre bout de la pièce devant une civière qui lui servait de bureau. Le téléphone collé à l'oreille, il parlait avec quelqu'un depuis un moment. Il raccrocha enfin.

— C'était Ågestam. Il sortait d'une réunion avec Errfors, il insiste apparemment pour qu'Errfors ouvre Hilding Oldéus dès cet après-midi. En réalité, il venait surtout aux nouvelles. Il était au courant de l'alerte, il voulait savoir ce qu'on faisait. Il doit se dire que c'est une affaire qui risque de faire du bruit.

S'arrêtant net, Ewert balança son gobelet froissé contre le mur.

— Le sale petit arriviste ! Dès qu'il y a une affaire qui peut lui servir pour sa carrière, il se ramène ! Mais quand on lui demande de garder Lang sous les verrous, il se fait prier. Les mafieux qui s'en prennent à des

206

junkies, ce n'est pas ça qui lui permettra d'appâter la presse.

Ewert Grens n'aimait pas Lars Ågestam.

D'une manière générale, il n'aimait pas les jeunes procureurs à la mèche bien coiffée et aux chaussures bien cirées. Des types tout frais sortis de l'université qui lui parlaient de soupçons raisonnablement fondés et de bases possibles de poursuites. En s'affrontant un an plus tôt, ils s'étaient tout de suite détestés. Lors d'une affaire de pédophilie, Ågestam s'était arrangé pour briller face aux caméras et Grens lui avait dit d'aller se faire foutre. Depuis, celui qui se rêvait déjà en procureur général n'avait cessé de lui mettre des bâtons dans les roues et ils s'étaient copieusement engueulés à plusieurs reprises. Grens était furieux. Il y avait déjà pensé : deux heures plus tôt, devant le lit vide de Lydia Grajauskas, il s'était dit qu'Ågestam n'allait pas tarder à rappliquer. Ne ratant jamais une occasion de se faire remarquer, il ferait tout pour récupérer l'affaire. Tout. Y compris se foutre à poil.

Il continua à marcher de long en large sous l'éclairage violent des néons. Un éclairage conçu pour des opérations chirurgicales, et qui avait le don de l'énerver. Grens fit un geste de la main, comme pour chasser cette lumière importune.

— Avec Grajauskas, c'est pareil.

Les mains posées sur la civière, Sven Sundkvist n'avait pas bougé de son coin. Le spectacle de Grens menaçant les tubes de néon ne lui plaisait pas.

— Tu comprends ça, Ewert ? C'est le même phénomène. C'est la honte qui la pousse, qui la fait agir. Exactement comme Oldéus.

207

— Ecoute, Sven. Ça suffit.

— Tu te rappelles l'appartement de Völundsgatan ? La vodka et le Rohypnol dans la salle de bains ? Ça signifie quoi, à ton avis ? Elle faisait pareil. Elle se vidait la tête. Elle avait honte. Honte d'elle-même.

Ewert Grens lui tourna démonstrativement le dos.

— Ça fait combien de temps qu'elle est là-bas ?

— Tu le comprends, non ? On la souille. Elle déteste ce qui lui arrive, mais elle ne peut rien faire. Elle a l'impression d'y consentir. D'y participer. Et elle essaie de vivre avec cette honte. Bien sûr, ça ne peut pas durer.

Ewert Grens ne se retourna pas. Il frappa violemment le mur en hurlant :

— Je t'ai posé une question, Sven ! Ça fait combien de temps ? Ça fait combien de temps que cette pute menace de tuer cinq personnes qui ont eu la malchance de croiser son chemin ? Réponds !

Sven Sundkvist prit une profonde inspiration. Puis il se tourna vers l'homme qui lui criait dessus. Il respira encore un bon coup avant de jeter un œil sur la montre posée à côté de son téléphone.

— Depuis son coup de fil, cela fait une heure et cinquante-trois minutes.

— Et depuis qu'elle est là-dedans ?

— Deux heures vingt environ. L'agent qu'elle a neutralisé est assez précis : quand elle est allée aux toilettes, le journal télévisé venait de se terminer. Elle y est restée quelques minutes, puis il s'est encore passé quelques minutes avant qu'elle le frappe. Nous avons fait le trajet de sa chambre jusqu'à la morgue pour vérifier. En disant deux heures vingt, je ne pense pas qu'on se trompe de beaucoup.

Grens regarda longuement sa montre-bracelet.

— Deux heures vingt. Dans une pièce fermée, tenant des gens en otage, mais sans formuler de revendications. Elle a demandé qu'on fasse venir Bengt parce qu'il parle le russe. C'est tout. Sinon, c'est le silence. Elle joue avec nos nerfs. Eh bien, on va faire pareil !

Ewert Grens avait vite compris qu'il fallait établir un QG dans l'hôpital même. Au départ, il ne disposait que de Sven Sundkvist, mais il avait contacté John Edvardson, un des quatre chefs des forces nationales d'intervention. Il avait également fait venir Hermansson, la jeune remplaçante qui parlait avec un fort accent scanien. Il avait déjà pu constater qu'elle était méthodique et efficace, et il savait qu'elle n'avait peur de rien. Elle ne s'était pas laissé déstabiliser par les provocations de cette petite crapule de Hilding Oldéus ; elle lui avait même administré une gifle magistrale.

Il tenait son groupe de coordination.

Il se tourna vers Hermansson, qui venait d'étaler ses papiers sur l'autre extrémité de la civière qui servait de bureau improvisé à Sven.

— Tu vas appeler Vodafone. J'ai fait comprendre au responsable clientèle qu'ils ont tout intérêt à nous obéir. Tu leur diras de bloquer son téléphone. Pour les appels sortants uniquement. Ensuite, tu appelleras le standard de l'hôpital et tu leur diras de faire pareil avec le téléphone fixe de la morgue.

Elle fit oui de la tête. Elle avait parfaitement compris ses intentions : il voulait empêcher la jeune femme d'appeler à sa guise. Ils devaient rester les maîtres de la communication.

Ewert Grens se dirigea vers la bouilloire électrique

que quelqu'un avait installée sur un tabouret. Il la remplit et l'alluma. Une pile de gobelets était posée par terre. Il en prit un et y mit trois bonnes cuillerées de café instantané.

— C'est nous qui prendrons l'initiative d'établir le contact. C'est nous qui jouons avec ses nerfs. C'est nous qui la faisons attendre.

Il n'attendait pas de réponse.

— Et Bengt ? Il est où ?

Bengt avait essayé de la retenir. Il avait attrapé son ceinturon, mais il avait été obligé de le lâcher et elle était tombée de la voiture en marche.

Vingt-cinq ans. Il touchait au but.

Quand ils en auraient fini avec la morgue.

Là-haut il y avait un témoin. Lang allait enfin payer.

Payer pour Anni.

Sven fit un geste vers la porte.

— Nordwall est là. Dans la salle d'attente. Assis sur le canapé, à côté des quelques patients qui se trouvent encore aux urgences.

Sans rien dire, Ewert se tourna dans la direction indiquée par Sven. Il mit un moment avant de parler.

— Je veux qu'on le fasse venir. Il est temps. Dans une demi-heure, les forces d'intervention se seront déployées dans le couloir de la morgue. A ce moment-là, il prendra contact avec elle.

La bouilloire commença à émettre des gargouillements intempestifs. Il l'éteignit, remplit son gobelet et en remua le contenu. Il souffla sur le liquide marron et était sur le point d'avaler une gorgée de café brûlant lorsqu'une sonnerie se fit entendre. Celle du téléphone

210

installé dans un seul but sur une armoire au milieu de la pièce.

Hermansson n'avait pas encore eu le temps de faire bloquer les appels sortants.

Le centre d'alerte avait reconnu le numéro. Selon les instructions, il avait redirigé l'appel.

Ewert Grens prit le téléphone. Il reconnut le numéro qui s'affichait sur l'écran. Elle les avait devancés.

Il ne bougea pas, laissa l'engin sonner.

Il compta quatorze sonneries.

Quand l'appareil se tut, il sourit.

Lydia Grajauskas jeta un œil sur l'horloge au-dessus de la porte. Elle venait d'appeler, la jeune étudiante avait fait le numéro et collé le téléphone à l'oreille du médecin grisonnant.

Elle l'avait laissé sonner quatorze fois. Elle avait entendu les petites notes sourdes, l'une après l'autre. Pas de réponse. Elle ne savait que penser : l'appel n'était-il pas passé ? Ou le policier avait-il décidé de ne pas répondre ?

Elle était assise sur une chaise à trois mètres des otages.

C'était la bonne distance. Elle contrôlait la situation sans être trop près. Ils étaient restés silencieux, personne n'avait rien dit depuis le premier appel. Certains fermaient les yeux ; la peur se manifestait de tant de manières différentes.

Elle regarda autour d'elle.

La morgue comportait plusieurs pièces.

Il y avait d'abord l'entrée aux allures de hall où elle s'était arrêtée un instant avant de sortir son arme du sac en plastique et franchir le seuil de la deuxième pièce, où cinq blouses blanches entouraient un mort.

Une troisième pièce, plus grande, faisait suite à celle où ils se tenaient – une sorte de magasin avec des meubles à tiroirs, des civières et divers équipements électroniques momentanément hors service.

Elle le savait avant d'y pénétrer. Elle avait attentivement étudié la brochure d'information que lui avait prêtée l'infirmière polonaise ; elle en avait recopié le plan dans son carnet avant d'arracher les pages dont elle avait besoin.

Elle savait aussi qu'il y avait une quatrième pièce.

Trop occupée à surveiller ses otages, à se faire respecter, elle n'y avait pas encore mis les pieds. Mais elle savait que cette pièce était là, derrière elle, derrière la lourde porte métallique.

C'était la pièce la plus grande. La morgue proprement dite ; l'endroit où étaient entreposés les corps.

Un des garçons, celui qui avait pleuré sans retenue et qui avait fini par se calmer quand elle lui avait collé son pistolet à la tempe, se mit soudain à haleter.

Elle resta immobile, baissa son arme, le vit tomber en avant, les mains liées dans le dos, incapable d'amortir le choc.

— Aidez-le !

Le médecin avait la voix rauque, il criait, mais comme il ne pouvait pas bouger, il la fixait des yeux. Il avait des plaques rouges aux joues et au cou.

— *Help ! Help him !*

Lydia hésita. Le garçon ne cessait de trembler. Elle finit par se lever et s'approcher de lui en brandissant son arme. Du coin de l'œil, elle continuait de surveiller les

213

autres otages, de s'assurer qu'ils restaient bien immobiles, dos au mur.

C'est pour cela qu'elle ne le vit pas.

Ses mains étaient libres.

Couché à ses pieds, le visage contre le sol, il tremblait de tout son corps, mais ses mains étaient libres.

En se baissant, elle lui frôla la nuque avec son plâtre. Il rampa dans sa direction et la fit tomber à la renverse. S'étalant sur elle, il la frappa à la tête. De l'autre main, il essaya de s'emparer de son arme.

Il était plus fort qu'elle. Beaucoup plus fort. Il était comme les autres : ceux qui s'étaient couchés sur elle, qui l'avaient brutalisée, violée. Ceux qu'elle haïssait et qu'elle empêcherait à tout jamais de recommencer.

C'est sans doute pour cela qu'elle trouva assez de force pour réagir.

C'est en tout cas ce qu'elle se dit plus tard.

Il lui tordit la main mais elle parvint à résister assez longtemps pour appuyer sur la détente. Le coup de feu résonna entre les murs. Le garçon lâcha prise et tomba sur le côté avec un bruit sourd. Il fit une grimace en comprenant que la douleur qu'il ressentait venait de sa jambe.

Elle l'avait touché à la rotule. Il ne remarcherait pas avant longtemps.

Les membres des forces d'intervention nationale avaient commencé à prendre position dans le sous-sol de l'hôpital Söder quand on entendit des appels au secours venant de l'entrée de la morgue. C'étaient des cris étouffés ; on avait du mal à comprendre ce que

214

disait la voix. Même en s'approchant, on percevait surtout de brefs gémissements. Ils finirent par l'apercevoir : il était allongé sur le côté au milieu du couloir, la tête contre la porte. Il saignait de la tête et des jambes. Il avait perdu beaucoup de sang et son état nécessitait des soins immédiats.

Ils prirent leurs précautions, mais quand ils arrivèrent à sa hauteur il ne se passa rien. Ils le soulevèrent et l'installèrent sur une civière. Sans se presser, les policiers d'élite avancèrent lentement selon le plan initialement prévu. Ils savaient que l'homme pouvait être un appât.

Douze minutes plus tard, quand ils franchirent la porte du QG improvisé avec leur civière, Ewert Grens les attendait avec impatience. Il avait appris que l'homme était étudiant en médecine et qu'il s'appelait Johan Larsen, qu'il était un des cinq otages et que la jeune femme lui avait tiré dans les rotules et l'avait frappé à la tête avec son arme. S'approchant de la civière, il chercha le regard du jeune homme, mais le médecin le repoussa sans ménagement : Grens devait attendre, les soins étaient prioritaires.

Il avait beaucoup de questions.

Qui réclamaient beaucoup de réponses.

Retournant à sa chaise, Lydia Grajauskas s'installa face aux quatre otages restants. Elle était épuisée, les dernières minutes avaient été un cauchemar.

En lui tirant dessus, elle avait compris que ce ne serait pas suffisant. Dès le début, elle avait essayé de leur faire comprendre qu'elle ne plaisantait pas, qu'elle exigeait du respect. Cela n'avait pas marché. Quand il s'était étalé sur elle comme les autres hommes, elle s'était rendu compte qu'elle devait faire pareil.

Les écraser. Montrer son pouvoir, leur faire peur.

Pas question de les laisser se révolter à nouveau. La prochaine fois, ils pourraient avoir plus de succès.

Elle était restée un moment par terre, son arme à la main. A coté d'elle, l'étudiant avait hurlé de douleur en se tenant le genou droit. Elle s'était redressée, puis elle les avait dévisagés, les quatre alignés contre le mur et le garçon qui l'avait assaillie. Elle avait brandi son pistolet.

— *Not again. If again, boom !*

Elle s'était mise debout au-dessus de lui, une jambe de chaque côté de son corps. Elle avait de nouveau brandi son arme en direction des autres, puis elle avait visé son genou gauche et appuyé sur la détente. Il avait encore hurlé. Se penchant en avant sans quitter les autres des yeux, elle lui avait introduit le canon dans la bouche. Quand il s'était enfin tu, elle avait retourné son arme pour le frapper au visage jusqu'à lui faire perdre connaissance. Comme on l'avait frappée, elle. Après lui avoir ôté l'explosif collé dans son dos, elle avait fait signe au médecin et à la jeune étudiante. En leur déliant les mains, elle leur avait fait comprendre qu'ils devaient le traîner jusqu'à l'entrée, ouvrir la porte et le déposer dans le couloir vide.

Elle resta immobile, visant les autres de son arme.

On avait dû trouver le blessé. On l'avait peut-être déjà transporté, interrogé.

Tant mieux.

En l'écoutant, ils comprendraient qu'elle ne céderait pas, qu'ils devaient lui obéir.

Elle allait leur parler.

Plus question d'attendre.

Elle allait leur dire ce qu'elle voulait.

De son arme, elle fit signe à l'étudiante de composer le numéro sur le téléphone portable. Ce serait son troisième appel. D'abord elle leur avait fait savoir qu'elle retenait des otages, puis elle avait laissé sonner quatorze fois sans obtenir de réponse.

Après avoir fait le numéro, l'étudiante colla le téléphone à l'oreille du médecin.

Au bout d'un moment, il secoua la tête.

— *Dead.*

Elle n'était pas sûre d'avoir compris. Elle brandit de nouveau son arme.

— *Again !*

— *Dead. No tone.*

Le médecin se passa le tranchant de la main sur la gorge. Comme dans les films américains, pour mimer une exécution.

Elle comprit. Tout en continuant de les viser, elle se leva et se dirigea vers le téléphone mural.

En décrochant, elle n'entendit que le silence.

Deux téléphones. Ses seuls moyens de communication. Ils les avaient coupés.

Elle cria quelque chose aux otages. Des mots russes qu'ils ne comprenaient pas. Elle cria en indiquant la porte de la pièce d'à côté, le magasin avec des meubles à tiroirs et des appareils électroniques. Ils se levèrent, les jambes ankylosées et le dos endolori à force d'être restés si longtemps agenouillés, et ils allèrent s'installer contre un autre mur. Elle ne doutait pas de leur obéissance, mais elle préféra quand même continuer de les viser. Après les avoir enfermés à clé, elle traversa la pièce. Passant devant la civière avec le mort, elle se dirigea vers la porte métallique peinte en bleu.

Elle l'ouvrit. En la franchissant, elle pénétra dans la morgue proprement dite.

John Edvardson avait été nommé chef des forces nationales d'intervention à trente-cinq ans seulement. Des études de russe et de sciences politiques, une formation de traducteur-interprète, l'école de la police et quelques années de service lui avaient permis de doubler les autres candidats à ce poste convoité. Cela avait provoqué pas mal de grincements de dents, mais Edvardson n'avait pas déçu ses supérieurs. Calme et sérieux, il avait réussi à se faire aimer. Il savait se faire respecter sans hausser le ton.

Ewert Grens l'avait déjà rencontré plusieurs fois. Ce n'était pas un ami, Grens ne tenait pas à ce qu'il le soit, mais il avait appris à le connaître et à l'apprécier. Il était content de l'avoir à ses côtés, dans ce QG improvisé, entre les civières et les bistouris.

Edvardson se dirigea vers Ewert, le prit par le bras et l'entraîna un peu à l'écart du blessé.

— Ne l'interroge pas tout de suite. Ce n'est pas la peine. Un de mes hommes a déjà parlé avec lui pendant qu'on le transportait.

Ewert l'écouta en silence. Puis il jeta un œil sur le médecin qui examinait les rotules du jeune homme.

— J'ai besoin de tout savoir.

— Pas maintenant. Plus tard. Je peux déjà t'apprendre que Larsen est certain qu'il s'agit de Semtex. Il refuse de dire comment il le sait, mais sa description correspond. Une pâte beige. Elle en a étalé sur les otages et sur toutes les portes. Elle a des détonateurs et il ne doute pas une seconde qu'elle soit prête à s'en servir.

— Après tout, il est bien placé pour le savoir.

— Tu comprends ce que cela implique ?

— Je crois que oui.

— On ne peut rien faire. C'est impossible. Si on donne l'assaut, les otages risquent gros.

Ewert Grens envoya un coup de poing dans une table roulante, faisant vibrer le plateau métallique. Le bruit résonna entre les murs.

— Je ne comprends rien. Depuis quand les petites putes de son espèce se mettent-elles à prendre des otages ?

— Il parle de son sang-froid. Un sang-froid qui fait peur, dit-il. Elle semble bien préparée, elle a de la corde, des munitions pour tenir un bon bout de temps et suffisamment d'explosifs pour nous empêcher d'y pénétrer.

— Du sang-froid.

— C'est ce qu'il dit. Sang-froid et courage. Il l'a répété plusieurs fois.

— Je n'en ai rien à foutre. Je veux que tu déploies tes hommes. De la façon que tu jugeras la meilleure. Et je veux un tireur d'élite. S'il le faut, on la tuera.

Edvardson s'apprêtait déjà à quitter la pièce quand

Grens le rappela. L'enveloppe était restée sur une des civières repoussées contre le mur. Grens alla la chercher, demanda à Edvardson d'enfiler des gants en latex et fit glisser le carnet bleu entre ses mains.

— Il est à Grajauskas. Tu peux lire ce qu'elle a écrit ?

John Edvardson tourna les pages. Puis il secoua la tête.

— Désolé. C'est du lituanien. Je n'y comprends rien.

— Et cet interprète, Sven ? Qu'est-ce qu'il devient ?

Au moment où Ewert Grens se tourna vers Sven Sundkvist, le médecin lui fit signe. Il venait de terminer un premier examen des blessures de Johan Larsen.

— Grens ?

— Oui ?

Ewert se dirigea déjà vers la civière, prêt à interroger l'étudiant, mais le médecin l'arrêta d'un geste.

— Pas tout de suite.

— J'ai des questions à lui poser.

— Pas tout de suite. Il n'est pas en état de répondre.

— Mais enfin, c'est juste ses rotules ! Il y a d'autres otages là-bas !

— Il ne s'agit pas de ses rotules. Il est en état de choc. Si on ne le ménage pas, vos réponses, vous ne les aurez jamais.

Ewert Grens regarda Larsen. Celui-ci était pâle comme un linge et un filet de salive lui coulait sur le menton. Grens se contenta de serrer ses doigts autour de son mouchoir. Celui qui lui servait à essuyer Anni. Il ferma les yeux, les ouvrit de nouveau et contempla la bouche ouverte de Larsen. Il voulut donner un autre coup de poing sur la table, mais son bras s'arrêta à mi-chemin.

— Elle prend des otages. Elle nous prévient. Elle truffe la morgue d'explosifs. *Mais elle ne formule pas la moindre revendication !*

Sa main s'abattit contre le métal.

— Sven !

— Oui ?

— Appelle-la. Il est temps qu'on lui parle.

Elle n'avait jamais vu une morgue. Quand la porte métallique se referma, elle s'arrêta pour regarder autour d'elle. C'était plus grand qu'elle ne l'avait imaginé : une pièce peinte en jaune clair avec un éclairage froid et une table carrelée de blanc pour les autopsies. Aussi grande que les deux dancings de Klaipeda qu'elle avait fréquentés avec Vladi quand ils étaient adolescents. Tout un mur était occupé par les armoires frigorifiques. Des portes gris acier de cinquante centimètres sur soixante-quinze par colonnes de trois : on aurait dit de petits réfrigérateurs.

Lydia compta quinze colonnes. Quarante-cinq congélateurs. Avec des êtres humains dedans. Des corps en position de repos, conservés au froid. Elle n'arrivait pas à le concevoir. Ne voulait pas le concevoir.

Elle pensa à Vladi, ça lui arrivait parfois. Il lui manquait. Ils avaient grandi ensemble, étaient allés à l'école ensemble. Elle aimait lui tenir la main. Ils se promenaient longuement en imaginant tout ce qu'ils feraient après avoir quitté Klaipeda. Parfois ils poussaient jusqu'aux quartiers périphériques, puis ils se retournaient pour regarder la ville. Pour la regarder vraiment. Ils partageaient leurs rêves. Voilà ce qu'ils faisaient.

Pour elle, c'était son fiancé. Pour lui, c'était pareil.

Lydia traversa lentement les dalles en ciment. Cela faisait trois ans qu'elle ne l'avait pas vu. Elle se demanda où il était, ce qu'il faisait, s'il pensait parfois à elle.

Elle songea à ses parents. Papa et la prison de Lukus-kele. Maman et l'appartement de Klaipeda. Ils avaient fait de leur mieux. Elle avait peut-être manqué d'amour, mais jamais ils ne l'avaient frappée. Ils avaient été trop absorbés par leurs propres problèmes. Avaient-ils aspiré à partir, eux aussi ? Etaient-ils allés jusqu'à la sortie de la ville pour la regarder, en rêvant d'une autre vie ?

Heureusement que sa mère ne savait pas où elle était. Dans une morgue. Une prostituée sévèrement maltraitée, visant d'autres êtres humains avec une arme. Heureusement que Vladi non plus n'en savait rien. Est-ce qu'il aurait compris ? Elle le pensait. Quand on a été avili pendant trop longtemps, on a besoin de se venger ; il l'aurait compris. Il arrive un moment où cela ne peut plus durer. Où la coupe est pleine.

Elle mit quelques secondes à s'apercevoir que le télé-phone sonnait. Le téléphone mural de l'autre pièce, à quelques pas du mort gisant sur sa civière. Elle traversa rapidement le sol gris, passa devant les armoires frigori-fiques, ouvrit la porte métallique. Il y avait déjà eu quatre sonneries, peut-être cinq.

Elle décrocha, attendit en silence. Elle souffrait.

L'effet de la morphine commençait à s'estomper, elle bougeait avec difficulté, bientôt ce serait pire encore.

Il parlait russe. Elle ne s'y était pas attendue. Une voix d'homme qui parlait russe avec un accent scandinave. Quand il se présenta, elle comprit.

— Bengt Nordwall. Je suis policier.

Elle déglutit. Elle n'y avait pas cru. Elle l'avait espéré, mais elle n'y avait pas cru.

— Tu m'as fait venir.

— Oui.

— Lydia ? C'est exact ? Je t'écoute aussi longtemps que tu…

Elle l'interrompit en tapant du doigt contre le combiné. Sa voix était forte.

— Pourquoi avez-vous coupé les téléphones ?

— Nous n'avons…

Elle tapa de nouveau contre le combiné.

— Vous pouvez m'appeler. Mais moi, je ne peux pas vous appeler. Je veux savoir pourquoi.

Il hésita un instant. Il se tournait sans doute vers les collègues qui l'entouraient. Ils devaient probablement hocher la tête, faire des dessins dans l'air.

— Je ne comprends pas ce que tu veux dire. Nous n'avons coupé aucun téléphone. Nous avons fait évacuer une grande partie de l'hôpital parce que tu as pris des otages. Mais nous n'avons coupé aucun téléphone.

— Explique-moi pourquoi ça ne marche pas, alors.

— On a également évacué le standard de l'hôpital. Je suppose que c'est pour ça que le téléphone ne fonctionne pas.

— Les téléphones ! Il y a en deux ! Tu me prends

pour une idiote ? Une pute qui ne comprend rien à rien ? Je sais comment ça marche, un téléphone. Et vous, vous savez que je n'hésiterai pas à me servir de mon arme. Alors arrête de raconter des conneries ! Cinq minutes. Je vous donne cinq minutes, pas une de plus, pour faire en sorte que je puisse appeler. Sinon, je tirerai sur un des otages. Et là, ce ne sera pas dans la jambe !

— Lydia, on n'a…

— Et n'essayez pas de pénétrer ici. Sinon je ferai tout sauter.

Il y eut de nouveau quelques secondes de silence. Nordwall devait encore regarder ses collègues. Il se racla la gorge.

— Si on règle ce problème de téléphone, on obtient quoi en échange ?

— Ce que vous obtenez ? Vous évitez la mort d'un otage. Il vous reste quatre minutes et quinze secondes.

Ewert Grens avait écouté la conversation, qu'Edvardson lui avait traduite en simultané. Il enleva ses écouteurs et les posa sur la civière, entre Sven Sundkvist et Hermansson. Puis il prit son gobelet et but le reste du café, qui était froid maintenant.

— Qu'est-ce que vous en pensez ?

Il regarda tour à tour Sundkvist, Hermansson, Edvardson et Bengt Nordwall.

— Qu'est-ce que vous en pensez ? C'est du bluff ?

John Edvardson portait la même tenue que les policiers qu'il venait de déployer dans le couloir : bottes de cuir noir, pantalon de treillis camouflage, gilet multipoches gris pouvant contenir les armes qu'il avait déposées sur la civière, et gilet pare-balles censé résister aux munitions les plus courantes. La pièce était exiguë, la chaleur était étouffante et il transpirait. Son front brillait et il avait de larges auréoles aux aisselles.

— Elle a prouvé qu'elle n'hésitait pas à s'en prendre aux otages.

— Tu es sûr que ce n'est pas du bluff ?

— Je ne vois pas pourquoi elle nous jouerait ce coup-là. C'est elle qui a l'avantage.

— Et pourquoi est-ce qu'elle laisserait filer son avantage ?

— C'est justement ce qu'elle ne fait pas. Si elle en tue un, il lui en restera encore trois.

Grens regarda Edvardson en secouant la tête.

— Ça rime à quoi, une prise d'otages dans une morgue ? Il n'y a pas de fenêtres, aucune ouverture en dehors de la porte. Même si elle les tue tous, on la coincera dès qu'elle sortira. Ou alors elle se fera descendre par un des tireurs d'élite. Elle le sait forcément. Elle le savait avant d'y pénétrer. Je n'y comprends rien.

Assise devant sa civière au milieu de la pièce, Hermansson gardait le silence. Elle n'avait pas dit grand-chose depuis son arrivée. Ewert se demanda si elle était de tempérament silencieux ou si elle avait du mal à trouver sa place parmi ses collègues masculins qui occupaient l'espace avec naturel et assurance. Elle se leva et le regarda dans les yeux.

— Il y a une autre hypothèse.

Grens aimait bien son accent scanien. Il lui inspirait confiance, l'obligeait à l'écouter.

— Qu'est-ce que tu veux dire ?

Elle hésita un instant, se demanda si elle devait faire

état de ses pensées. Elle était pourtant persuadée d'avoir raison, mais il y avait cet étrange sentiment d'insécurité qu'elle ne parvenait pas à chasser. Quand ils la regardaient, elle redevenait une gamine. Elle savait qu'elle ne l'était plus, mais c'était l'impression qu'elle avait.

— Elle est gravement blessée. Elle souffre. Elle ne tiendra pas longtemps. Mais je crois qu'elle ne raisonne pas comme vous. Elle a déjà franchi une limite, elle a fait des choses dont elle se croyait sans doute incapable. Je pense qu'elle a pris une décision. Elle ne quittera pas cette morgue.

Ewert Grens ne bougea pas. Cela lui arrivait rarement. Toujours en proie à la nervosité, il ne cessait en général de déplacer son corps lourd. Même en restant assis, il paraissait être en mouvement ; il tendait les bras, tapait du pied ou balançait son buste sans même s'en rendre compte. Jamais immobile.

Maintenant il l'était.

Ce que Hermansson venait de dire, il aurait dû le comprendre depuis longtemps.

Quelques respirations profondes et il se mit de nouveau à bouger, tournant en rond autour de la civière.

— Bengt !

Bengt Nordwall était debout dans l'ouverture de la porte, les mains appuyées au chambranle.

— Oui ?

— Bengt, je veux que tu la rappelles.

— Tout de suite ?

— J'ai l'impression qu'il y a urgence.

Bengt Nordwall se dirigea vers le téléphone placé au milieu de la pièce. Il renonça à s'asseoir, chaque seconde comptait, mais il ne put se départir de ce malaise qu'il avait déjà éprouvé dans le jardin en se rappelant les images du dos lacéré de la jeune femme.

Il l'avait reconnue.

Déjà sur le palier de Völundsgatan, il l'avait reconnue.

Le sentiment était plus fort maintenant. Le malaise, la peur.

Bengt Nordwall jeta un œil sur le papier où était noté le numéro qu'il devait composer. Se tournant vers Ewert, il attendit que celui-ci ait mis ses écouteurs.

Il appela. Ça sonnait occupé.

Il regarda l'autre papier, la copie agrandie où figurait le numéro du portable.

Il appela de nouveau. Pas de réponse.

Il secoua la tête. Raccrocha.

— Elle a éteint le portable et décroché le fixe.

Bengt Nordwall chercha le regard d'Ewert, qui continuait de tourner en rond, rouge de colère.

— La sale pute !

Grens allait ajouter un juron bien senti lorsqu'il eut l'idée de regarder l'heure. D'abord à sa montre. Puis à l'horloge du mur. Il baissa la voix.

— Il reste une minute et demie.

Elle ne doutait pas de leur obéissance. Elle savait qu'ils ne bougeraient pas. Mais elle ouvrit quand même la porte pour vérifier. Ils étaient assis dans le magasin, l'air était saturé d'une poussière d'entrepôt. Adossés au mur, ils se taisaient. Au bruit de la porte, ils tournèrent la tête, la virent. Elle leur montra de nouveau son arme, les visa suffisamment longtemps pour leur faire sentir le goût de la mort.

Papa était tombé la tête en avant. Il avait eu les mains liées dans le dos. Son visage avait heurté le sol. Elle s'était précipitée vers lui. Mais elle n'avait pas osé. Elle avait senti le pistolet sur sa tempe, cela lui avait fait mal quand le type avait augmenté la pression contre sa peau fragile.

Elle referma la porte, retourna dans la deuxième pièce. Elle regarda sa montre. Les cinq minutes étaient écoulées.

Elle remit le combiné sur le support mural, alluma le portable, appuya sur le bouton vert et entra le code PIN que le médecin lui avait donné.

Elle n'eut pas à attendre longtemps.

Au bout de quelques secondes, il y eut une sonnerie. Comme elle s'y attendait.

Elle laissa sonner deux ou trois fois. Puis elle décrocha le téléphone mural.

— Le délai est fini.

La voix de Bengt Nordwall.

— Lydia, il nous faut…

Elle tapa du doigt contre le combiné.

— Vous avez fait ce que j'ai dit ?

— Il nous faut un peu plus de temps. Quelques instants seulement. Ensuite, le problème des téléphones sera réglé.

Elle transpirait. Chaque respiration était comme un coup de couteau. Elle n'arrivait pas à se concentrer, à oublier la douleur. Lydia frappa contre le combiné avec son arme. Elle frappa plus fort. Mais elle garda le silence.

Bengt Nordwall ne dit rien. Il entendit ses pas s'éloigner. Elle savait qu'il se tournait de nouveau vers ses collègues, qu'ils étaient là avec leurs écouteurs, essayant de comprendre. Il serra le téléphone, cria aussi fort qu'il osait.

— Allô !

Sa voix fusait à travers la pièce. Il en perçut l'écho.

— Allô !

Puis il entendit ce qu'il avait craint.

Le coup de feu.

Dans le local fermé, il retentit avec une violence extrême.

Difficile de savoir s'il s'était passé quelques secondes seulement. Ou beaucoup plus.

— Il m'en reste trois de vivants. Je vous donne cinq

minutes de plus. Je veux que les téléphones laissent passer les appels sortants. Sinon, j'en tuerai encore un.

Sa voix était calme.

— Et vous feriez mieux de retirer les gens qui planquent dans le couloir. Je compte y faire exploser une charge.

Ewert Grens avait entendu le coup de feu. Il avait patienté jusqu'à la fin de son silence. Quand elle avait repris la parole, il s'était concentré sur le ton de sa voix. Etait-elle calme ? Faisait-elle seulement semblant ? Ne comprenant pas un traître mot de russe, il en était réduit à se poser des questions.

Derrière lui, John Edvardson se pencha en avant pour traduire ce qu'elle venait de dire. Grens poussa un juron.

Il se tourna vers Sven Sundkvist – « Grouille-toi, Sven, je veux qu'elle puisse appeler » – puis il se mit d'accord avec Edvardson pour faire reculer les forces d'intervention – « Pas question de laisser un de nos gars mourir ».

Respirant lourdement, il resta un moment silencieux. Posant une main sur l'épaule de Sven, il chercha son regard.

— Je veux que tu enfiles un gilet pare-balles.

Sven sursauta. La main d'Ewert. Jusqu'ici, ce dernier ne l'avait jamais touché.

— Je veux que tu y descendes, Sven. Au sous-sol. J'ai besoin de connaître tes impressions. J'ai besoin d'un regard auquel je puisse faire confiance.

Sven Sundkvist était assis à une cinquantaine de mètres de l'entrée de la morgue, à l'endroit où le couloir se divisait en deux. Caché derrière le coude du deuxième couloir, il attendait en compagnie de trois membres des forces d'intervention. Il était là depuis moins de deux minutes quand il entendit la porte s'ouvrir. S'agenouillant, il regarda le miroir placé un peu plus loin.

Le couloir était plongé dans le noir, mais une violente lumière provenait de la morgue. Eclairée à contre-jour, la silhouette d'un homme apparut. Penché en avant, il traînait quelque chose derrière lui.

Sven Sundkvist mit un moment à comprendre de quoi il s'agissait.

L'homme transportait un corps.

Sundkvist fouilla dans son sac à la recherche de ses jumelles à infrarouge. Il envisagea un instant de se mettre à découvert, mais il se contenta finalement de se pencher en avant de manière à voir au-delà du coude du couloir.

Il ne put distinguer le visage de l'homme, mais il le vit soudain lâcher le corps et se précipiter à l'intérieur de la morgue en refermant la porte derrière lui.

Sven Sundkvist recula pour se mettre à l'abri. Respirant fort, il prit son talkie-walkie.

— Grens, tu me reçois ?

Un grésillement, comme d'habitude.

— Ici Grens. A toi.

— Je viens d'apercevoir un homme. Il sortait de la morgue en traînant un corps sans vie derrière lui. Il est retourné à l'intérieur, mais le corps est toujours là. Des fils y sont attachés. On ne peut pas approcher. Le corps est piégé.

Ewert Grens s'apprêtait à répondre, mais sa voix fut couverte par l'étrange bruit que produit un corps humain en explosant.

Il y eut un silence. Long ou bref, ils n'en savaient rien ; le cri de Sven avait peut-être retenti immédiatement.

— Elle l'a fait, Ewert ! Elle a fait sauter le corps !

Sa voix faiblit, partit dans les aigus.

— Tu m'entends, Ewert ? Il n'en reste plus que de la bouillie ! Plus que de la bouillie !

Lisa Öhrström avait peur. Cela faisait longtemps qu'elle ressentait cette douleur au ventre. Cette douleur qui brûlait et qui criait, qui l'obligeait à s'arrêter tous les trois pas pour s'assurer qu'elle respirait encore. Elle avait vu l'homme qui avait frappé Hilding et poussé le fauteuil roulant dans l'escalier. Elle savait que les images la poursuivraient longtemps.

Elle n'avait rien mangé. Elle avait essayé d'avaler un sandwich et une pomme, mais elle n'avait pas pu. Elle n'arrivait pas à déglutir. Comme si elle n'avait plus de salive.

Elle ne comprenait pas.

Il était mort maintenant.

Etait-elle soulagée ? Soulagée de savoir qu'il ne pourrait plus faire du mal, ni à lui-même ni aux autres ? Eprouvait-elle du chagrin ? Ou était-elle simplement en train de réfléchir à la manière de l'annoncer à Ylva et à sa mère ?

En réalité, ce qui la préoccupait le plus était la façon de le dire à Jonathan et à Sanna, son neveu et sa nièce

234

adorés, ses enfants de substitution. Les enfants qu'elle n'aurait jamais.

Oncle Hilding est mort.

Oncle Hilding a été tué dans une cage d'escalier.

Lisa Öhrström retourna dans la cuisine et se servit un peu de café. Devant ses questions, un des policiers avait fini par lui raconter un peu plus qu'il ne l'aurait dû. Elle savait que l'homme au crâne rasé, celui qui avait frappé et tué son frère et qu'elle avait désigné, s'appelait Jochum Lang et qu'il faisait du recouvrement pour la mafia. Qu'il menaçait et torturait les gens pour les faire payer. Elle savait aussi qu'il avait purgé quelques peines pour coups et blessures, mais qu'il avait souvent échappé à tout jugement, car les témoins s'étaient rétractés. C'était comme ça qu'il travaillait : il faisait peur. Quand on a peur, on ne parle pas.

Jochum Lang était assis dans la voiture. Il ne s'était pas retourné. Slobodan avait ses manies, il jouait les chefs, ça l'excitait de savoir que c'était à lui de faire le ménage parce que Jochum avait laissé un témoin. Je suppose que c'est inévitable, pensa-t-il. Tôt ou tard on finit par faire une bêtise, on se met en danger et on se voit obligé de se défendre contre les petits jeunes qui ne demandent qu'à prendre votre place et qu'il faut recadrer.

Il se pencha vers le siège du conducteur, regarda l'horloge du tableau de bord.

Vingt minutes.

Slobodan avait dû la voir, il avait dû lui parler.

Lisa Öhrström s'appuya contre le plan de travail. Le café était trop fort, mais elle le but, heureuse de pouvoir enfin avaler quelque chose. Sur la liste de patients à voir, il en restait encore la moitié ; la matinée avait été agitée, la journée serait longue.

Elle allait reposer sa tasse quand l'infirmière en chef pénétra dans la cuisine, l'air inquiet, le visage rouge.

— Tu ne ferais pas mieux de rentrer ?

— Je ne veux pas rentrer seule. Je n'en ai pas le courage, Ann-Marie. Je préfère rester ici.

L'infirmière secoua la tête. Son visage était toujours aussi rouge.

— Il y a eu un meurtre. Tu en as été témoin. Tu devrais au moins prendre contact avec la cellule de crise.

— Des morts, on en a tout le temps ici.

— Mais là, c'était ton frère.

— Mon frère était mort depuis longtemps.

L'infirmière la regarda, lui caressa doucement la joue avant de prendre son élan.

— Quelqu'un te cherche.

Lisa avala le reste du café.

— Qui ?

— Je ne sais pas. Mais il ne me plaît pas.

— Un patient ?

— Non.

L'infirmière s'assit à la table, posa ses mains sur la toile cirée aux carreaux rouges et blancs. Lisa Öhrström la regarda dans les yeux.

— Qu'est-ce qu'il veut ?

— Il insiste. Il tient absolument à te parler. C'est ce qu'il m'a dit.

Elle s'assit à côté de l'infirmière. Tout à coup, le sol se mit à trembler sous ses pieds. Ça dura quelques secondes, la vaisselle s'entrechoqua brièvement dans le placard.

Tout le bâtiment semblait vibrer.

Elle savait qu'on avait évacué une partie de l'hôpital, mais elle ignorait pourquoi. L'onde de choc lui fit penser à l'explosion d'une bombe. A une déflagration. Bien qu'elle n'eût jamais assisté à cela.

Jochum Lang tourna la clé de contact et mit en route les essuie-glaces. Il n'allait quand même pas rester là sans pouvoir regarder par le pare-brise. Des journées comme ça, il en avait horreur. Il allait pleuvoir jusqu'à la tombée de la nuit.

Puis tout d'un coup il l'entendit.

Un bruit sourd, venant de l'hôpital. Il se retourna, essaya de voir à travers la vitre de la porte d'entrée. Des explosifs. Il en était sûr. Il connaissait ce bruit.

L'éclairage était trop fort. Depuis qu'il avait pénétré dans la salle d'opération des urgences, depuis qu'ils avaient commencé à déplacer le mobilier qui les gênait, Ewert Grens n'avait cessé de pester contre ces satanés néons. Il venait d'entendre le bruit d'un corps humain qui explosait, suivi des cris paniqués de Sven. Putains de lampes, pensa-t-il, je n'en peux plus. Comment les gens arrivent-ils à supporter toute cette lumière ? Il s'assit, puis il se releva immédiatement, traversa la pièce en courant, passa devant la civière où travaillaient Edvardson et Hermansson, et se jeta sur l'interrupteur.

Juste un instant. Plus de corps qui explosent. Plus de sales putes qui tiennent la vie des gens entre leurs mains. Juste un instant. Les néons, l'énervement, les boutons sur le mur, des choses familières qu'il comprenait. Pour tenir le coup, il faut comprendre. Ne serait-ce qu'un instant.

Il faisait assez clair pour qu'ils se voient tous. Ewert se mit à faire les cent pas, à tourner en rond. Ça le calmait, il oubliait les néons qui ne l'aveuglaient plus, il se sentait respirer, son visage reprenait des couleurs. Il s'arrêta devant Bengt Nordwall, qui n'avait pas encore ôté ses écouteurs, et lui posa la main sur l'épaule.

— Rappelle-la.

Le tremblement avait cessé aussi soudainement qu'il s'était déclenché. Lisa Öhrström était restée assise à la table de cuisine. Elle posa ses mains sur celle de l'infirmière.

— Ann-Marie ?

— Oui ?

— Où est-il ?

— Devant ton bureau. Il me fait peur. Je suis à bout de nerfs. Oldéus qui se fait tuer et la police qui n'arrête pas de nous déranger, c'est trop.

Contemplant les carreaux rouges et blancs de la toile cirée, Lisa Öhrström se tut. On frappa à la porte. Elle se retourna. Un homme brun avec une moustache et quelques kilos de trop. Elle vit l'infirmière hocher la tête, confirmer.

— Pardonnez-moi de vous déranger.

Sa voix était douce, aimable.

— C'est vous qui me cherchez ?

— Oui.

— De quoi s'agit-il ?

— C'est privé. Est-ce qu'on peut aller ailleurs ?

Son estomac se noua. Elle le regarda, eut envie de crier, de s'enfuir à toutes jambes. Mais elle sentit aussi sa colère monter. Cette peur, ce n'était pas la sienne, c'était celle de Hilding. Toute sa vie, elle s'était laissé dominer par les angoisses de Hilding. Et ça continuait. Même après sa mort, il lui volait ses forces.

Elle secoua la tête, hésita avant de répondre. Cette douleur au ventre, cette peur qui la déchirait.

— Je préfère rester ici.

Bengt Nordwall se pencha pour décrocher le téléphone. Ewert lui avait demandé de la rappeler, mais il aurait préféré attendre. Juste un peu, pour retrouver son calme. Ces vibrations sous ses pieds, ça ne lui disait rien.

Il avait la bouche sèche. Il essaya de déglutir, mais le sentiment de malaise refusait de le lâcher. Il se demanda s'il devait parler, leur dire qu'il savait à qui ils avaient affaire.

Pas encore.

Ce n'était pas encore nécessaire.

Se contentant d'obéir à Ewert, il allait composer le numéro du téléphone fixe de la morgue.

Il n'en eut pas le temps. Une sonnerie retentit.

Il se tourna vers Ewert, qui acquiesça de la tête. Il mit

ses écouteurs et laissa encore sonner deux fois avant de
répondre.

— Oui ?

— Nordwall ?

— Oui ?

— Tu as entendu ?

— J'ai entendu.

— Alors vous avez compris.

— Oui.

— Dommage qu'il ait fallu tuer un otage pour cela.

— Tu veux quoi exactement ?

— Un : je ne négocie pas. Deux : si vous essayez de
pénétrer ici, je ferai tout sauter.

— Ça, nous l'avons compris.

— Les otages sont piégés. La morgue est piégée.

— Lydia, si tu restes calme, je suis sûr qu'on pourra
arriver à un accord. Mais d'abord il faut qu'on sache ce
que tu veux.

— Je vous le dirai.

— Quand ?

— Plus tard.

— Et maintenant ?

— Tu vas me rejoindre.

Il comprit. En un sens, il l'avait toujours su. Ce
malaise qu'il avait ressenti. Et qui cédait maintenant la
place à autre chose. A la peur de mourir.

Il ferma les yeux avant de parler.

— Qu'est-ce que tu veux dire ?

— Je ne peux pas à la fois surveiller les otages et
jongler avec les téléphones. Je veux que tu sois là. Toi
et moi, on parle russe. Alors c'est toi qui vas téléphoner
pour communiquer avec tes collègues.

Bengt Nordwall respirait lourdement. Ewert Grens avait écouté la conversation sans rien comprendre. Sven Sundkvist était toujours assis dans le couloir du sous-sol.

Nordwall expliqua brièvement les exigences de Lydia. Grens secoua énergiquement la tête.

Non.

Pas ça.

Les deux policiers faisaient une ronde autour de l'hôpital Söder. En arrivant sur le parking de l'entrée principale, ils remarquèrent immédiatement la voiture. Neuve et chère, elle empiétait largement sur le trottoir. La pluie tombait à verse et on ne voyait pas grand-chose, mais ils distinguèrent tout de même un individu de sexe masculin assis sur le siège du passager. Celui du conducteur semblait vide. Ils s'approchèrent et frappèrent à la vitre.

— Vous ne pouvez pas rester là.

Baraqué, le crâne rasé, il arborait un bronzage peu naturel. Il sourit, mais ne répondit pas.

— Tout le secteur a été fermé à la circulation. Normalement, il ne devrait pas y avoir une seule voiture ici.

Il continua de sourire.

A bout de patience, le policier se tourna vers son collègue. Il s'assura qu'il était prêt à intervenir.

— Vos papiers.

Le type ne bougea pas. Comme s'il n'avait pas entendu.

— Vos papiers ! Allez !

Le type poussa un soupir.

— D'accord, d'accord.

Il sortit son portefeuille de la poche arrière de son pantalon, tendit sa carte d'identité au policier. Appuyé à la portière, celui-ci alluma son talkie-walkie.

— Hans Jochum Lang. 570725-0350. Tu peux vérifier ?

Quelques minutes.

Ils l'entendirent tous les trois.

— Hans Jochum Lang. 570725-0350. Recherché depuis ce matin.

Il riait quand ils l'obligèrent à descendre. Quand ils le forcèrent à s'allonger à plat ventre sur l'asphalte mouillé, il leur demanda s'ils avaient des charges contre lui. Il riait encore plus fort quand ils le palpèrent, lui mirent les menottes et le firent monter à l'arrière de la voiture de police.

Bengt Nordwall avait vu la façon dont Ewert avait secoué la tête. C'était un refus clair et net.

Il se sentit soulagé. Comme s'il retrouvait ses forces.

C'était la décision d'Ewert. C'était Ewert qui disait non.

Il reprit le combiné.

— Désolé. C'est impossible.

— Impossible ?

— Si je descendais à la morgue… ce serait contraire aux règles que nous appliquons en cas de prise d'otages.

— Tuer des gens, c'est également contraire aux règles. C'est pourtant ce que je fais. Si tu ne viens pas, j'en tuerai encore un.

— Il y a peut-être d'autres solutions.

— Vous aurez les autres otages, ceux qui sont encore en vie, à condition que tu viennes. Trois otages contre un.

Il en était sûr maintenant. Il savait ce qu'elle voulait.

— Non. Désolé.

— J'ai besoin de toi car tu parles russe. Je vous laisse trente minutes. Après, j'en tuerai encore un.

L'angoisse. Il avait peur.

— Lydia, je…

— Vingt-neuf minutes et cinquante secondes.

Ewert Grens ôta ses écouteurs, se dirigea vers la porte et ralluma les néons.

Sur le mur, l'horloge marquait trois heures onze.

L'homme se tourna vers l'infirmière.

— Ce serait mieux si vous partiez.

L'infirmière se leva et regarda Lisa Öhrström. Celle-ci lui fit oui de la tête. Elle l'imita, baissa les yeux et sortit dans le couloir désert.

Slobodan la suivit du regard avant de se tourner vers Lisa Öhrström. Il souriait. Elle s'apprêtait à répondre à son sourire quand elle le vit s'approcher d'un pas vif pour se planter à quelques mètres d'elle.

— La vérité, la voici.

Il attendit un moment avant de poursuivre.

— Vous n'avez rien vu du tout. Vous ignorez totalement qui a rendu visite à Hilding Oldéus.

Elle ferma les yeux.

Non. Elle ne voulait plus rien entendre.

La douleur au ventre. Elle vomit. Sur ses genoux, sur

la table. Son maudit frère. Elle garda les yeux fermés, ne voulut plus rien voir. Son maudit frère.

— Vous m'écoutez ?

Elle continua de serrer les paupières. Elle avait des crampes dans le ventre. Elle essaya de résister, mais son corps demandait encore à se vider.

— Regardez-moi !

Elle ouvrit les yeux. Lentement.

— C'est tout ce que vous aurez à faire. Vous taire. C'est facile, non ? Si vous parlez, vous êtes morte.

La nouvelle de l'arrestation de Jochum Lang aurait dû lui faire plus d'effet, se dit Ewert Grens. Il avait attendu si longtemps. Et cette fois il y avait quelqu'un qui avait assisté au meurtre. Quelqu'un dont le témoignage pouvait entraîner la perpétuité.

Il ne ressentait rien.

Il était anesthésié. Au sous-sol, Grajauskas jouait avec la vie des otages. Ça lui avait pompé toute son énergie. Plus tard. Plus tard, il se réjouirait. Quand il serait débarrassé de Grajauskas.

Il quitta cependant la pièce pour téléphoner à cet arriviste d'Ågestam. Il lui expliquerait qu'ils avaient un témoin, un médecin qui avait vu Jochum Lang frapper Hilding Oldéus. Et qu'il y avait également un mobile : d'après le rapport des deux enquêteurs de la police judiciaire, Lang avait agi sur ordre de son ancien employeur yougoslave, furieux d'apprendre qu'Oldéus coupait sa marchandise avec du détergent. Ewert ne lâcherait pas Ågestam avant que celui-ci ne décide de mettre Lang en examen pour meurtre. Et il exigerait qu'on procède à une fouille au corps pour trouver des traces d'ADN et de sang. Lang avait forcément reçu quelques éclaboussures.

Lisa Öhrström n'avait plus de forces, son estomac se révulsait. Se penchant au-dessus de la table, elle vomit de nouveau. Elle sentit l'homme s'approcher.

— Ça n'a pas l'air d'aller. Ça n'a pas l'air d'aller du tout. Vous savez, j'ai dû attendre un peu. D'abord dans le hall d'entrée. Il y avait trop de flics. Et puis ici, devant votre bureau. J'en ai profité pour passer quelques coups de fil. Il suffit de toucher un mot à certaines personnes. Après, tout est possible.

Il se pencha en avant. Son visage contre le sien.

— Vous ne me répondez pas. Mais vous allez m'écouter. Vous vous appelez Lisa Öhrström. Vous avez trente-cinq ans. Cela fait sept ans que vous êtes médecin. Et deux ans que vous travaillez ici, au service de médecine générale de l'hôpital Söder.

Lisa Öhrström ne bougea pas. Si elle restait immobile, si elle ne disait rien…

— Vous êtes célibataire. Vous n'avez pas d'enfants. Mais j'ai découvert ça sur le tableau d'affichage de votre bureau.

Il brandit deux photos.

Sur l'une c'était l'été ; un garçon de six ans était allongé à côté de sa sœur aînée ; le soleil brillait et ils avaient pris des couleurs. Sur l'autre il y avait un sapin de Noël et on voyait les mêmes enfants, heureux mais plus pâles, au milieu de rubans et de papiers cadeau.

Elle ferma les yeux.

Elle voyait Sanna. Elle voyait Jonathan. Ses trésors. Elle était fière d'eux. Elle était presque leur deuxième maman. Il y avait des périodes où ils passaient plus de temps chez elle que chez Ylva. Bientôt ils allaient grandir. Dans ce monde horrible. Pourvu qu'ils n'aient jamais à supporter la toxicomanie d'un proche. Qu'ils n'aient pas à souffrir du comportement morbide qu'elle entraîne. Qu'ils n'aient pas à connaître la peur qu'elle éprouvait en ce moment.

Elle garda les yeux fermés. Elle ne les ouvrirait que lorsque tout serait terminé.

Ce qu'on ne voit pas n'existe pas.

— Ewert ?

— Oui ?

— Qu'est-ce que tu en penses ?

— Rien.

Ewert Grens n'avait pas la moindre idée de ce qu'il fallait penser. Elle leur avait donné trente minutes. Et pourquoi pas vingt ? Ou dix ? Ou une seule ? Qu'est-ce que cela change quand on n'a pas le choix ?

— Ewert ?

— Oui ?

Bengt Nordwall s'agrippa au bord de la civière. Il avait du mal à parler, à se tenir debout. Pourquoi est-ce que je lui pose la question ? Qu'est-ce que je fabrique ? Je dis ce que je ne voudrais pas dire et je serai amené à faire ce que je ne veux pas faire. Je n'ai pas à assumer tout cela. Ni cette douleur qui me déchire la poitrine. Ni ce trou dans la porte ni ce dos lacéré. Ni le *Stena Baltica*. Surtout pas le *Stena Baltica*.

— Tu sais bien que je dois y aller, Ewert. On n'a pas le choix.

Ewert Grens savait que c'était vrai.

Non. Il savait que ce n'était pas vrai.

Les minutes défilaient. Il y avait toujours une autre solution. Sauf cette fois-ci. Parfois, c'est comme ça.

Grens aurait voulu quitter la pièce, mais il fallait bien rester.

Il venait de parlementer avec Ågestam à propos de Lang. Il regarda autour de lui. Chercha en vain John Edvardson et Sven Sundkvist. Le premier était sorti appeler son supérieur hiérarchique pour le tenir au courant. Le second attendait dans le couloir du sous-sol que la porte de la morgue s'ouvre de nouveau.

Il aurait voulu qu'ils soient là. Hermansson était intelligente, mais il ne la connaissait pas bien. Et Bengt était au cœur du problème. Il ne pouvait pas en discuter avec Bengt.

— Elle veut ta présence. Elle est prête à échanger les otages contre toi.

Ewert s'était planté devant son collègue et ami.

— Tu m'écoutes ? Je n'y comprends rien. Et toi ?

Bengt Nordwall n'avait pas ôté ses écouteurs. Cela faisait un moment qu'il avait raccroché, mais la conversation continuait à le tarauder. Il entendait ses propres paroles, celles de Lydia, ça tournait en rond, toujours les mêmes phrases.

Il avait compris. Il ne l'admettrait jamais.

— Moi non plus je n'y comprends rien. Mais si tu me demande d'y aller, j'y vais.

Ewert se tourna vers le téléphone. Leur seul accès à la morgue. Il décrocha le combiné, entendit la tonalité et se mit à hurler ; il était question de putes, de corps piégés et du tic-tac de l'horloge murale.

Son visage était congestionné. Il eut beau faire deux fois le tour de la civière, il était toujours aussi rouge.

— Faute professionnelle. Si je te laisse y aller, c'est une faute professionnelle. Tu le sais.

— Oui.

— Alors ?

Bengt Nordwall hésita. Je ne peux pas, pensa-t-il. Je ne peux pas, je ne peux pas, je ne peux pas.

— C'est à toi de décider, Ewert.

Grens continua de tourner en rond.

— Hermansson ?

Il la regarda.

— Oui ?

— Qu'en penses-tu ?

Elle jeta un œil sur l'horloge. Il restait trois minutes.

— Les forces d'intervention ne peuvent rien faire. Comme on sait qu'elle a des explosifs, on a évacué la moitié de l'hôpital. Elle s'en est déjà servie une fois et elle menace de recommencer. Elle a pris sa décision, on ne la fera pas changer d'avis. Et on n'a pas le temps de chercher une autre solution.

De nouveau un regard vers l'horloge. Puis elle continua :

— Elle a choisi un endroit clos. Parfaitement clos. Tant qu'elle garde la porte fermée et qu'elle braque les otages, on est coincés. Faute professionnelle ? En effet, ce serait une faute professionnelle d'y envoyer Nordwall. Mais que faire d'autre ? Des policiers qui prennent la place d'otages, ça s'est déjà vu. Et il y a trois êtres humains là-bas qui aimeraient bien vivre encore un peu.

En entamant un dernier tour de la civière, Ewert

Grens constata qu'il restait un peu plus de deux minutes. Il aurait dû poser la question à Hermansson plus tôt ; il le lui dirait un jour. Il jeta un bref coup d'œil sur Bengt, qui portait encore ses écouteurs. Il avait de jeunes enfants et une jolie épouse, une maison agréable avec un beau jardin…

Le talkie-walkie.

La voix de Sven Sundkvist.

— Elle vient de tirer. Sans hésiter. Un seul coup de feu.

Bengt Nordwall n'en pouvait plus. Il ôta ses écouteurs ; la douleur lui déchirait la poitrine, refusait de le lâcher. Ewert fit un pas en avant, criant :

— Bordel de merde, il restait encore deux minutes !

Sundkvist bougea, on entendit un grésillement.

— Ewert ?

— Oui ?

— La porte s'est ouverte. Un des otages se trouve dans le couloir, il tient un bras, le bras d'un corps humain. Ils en ont sorti un autre, Ewert. De là où je suis, on ne voit pas bien, mais je suis certain que ce que je distingue est… sans vie.

Bengt Nordwall se trouvait dans un des couloirs sombres du sous-sol. Le plus éloigné des ascenseurs ; celui qui aboutissait à l'entrée de la morgue. Il grelottait. C'était l'été, mais le sol était glacial sous ses pieds nus et l'air conditionné était réglé trop bas. Il était en caleçon et portait une oreillette à micro.

Il savait ce qui l'attendait. Il la connaissait ; c'était une affaire de vie ou de mort. Pour lui. Pour les autres. La cible, c'était lui. C'était à cause de lui que plusieurs personnes risquaient de se faire tuer.

Il se retourna pour la troisième fois, vérifia que les policiers de la force d'intervention étaient bien là.

— Ewert, tu me reçois ?

Il parlait à voix basse. Il tenait à garder le contact avec le QG aussi longtemps que possible.

— Je te reçois. A toi.

Il ne pouvait se raccrocher à rien.

Il n'était pas sûr de pouvoir tenir debout très longtemps.

Il pensa à Lena. Elle devait être à la maison,

pelotonnée dans un fauteuil, un livre à la main. Elle lui manquait. Il aurait voulu être à ses côtés.

— Juste une chose, Ewert.

— Oui ?

— Lena. Je veux que ce soit toi qui la préviennes. Si jamais il m'arrivait quelque chose.

Il attendit. Pas de réponse. Il se racla la gorge.

— Je suis prêt.

— Parfait.

— J'y vais dès que tu me le dis.

— Maintenant.

— Maintenant ? J'y vais maintenant ?

— Oui. Tu t'arrêtes devant la porte. Les mains sur la tête.

— J'y vais.

— Bengt ?

— Oui ?

— Bonne chance.

Ses pas ne firent aucun bruit. A sentir la plante de ses pieds contre le sol en béton, il eut un frisson. Quel froid. Transi, il s'arrêta devant l'entrée de la morgue. Les trois policiers de la force d'intervention étaient à dix ou quinze mètres derrière lui. Il attendit en comptant les secondes. Quand il arriva à trente, la porte s'ouvrit, laissant apparaître un homme aux cheveux gris qui passa devant lui sans même le regarder. Bengt Nordwall eut le temps de lire son badge. Gustaf Ejder, médecin chef. Il vit aussi la pâte grise étalée sur ses épaules et le fil qui courait dans sa nuque. Ejder tenait un miroir permettant à la personne qui se trouvait à l'intérieur – une personne que Nordwall ne voyait pas mais dont il entendait la

252

respiration – de constater que le visiteur était bel et bien seul et déshabillé.

— Ejder ?

Bengt Nordwall chuchota à peine. Le médecin continua d'éviter son regard, baissa son miroir et lui fit signe. Il était temps d'y aller.

Il resta un instant immobile. Juste un instant.

Ferma les yeux.

Inspira par le nez, expira par la bouche.

Il se barricada contre la peur. Sa tâche était désormais d'observer. Il était responsable de leur vie.

Ejder s'impatientait, voulait retourner à l'intérieur. Ils enjambèrent les deux corps. D'une main tremblante, Bengt Nordwall appuya discrètement sur son oreillette, s'assura qu'elle était bien en place.

Il avait froid. Il transpirait.

— Ewert ?

— A toi.

— Les otages dans le couloir sont morts. Je ne vois pas de sang, je ne sais pas où ils ont été touchés. Mais il y a une odeur. Une odeur forte. Acre.

Il la reconnut tout de suite. C'était bien elle. Le *Stena Baltica*. L'autre jour, il n'avait pas vu son visage, seulement son dos lacéré ; sur la civière, on l'avait recouverte d'un drap. Maintenant, il était certain.

Il essaya de lui sourire, mais ses lèvres se figèrent en une grimace.

Elle était petite. Son visage était tuméfié, elle avait un bras dans le plâtre et elle traînait une jambe. Elle devait souffrir. De la hanche ou du genou.

Elle fit un geste vers lui.

— Bengt Nordwall.

Sa voix était parfaitement calme.

— Tu vas pivoter, Bengt Nordwall. En gardant tes mains au-dessus de la tête.

Il obéit. Se tournant lentement vers la porte, il vit l'explosif étalé sur le chambranle.

Il continua de tourner et se trouva de nouveau face à elle. Elle hocha la tête.

— Parfait. Tu peux leur dire de sortir. Un par un.

Assis par terre dans le QG improvisé, Ewert Grens écoutait les voix parvenant de la morgue. John Edvardson était revenu. Assis sur un tabouret à côté de lui, il traduisait. Hermansson avait également mis une paire d'écouteurs. Essayant de calmer son angoisse, elle transcrivait le dialogue absurde. Il fallait bien occuper ses mains à quelque chose.

Bengt avait pénétré dans la morgue. A la demande de Grajauskas, il avait fait sortir les otages. Il était seul avec elle.

Il se mit soudain à parler suédois. Sa voix se voulait calme, mais elle sonnait faux. Ewert le connaissait ; il comprit qu'il était sur le point de craquer.

— Elle nous a eus, Ewert. Elle ne les a pas tués. Ils étaient là tous les quatre. Tous les otages. Ils sont vivants et ils viennent de sortir. Elle a collé au moins trois cents grammes de Semtex sur le chambranle, ça oui, mais elle ne peut pas le faire exploser.

Elle l'interrompit violemment :

— En russe !

Ewert Grens avait entendu les paroles de Bengt. Il les avait entendues, mais il n'avait rien compris. Il regarda les autres, vit qu'ils étaient aussi abasourdis que lui-même. Les otages étaient plus nombreux. Au départ. Plus de cinq. Elle en avait blessé un aux rotules. Elle en avait fait exploser un autre. Et il en restait encore quatre, vivants. Qui venaient de sortir.

De nouveau la voix de Bengt Nordwall, en suédois. Il devait se tenir face à elle, immobile.

— Tout ce qu'elle a, c'est un pistolet. Un neuf millimètres. Un Makarov, utilisé dans l'armée russe. Pour faire exploser une deuxième charge, il lui faudrait un générateur ou une batterie. Je vois une batterie, mais je ne vois pas de câbles qui la relient à la charge.

— En russe ! Sinon, tu es mort !

Toujours assis par terre, Ewert Grens écouta la traduction d'Edvardson.

Elle ordonna à Bengt de ne pas bouger, de rester là devant elle sans rien dire.

Elle cracha par terre, lui ordonna d'enlever son caleçon.

Comme il hésita, elle le visa de son arme le temps qu'il s'exécute.

Grens se leva d'un bond. Le bluff de Grajauskas et maintenant le corps nu de Bengt. Il se tourna vers Edvardson, qui fit oui de la tête.

Il s'empara du talkie-walkie et cria un ordre. Assaut imminent. Que les tireurs d'élite prennent position.

— Tu es à poil.

— Tu me l'as demandé.

— Ça te fait quel effet ? De te trouver à poil dans une morgue, devant une femme qui tient une arme ?

255

— J'ai fait ce que tu m'as demandé.

— Tu te sens humilié ? N'est-ce pas ?

— Oui.

— Seul ?

— Oui.

— Tu as peur ?

— Oui

— A genoux !

— Pourquoi ?

— A genoux ! Les mains derrière la tête !

— Ça ne te suffit pas ?

— A genoux !

— Comme ça ?

— Tu vois bien que tu peux.

— Et maintenant ?

— Tu sais qui je suis ?

— Non.

— Tu te souviens de moi ?

— Qu'est-ce que tu veux dire ?

— Tu te souviens de moi, Bengt Nordwall ?

— Non.

— Vraiment pas ?

— Non.

— Klaipeda. En Lituanie. Le 25 juin 2002.

— Je ne sais pas de quoi tu parles.

— Le *Stena Baltica*. Le 26 juin 2002. A vingt heures vingt-cinq.

Ewert Grens n'avait aperçu Lydia Grajauskas qu'une seule fois, vingt-quatre heures plus tôt. Inconsciente, derrière une porte enfoncée. Il avait poussé un type qui s'appelait Dimitri et qui se faisait traiter de « salopard de mac », et il s'était approché de son corps nu. Elle avait un bras cassé, son visage était tuméfié et ensanglanté, et son dos était lacéré de coups de fouet si nombreux qu'il n'avait pas eu le courage de les compter. Des filles comme elle, il en avait déjà vu. Les noms changeaient, mais c'était toujours la même histoire. Des jeunes femmes qui ouvraient les cuisses, qui se faisaient tabasser et qu'on rafistolait pour qu'elles puissent continuer d'ouvrir les cuisses et se faire tabasser. Souvent, elles disparaissaient. Aussi soudainement qu'elles étaient arrivées. On les installait ailleurs, avec d'autres clients. Et on faisait venir de nouvelles filles. Trois mille euros pour une plus jeune, capable de supporter les coups.

Il l'avait regardée se faire transporter sur une civière.

Il comprenait sa haine, ce n'était pas difficile d'imaginer ce qu'elle avait dû supporter. Quand on se fait avilir à ce point, on sombre ou on essaie de se venger.

Mais il ne comprenait pas d'où elle tirait sa force. Dans l'état où elle était, comment faisait-elle pour tenir ? Et pourquoi avait-elle choisi de s'en prendre à des médecins en blouse blanche, puis à un policier ? *Qu'est-ce qu'elle voulait au juste ?*

Criant presque, il coupa la parole à Edvardson.

— Le *Stena Baltica* ? Mais c'est un ferry ! Tout ça, c'est une histoire personnelle ! Bengt, tu sors de là ! Arrête, Bengt ! Assaut immédiat ! Je répète : assaut immédiat !

Leurs explications divergeaient sur certains points, notamment en ce qui concernait le temps écoulé. Le temps, c'est souvent ce qu'il y a de plus difficile à déterminer quand quelqu'un cesse de respirer. Mais leurs observations sur le déroulement des faits étaient grosso modo identiques ; après tout, ils étaient restés côte à côte dans le QG improvisé avec leurs talkies-walkies reliés à la même source. Il y avait eu deux coups de feu se succédant rapidement, puis un troisième, suivi du fracas de la porte enfoncée par les forces d'intervention pénétrant dans la morgue.

Aujourd'hui

Deuxième partie

La mort a toujours une suite.

Ewert Grens le savait. Il était policier depuis plus de trente ans. Il avait passé une bonne partie de sa carrière à enquêter sur des meurtres. Son travail commençait généralement avec la mort de quelqu'un. Et c'était de cela qu'il s'occupait. De la suite.

Les morts continuaient d'exister de tant de manières différentes.

Certains s'en allaient en silence. Leur disparition passait inaperçue, ils ne manquaient à personne. Comme s'ils n'avaient jamais vécu.

D'autres semblaient vivre encore plus intensément qu'avant. Il y avait l'émoi, la traque, les petites phrases des amis et des inconnus. Des mots qu'on formulait enfin et qui se transformaient en vérités incontestables à force d'être répétés.

On respire, et l'instant suivant on cesse de respirer.

La suite dépend de la façon dont on cesse de respirer.

Lorsque les trois coups de feu avaient retenti dans ses écouteurs, Ewert avait compris que l'opération tournait à la catastrophe. Ces bruits-là, on sait ce qu'ils veulent dire.

Sans doute aurait-il dû comprendre aussi que le chagrin – ce chagrin qu'il s'interdisait d'éprouver – allait le dévorer de l'intérieur. Peut-être aurait-il dû se douter que la solitude qui l'attendait serait encore plus grande qu'il ne le craignait.

Mais le reste, non.

Malgré la mort étrange et violente à laquelle il venait d'assister, Ewert Grens n'aurait pas pu prévoir que les jours suivants seraient les plus terribles qu'il lui aurait été donné de vivre.

Il ne pleura pas. Il ignorait pourquoi, mais il n'arrivait pas à pleurer. Ni sur le coup, ni au moment de pénétrer dans la morgue, en découvrant les deux corps allongés par terre dans une flaque de sang qui n'avait pas encore eu le temps de sécher.

Bengt était couché sur le dos. Tué de deux balles.

Une dans l'œil gauche. L'autre dans les testicules, qu'il recouvrait de ses mains ensanglantées.

C'était là qu'elle avait tiré d'abord. Instinctivement, il avait cherché à se protéger.

Il était nu, sa peau blanche contre les dalles en ciment. Lydia Grajauskas était allongée à ses côtés, son bras plâtré étrangement tordu. Elle s'était tiré une balle dans la tête. L'impact avait dû être violent ; sans doute avait-elle rebondi avant de retomber sur le ventre.

Ewert Grens longeait avec précaution la rubalise qui divisait la pièce en deux. Il cherchait à avoir une vision d'ensemble, à agir avec efficacité. Il se réfugiait dans le travail. C'était sa drogue à lui. Il courbait la nuque, scrutait le terrain et refusait de lever les yeux avant que tout soit fini.

Il donna un léger coup de pied dans la cuisse blanche.

Espèce de crétin.

Comment peux-tu rester là sans me regarder ?

Sven Sundkvist se tenait quelques mètres plus loin. Il vit Ewert se pencher au-dessus de Bengt Nordwall, rester silencieux devant son corps entouré d'un trait de craie. Sven s'avança.

— Ewert ?

— Oui ?

— Je peux prendre le relais.

— C'est moi qui dirige cette enquête.

— Je sais. Mais je peux prendre le relais. Juste un moment. Je peux terminer l'examen des lieux. Tu n'as pas besoin de rester là.

— Je travaille, Sven.

— Je sais que ça ne doit pas être…

— Comment une petite pute a-t-elle pu nous avoir à ce point ?

— Tu ferais mieux de t'en aller, Ewert.

— Tu peux me le dire, Sven ? Sinon, pousse-toi. Tu as sûrement du boulot.

Espèce de crétin.

Dis quelque chose.

Tu ne dis rien.

Tu es là, à poil, et tu ne dis rien.

Lève-toi !

Grens connaissait les quatre techniciens en train de passer la morgue au peigne fin. Deux d'entre eux avaient à peu près son âge. Il les avait déjà croisés sur

263

des scènes de crime. Ils s'étaient côtoyés pendant l'enquête, puis ils avaient cessé de se voir jusqu'à l'affaire suivante. Il frôla de nouveau la cuisse de Bengt, avant de se diriger vers un homme examinant un sac ICA à la recherche d'empreintes.

— Nils ?

— Ewert, je suis désolé. Je veux dire, Bengt…

— Pas maintenant. Ce sac est à elle ?

— On le dirait. Il reste pas mal de munitions dedans. Un peu d'explosif et des détonateurs. Quelques pages arrachées à un carnet. Et une cassette vidéo.

— Combien de personnes l'ont touché ?

— Deux. Deux mains droites, deux mains gauches. Des mains de femme, j'en suis sûr.

— Deux femmes ?

— L'une des paires, ce doit être la sienne.

Nils Krantz fit un mouvement de tête vers Lydia Grajauskas. Ewert se tourna vers le corps immobile, puis il regarda l'objet que Krantz tenait à la main.

— Je peux y jeter un œil ?

Il montra du doigt la cassette.

— Quand vous aurez fini de l'examiner, je veux dire.

— Laisse-nous quelques minutes.

Des munitions. Des explosifs. Ewert Grens contempla son dos lacéré.

Qu'est-ce que tu voulais ?

— Ewert ?

Dans le couloir, une voix l'appela. Quelque part du côté de la porte qui n'existait plus.

— Oui ?

— Viens voir.

Comment Errfors avait-il fait pour être déjà là ?
Ewert était content de le savoir sur les lieux.

— Regarde.

Ludvig Errfors se tenait devant les restes d'un être humain. Devant le corps qu'elle avait fait transporter dans le couloir avant de le faire sauter. Pour être sûre qu'ils avaient compris. Il montra du doigt un bras arraché, se pencha pour le ramasser.

— Regarde, Ewert. Un mort.

— Je n'ai pas le temps de m'amuser.

— Je veux que tu regardes.

— Qu'est-ce que tu as ? J'ai entendu l'explosion. Je sais qu'il est mort.

— Pour être mort, il est mort. Il l'était déjà quand elle l'a fait sauter. Depuis une semaine au moins.

Ewert tendit la main, toucha le bras. Celui-ci était plus froid qu'il n'aurait cru. Il avait déjà eu l'impression de se faire rouler. Sans savoir pourquoi. Maintenant il savait.

— Regarde autour de toi, Ewert. Pas une goutte de sang. Mais une odeur. Tu la sens ?

— Oui.

— Elle est comment ?

— Acre. Comme des amandes amères. Bengt en parlait. Avant de pénétrer dans la morgue.

— Du formol. On l'injecte dans les cadavres pour les conserver.

— Du formol ?

— Elle a fait sauter un cadavre. Elle a tiré sur un autre. Ce n'étaient pas des otages. Pas ces deux-là. Le premier, oui. Johan Larsen, l'étudiant qui a essayé de la maîtriser. C'est le seul sur qui elle a tiré.

265

Errfors tenait toujours le bras privé de vie depuis plus d'une semaine. Il secoua la tête, se baissa pour le déposer par terre. Ewert Grens contempla les autres parties du corps éparpillées dans le couloir.

Pas de sang. Et la même odeur.

Elle avait fait sauter un cadavre. Elle avait épargné les otages. Elle voulait faire venir Bengt, c'était tout.

C'était ça qu'elle voulait.

Il retourna dans la morgue. Auprès du corps nu de Bengt. Auprès de la femme allongée à côté de lui dans son pyjama trop grand.

Tu ne dis rien.

Bengt.

Dis quelque chose !

Du sang avait coulé de la tempe de la jeune femme. En s'approchant, il faillit glisser.

C'était contre lui que tu en avais.

Sale pute !

Je ne comprends pas.

Il n'entendit pas Nils Krantz s'approcher. Ni sa voix, quand il lui tendit le scellé contenant la cassette. Nils dut lui donner une tape dans le dos, répéter sa phrase.

— La bande, Ewert. La cassette vidéo. Tu la voulais.

Ewert Grens se retourna.

— Oui. Bien sûr. Merci. Tu y as découvert quelque chose ?

— La même chose que sur le sac. Des empreintes de deux personnes. Certainement des mains de femme. Celles de Grajauskas et de quelqu'un d'autre.

— Elle se trouvait avec les munitions ?

— Dans le sac ICA.

Il s'éloignait déjà. Grens lui cria dans le dos.

— Il faut que je te la rende ?

— Pour archivage, oui.

Grens le vit se diriger vers la porte de ce qui semblait être un magasin, tâter de ses mains gantées de blanc le cordon de pâte beige qu'elle avait appliqué contre le chambranle.

— Ewert ?

Sven Sundkvist était assis sur une chaise près du téléphone mural. Celui dont elle s'était servie pour les appeler, dont ils avaient bloqué les appels sortants pour les rétablir ensuite. Grens ferma les yeux, essaya d'imaginer la jeune femme pointant son arme sur les otages, criant des menaces au téléphone sans formuler de revendications. Amaigrie et blessée, vêtue d'un pyjama d'hôpital, elle les avait obligés à évacuer une grande partie d'un des plus vastes hôpitaux de Suède. Elle avait fait accourir la police et une foule de journalistes. Pendant quelques heures, cette petite pute avait mobilisé autant de gens que les innombrables clients qu'elle avait servis.

— Ewert ?

— Oui ?

— La veuve.

Ewert Grens entendit la voix de Bengt. Leur conversation de tout à l'heure. Quand son meilleur ami, son seul lien avec le passé, était encore en vie. En caleçon au milieu de ce maudit couloir, il avait demandé à Ewert de parler à Lena. *Je veux que ce soit toi qui la préviennes. Si jamais il m'arrivait quelque chose.* Comme s'il savait déjà. Comme s'il avait pressenti ce qui allait se passer.

— Qu'est-ce que tu veux dire ?

Sundkvist haussa les épaules.

— Tu la connais. C'est toi qui dois y aller.

Il ne l'avait pas remarqué tout à l'heure : le corps blanc paraissait calme. Les mains jointes sur le ventre, les jambes étendues, les pieds tournés légèrement en dehors. L'angoisse de sentir une arme contre son front, on aurait dit qu'il ne l'avait jamais éprouvée.

C'est moi qui dois parler à Lena.

Dis quelque chose !

C'est moi qui dois y aller.

C'est moi qui suis vivant.

Toi, tu n'es plus vivant.

Tu es mort.

Ewert Grens le savait ; il les avait déjà trop fait attendre. Ils étaient pressés, ils devaient fouiller Jochum Lang. A chaque minute, ils voyaient s'amenuiser leurs chances de trouver ce qu'ils cherchaient : des traces du sang et de l'ADN de Hilding Oldéus.

Tenant à tout maîtriser jusqu'à ce que Lang se trouve sous les verrous, il avait insisté pour assister à la fouille. Il réquisitionna une voiture avec gyrophare, quitta l'hôpital Söder et fonça à travers Hornstull, Västerbron et Fridhemsplan. Bergsgatan était déserte. Il remercia le chauffeur et s'engouffra dans l'ascenseur.

La pièce médicalisée se trouvait au fond du couloir. Il passa devant les lourdes portes des cellules de garde à vue. Traînant la jambe, il fit claquer ses talons contre le sol. Le bruit résonnait entre les murs du couloir sordide et mal éclairé.

Il y était déjà venu plusieurs fois. Pour des

interrogatoires informels, des délibérations urgentes. C'était une pièce aménagée comme une chambre d'hôpital, avec un lit qui était maintenant repoussé contre le mur, une table roulante avec divers instruments médicaux et quelques appareils électroniques dont Grens ignorait totalement l'usage.

Il y avait du monde. Dix personnes. Il les observa.

Lang était au milieu, sous la lumière violente d'un projecteur. Menotté et entièrement nu. Son crâne rasé, son corps musclé, ses yeux au regard fixe. Il se tourna vers Grens.

— Toi aussi.

— Qu'est-ce que tu veux dire ?

— Toi aussi, tu veux voir ma bite.

Ewert Grens lui adressa un sourire. Vas-y de tes provocations, je ne t'écoute même pas. Mon meilleur ami vient de mourir.

Il salua les autres d'un mouvement de tête. Quatre policiers en uniforme, trois surveillants, deux techniciens.

Grens les connaissait tous.

Il se tourna vers le lit où étaient posés les scellés contenant les habits de Lang. Un sachet pour chaque pièce de vêtement ; un technicien était justement en train d'y glisser une chaussette noire. A ses côtés, son collègue se tenait prêt avec un détecteur de chimiluminescence.

Le technicien regarda Ewert. Il n'y avait plus de raisons d'attendre.

Il alluma son tube luminescent, le dirigea vers le corps de Lang.

Une lumière bleue le balaya lentement de la tête aux pieds.

Le faisceau s'arrêta soudain, faisant apparaître des traces de sang. Avec des cotons-tiges, on procéda à des prélèvements. On passa en revue chaque partie de son corps, cherchant des indices pouvant conduire à un acquittement ou une condamnation.

— Qu'est-ce que t'en penses, Grens ?

Jochum Lang tira la langue, bougea son bassin d'arrière en avant.

— Qu'est-ce que t'en penses ? Chaque fois, c'est pareil. Vous vous pointez tous. Tous les pédés de la police. Pour vous rincer l'œil.

Le bassin, de plus en plus vite. Poussant des gémissements, Lang tira encore la langue aux policiers qui l'entouraient.

— Comme ceux-là. Ça m'étonnerait que ce soient des flics. C'est les Village People, plutôt. *Be proud, boys. Be gay. Sing with me now. We are going to the YMCA.*

Chantant à tue-tête, Lang mima un coït, jambes écartées. Un des jeunes policiers s'approcha, l'air excédé. Respirant lourdement, il s'arrêta devant Lang.

Ewert Grens le dévisagea, furieux.

— Toi, tu recules !

Il ne le lâcha pas du regard avant qu'il eût repris sa position initiale. Puis il se tourna vers Lang.

— Et toi, on va te coffrer. Perpétuité. C'est ce que tu aurais dû prendre il y a vingt-cinq ans, déjà. On a un témoin.

— Perpétuité ? Pour coups et blessures ?

Lang remua le bassin une dernière fois, *be proud*, puis envoya des baisers à la ronde.

— M'enfin, Grens. Les confrontations. T'en as déjà entendu parler ? Ça ne donne jamais rien. Tu le sais.

— A cause des menaces.

— Pour ça aussi, j'ai été acquitté. Six fois.

— Pressions sur témoins. C'est comme ça qu'on dit ici.

Jochum Lang se tenait de nouveau immobile. Les techniciens se tournèrent vers Grens, qui leur fit signe de continuer.

La lumière bleue, les cotons-tiges cherchant des traces d'ADN dans les poils des aisselles.

Ewert Grens avait vu ce qu'il voulait voir. Dans vingt-quatre ou trente-six heures, les résultats seraient prêts.

Il soupira.

Quelle journée.

Il savait ce qu'il lui restait à faire. Aller voir Lena. Lui annoncer la mort. Pour elle, Bengt était toujours vivant.

— Grens ?

Il se retourna. Un des techniciens était en train d'examiner les ongles des pieds de Jochum Lang.

— Oui ?

Lang esquissa une moue, fit claquer sa langue.

— Ce qui s'est passé avec ton collègue. Celui de la morgue. Je l'ai appris. Dommage. Il est mort ? Je suis désolé. Tu le connaissais, je crois ? Comme cette femme, il y a vingt-cinq ans ? Je comprends que ce soit un peu… dur. Hein, Grens ?

Lang fit de nouveau claquer sa langue, lui envoya des baisers.

Tentant de maîtriser sa respiration, Ewert Grens ne bougea pas. Puis il tourna les talons.

Ils mirent à peine une demi-heure à gagner Eriksberg, le quartier pavillonnaire où Grens était déjà venu une semaine plus tôt. C'était Sven qui conduisait. Avant de partir, il avait appelé Anita et Jonas pour leur expliquer qu'il aurait encore du retard, qu'ils feraient peut-être mieux de manger le gâteau demain. Errfors était assis sur la banquette arrière. Grens lui avait demandé d'apporter un calmant et d'être présent quand il parlerait à Lena ; on ne sait jamais comment les gens réagissent devant la mort. Pendant le trajet, personne n'avait rien dit.

Dans son esprit, Grens était encore dans la pièce médicalisée qu'il venait de quitter. Se foutant de leur gueule, Lang s'était livré à son petit jeu obscène. Il n'avait pas compris qu'en faisant cela il s'acheminait fatalement vers une condamnation à perpétuité. En se comportant comme n'importe quel criminel, en continuant de se taire – nier ou mentir ou se taire, c'était leur stratégie habituelle –, en refusant d'admettre qu'il avait au moins blessé Oldéus, il serait forcément condamné pour l'avoir tué. Cette crapule ne se doutait pas qu'il y avait un témoin qui oserait parler malgré les menaces. Ewert Grens fut frappé par l'ironie de la situation : au moment où Lang était enfin désigné comme coupable, où quelqu'un avait accepté de briser le silence, il se rendait chez la femme de Bengt pour lui annoncer la mort de son mari. Une mort absurde, survenue sur les lieux mêmes où Lang avait fait l'erreur d'être vu.

N'importe quoi, mais pas cela : devoir se rendre chez quelqu'un qui ignorait encore tout.

Il ne la connaissait pas vraiment.

Depuis qu'ils s'étaient installés à Eriksberg, depuis qu'elle avait épousé Bengt, il était venu chez eux chaque semaine. Il avait bu du café avec eux dans le jardin ou dans le séjour et elle l'avait toujours chaleureusement accueilli. Mais, malgré les efforts d'Ewert, ils n'étaient jamais devenus proches. Etait-ce la différence d'âge ou de caractère ? Leur seul point commun, c'était Bengt. Aimer la même personne était peut-être suffisant.

Grens contempla le pavillon à travers la vitre de la voiture. Dans la cuisine, la lumière était allumée. Dans l'entrée, également. A l'étage, tout était éteint. Elle devait être assise en bas, attendant son mari. Ewert savait qu'ils avaient l'habitude de dîner tard.

Je n'en ai pas le courage.

Lena est là, ne se doutant de rien.

Pour elle, il est encore vivant.

Quand j'aurai parlé, il sera mort.

Il frappa à la porte. Les enfants étaient petits, ils dormaient peut-être déjà. Du moins il l'espérait. Des enfants de cet âge-là, on les couche à quelle heure ? Sven et Errfors se tenaient derrière lui, dans l'allée gravillonnée. Il attendit un peu, puis il frappa de nouveau, plus fort, plus longuement. Il entendit ses pas, la vit jeter un coup d'œil par la fenêtre de la cuisine. Puis elle ouvrit. Porter un message de mort, il en avait l'habitude. Mais pas à quelqu'un qui comptait pour lui.

Je ne devrais pas être là.

Si tu avais été en vie, je ne serais pas là, je

n'attendrais pas devant cette porte avec ta mort entre mes mains.

Il ne dit rien. Il se contenta de la prendre dans ses bras, là, sur le perron, devant la porte ouverte. Ils restèrent ainsi jusqu'à ce qu'elle eût cessé de pleurer.

Ils entrèrent. Elle prépara du café, sortit quatre tasses. Il raconta ce qu'il estimait nécessaire. Elle ne dit rien, pas un mot. Elle leur resservit du café, attendit qu'ils aient fini de boire. Puis elle lui demanda de recommencer son récit. Elle voulait qu'il décrive exactement ce qui s'était passé, la manière dont Bengt avait été exécuté.

Ewert obéit. Il lui exposa tout, jusqu'à l'écœurement. Il savait qu'il ne pouvait rien faire d'autre. Seulement lui parler, répéter les choses jusqu'à ce qu'elle comprenne enfin.

Elle pleura de nouveau longuement. Elle les regarda tour à tour, Ewert et Sven et Errfors.

Elle s'agrippa à son bras en lui demandant ce qu'elle devait dire aux enfants. Qu'est-ce que je dois dire aux enfants, Ewert ?

Grens sentait sa joue le brûler.

Ils étaient en route vers le centre-ville, l'E4 était presque déserte et les réverbères n'allaient pas tarder à s'allumer.

Elle avait frappé fort.

Elle l'avait pris au dépourvu. Ils étaient dans l'entrée, sur le point de partir ; elle s'était vivement approchée de lui en criant « Tu n'as pas le droit de dire ça ». Et elle lui avait flanqué une gifle. Il était resté abasourdi, puis il s'était dit qu'elle avait toutes les raisons de réagir comme ça. Quand elle avait répété sa phrase en levant de nouveau la main, il n'avait pas bougé. Que faire d'autre ? Lui empoigner le bras, comme il le faisait d'habitude avec les gens menaçants ? Sa voix partait dans les aigus. Sven l'avait ceinturée avant de la pousser fermement jusque dans la cuisine.

Il jeta un coup d'œil sur Sven. Egalement plongé dans ses pensées, celui-ci roulait sur la file du milieu. Un peu trop lentement.

Ewert se tâta la joue. Elle était presque insensible. Sa main s'était abattue sur sa pommette.

Il la comprenait.

Il lui avait apporté la mort.

Il était dix heures passées, mais il faisait encore jour. La pluie avait cessé et la soirée était belle. Sven l'avait déposé à Kronoberg. Comme à l'aller, ils étaient restés silencieux pendant tout le trajet. Le désespoir de Lena était là, en eux, mais les mots leur manquaient.

Ewert Grens pénétra dans son bureau. Il y découvrit un nombre impressionnant de Post-it jaunes et verts. Des tas de journalistes avaient appelé. Il balança tous les messages à la corbeille. Il organiserait une confé-rence de presse, si possible aux antipodes, et il se débrouillerait pour refiler le bébé à l'équipe de communi-cation. Pas question d'affronter lui-même les ques-tions. Il s'installa dans son fauteuil, le fit tourner plusieurs fois. Autour de lui, le bâtiment était silen-cieux. Il ne réfléchissait pas, essayait simplement de passer en revue ce qui s'était passé. La mort de Bengt, celle de Grajauskas, les otages indemnes, Lena assise dans la cuisine, s'agrippant à son bras. Un événement après l'autre. Impossible. Il n'y arrivait pas. Les pensées se dérobaient. Tournant sans cesse sur son fauteuil, il ne parvenait pas à les retenir.

Une heure et demie. Seul dans son bureau, incapable de penser.

L'agent d'entretien, un jeune homme souriant qui parlait bien le suédois, frappa à la porte. Ewert le fit entrer. Cela lui faisait une diversion : quelqu'un bougeait autour de lui avec un balai à franges. Avant de partir, le jeune homme vida la corbeille. Pendant ce temps, au moins, Ewert n'eut pas besoin de penser.

Anni, aide-moi.

Parfois, la solitude lui pesait. Parfois elle était vraiment trop dure.

Il décrocha le téléphone, composa le numéro qu'il connaissait par cœur. Il était tard, il le savait, mais elle ne dormait sans doute pas encore. Quand la vie n'est plus qu'un long sommeil, on a peut-être moins besoin de repos.

Une jeune aide-soignante répondit. Il l'avait déjà eue au téléphone, elle travaillait là le soir depuis deux ou trois ans pour financer ses études.

— Bonsoir, c'est Ewert Grens.

— Bonsoir, monsieur Grens.

— J'aimerais lui parler.

Il y eut un bref silence. Elle se retourna probablement pour regarder l'horloge murale.

— Il est un peu tard.

— Je sais. Mais c'est important.

Elle posa le combiné. Il entendit ses pas s'éloigner

dans le couloir. Au bout de quelques minutes, elle revint.

— Elle était éveillée. Je lui ai dit que vous étiez au téléphone. Il y a quelqu'un dans sa chambre pour lui tenir l'appareil. Je vous la passe.

Il perçut sa respiration pesante. Puis son babillage, comme toujours lorsqu'on l'appelait. Pourvu qu'il y ait quelqu'un pour lui essuyer sa salive.

— Bonsoir, Anni. C'est moi.

Son rire trop aigu lui fit chaud au cœur. Il se sentit plus calme.

— Il faut que tu m'aides. Je ne comprends plus rien.

Il lui parla un bon quart d'heure. Elle reniflait, riait, se taisait la plupart du temps. Quand il raccrocha, elle lui manquait déjà.

Il se leva. Son corps était lourd, mais il n'était pas fatigué.

Il quitta son bureau, prit le couloir. Comme d'habitude, la salle de réunion n'était pas fermée à clé.

Grens tâtonna dans le noir à la recherche de l'interrupteur. Il ne se rappelait pas qu'il était situé si haut. L'ayant enfin découvert, il alluma à la fois la lumière, la télévision, le magnétoscope et le rétroprojecteur. N'ayant jamais rien compris à tous ces appareils, il poussa un juron avant de trouver le canal pour la vidéo.

Après avoir enfilé une paire de gants en latex, il sortit délicatement la cassette de la pochette. Depuis le matin, il la conservait dans la poche intérieure de sa veste.

Les images étaient noyées dans une lumière bleuâtre. Deux femmes étaient assises dans une cuisine, face à la fenêtre. La personne qui tenait la caméra n'avait manifestement pas la moindre idée de ce qu'il fallait faire pour régler le contraste et la luminosité.

Malgré cela, on les voyait assez bien.

Il les reconnut tout de suite.

Lydia Grajauskas et Alena Sliousareva. Dans l'appartement à serrure électronique où il les avait vues pour la première fois.

En silence, elles attendent. Sans doute que le cameraman leur fasse signe. Pendant ce temps, la caméra ne cesse de bouger et on entend le déclic d'un micro qu'on allume.

Elles semblent avoir le trac. Comme souvent, lorsqu'on n'a pas l'habitude de cet œil qui fixe les choses pour la postérité.

C'est Grajauskas qui parle la première.

— Змо мой повод. Моя нсмория макая.

Deux phrases.

Elle se tourne vers Sliousareva, qui prend le relais en suédois.

— Ceci parle de moi. C'est mon histoire.

Grajauskas, de nouveau. Regardant son amie, elle dit encore deux phrases.

— Надеюсь чмо когда мы слышишь змо мого о ком идем речь уже нем. Чмо он чувсмвовал мой смыд.

L'air grave, elle hoche la tête, regarde Sliousareva qui se tourne vers la caméra pour traduire.

— Quand tu écouteras ceci, j'espère que l'homme dont je vais parler aura disparu. Qu'il aura connu la honte que j'ai connue.

*Elles parlent lentement. Font attention à bien arti-
culer chaque mot en suédois et en russe.*

Pendant vingt minutes, Ewert Grens resta devant le
téléviseur sans bouger.

Il vit et il entendit l'inconcevable.

De nouveau, elle se transforma. De criminelle, elle
redevint victime. De simple prostituée, elle redevint
une femme maltraitée.

Il se redressa, frappa du poing sur la table. Frappa
jusqu'à avoir mal, cria et frappa ; parfois on ne trouve
rien d'autre à faire.

J'y étais tout à l'heure.

C'était moi qui parlais à Lena.

Qui va lui raconter ça ?

Elle n'a pas mérité ça.

Tu comprends ?

Jamais elle ne doit apprendre ça.

Il avait crié fort. Il avait cru ravaler ses cris, il en avait
été persuadé. Mais à la douleur, il comprit qu'ils étaient
bel et bien sortis de sa gorge.

Il se tourna vers le magnétoscope, regarda la neige
sur l'écran. Puis il rembobina la cassette.

*Quand tu écouteras ceci, j'espère que l'homme dont
je vais parler aura disparu. Qu'il aura connu la honte
que j'ai connue.*

Grens écouta de nouveau leurs phrases. Il rembobina encore, posa la cassette devant lui. Il les voyait, allongés côte à côte sur le sol de la morgue. Elle sur le ventre, son bras tordu sous elle. Bengt tout nu, le sexe déchiqueté, une balle dans l'œil.

Si seulement tu avais avoué quand elle t'a interrogé.
Merde, Bengt !
Elle t'a posé la question !
Si tu avais dit oui.
Si tu lui avais dit que tu l'avais reconnue.
Alors tu serais peut-être en vie.
Ça lui aurait peut-être suffi.
Que tu l'aies reconnue. Que tu aies compris.

Il hésita. Juste quelques secondes. Puis il appuya sur le bouton rouge où il était marqué REC. Il allait effacer ce qu'il venait de voir. Tout cela n'existerait plus.

Rien ne se passa.

Il réappuya deux fois. Toujours rien. La bande ne bougea ni dans un sens, ni dans l'autre.

Il sortit la cassette. En l'examinant, il vit qu'on avait retiré la languette de protection. Leur témoignage, elles s'étaient arrangées pour éviter qu'on l'efface.

Ewert Grens regarda autour de lui.

Il savait ce qu'il devait faire.

Il se leva, glissa la cassette dans sa poche intérieure et quitta la pièce.

Il était minuit passé. Lena Nordwall était debout devant l'évier. Quatre tasses y étaient posées. Elles sentaient encore le café.

Elle les rinça à l'eau chaude. Puis à l'eau froide. Puis

280

de nouveau à l'eau chaude. Elle les lava pendant trente minutes avant de trouver le courage de s'arrêter. Elle les essuya une par une avec un torchon, il fallait qu'elles soient bien sèches. Elle reprit un torchon et les essuya de nouveau. Ensuite elle les posa côte à côte sur la table de la cuisine. Elles brillaient dans la lumière du plafonnier.

L'une après l'autre, elle les projeta contre le mur de l'entrée.

Elle était encore devant l'évier quand un des enfants apparut dans l'escalier. C'était le garçon. Montrant du doigt les débris de porcelaine, il dit à sa mère que les tasses, ça fait du bruit quand on les casse.

JEUDI 6 JUIN

Il avait le dos en capilotade.

Décidément, ce canapé était trop petit, il faudrait le changer. Il avait mal dormi. Les mensonges de Bengt, Grajauskas et l'autre fille sur la cassette, l'impossibilité de tenir la main d'Anni, ses larmes, tout cela l'avait vidé. Ses vêtements étaient froissés et il avait une haleine de lendemain de cuite. Ne trouvant pas le sommeil, il avait essayé de travailler, de faire avancer l'enquête sur Oldéus et Lang. Mais les images de Grajauskas et de son amie n'avaient cessé de le hanter. Il les voyait, pâles et désabusées, elles parlaient de son meilleur ami, lui souhaitant de connaître la honte qu'elles avaient connue. Il avait essayé de se rendormir, mais il s'était tourné et retourné jusqu'à ce que l'aube le force à se lever.

La cassette était toujours dans la poche intérieure de sa veste. Il la tripota distraitement. Il avait tenté en vain d'effacer ces horreurs. C'est alors qu'il avait pris une décision. Une décision irrévocable. Il fallait la faire disparaître.

Grens sortit dans le couloir désert, alla chercher un

jus d'orange et un sandwich desséché au distributeur automatique. Puis il descendit au vestiaire, se déshabilla et se mit sous la douche.

Je dois encore aller la voir.

Hier, je suis venu lui apporter la mort.

Aujourd'hui, devrais-je lui apporter la honte ?

La morgue. Il tenta de l'éliminer. Laissant l'eau gicler sur sa tête et ses épaules, il resta immobile jusqu'à sentir son irritation se calmer un peu. Il s'essuya avec une serviette que quelqu'un avait oubliée, se rhabilla et retourna au distributeur. Un café. Noir, comme d'habitude. Petit à petit, il commençait à se sentir éveillé.

— Grens ?

Il entendit sa voix en passant devant sa porte. Elle était assise au milieu de la pièce. Des documents étaient étalés partout, sur son bureau, sur le canapé, par terre.

— Tu es matinale, Hermansson.

Elle était jeune. Ambitieuse. En général, ça ne durait pas longtemps.

— Les interrogatoires des témoins de l'hôpital. Ils me paraissent intéressants. Je voulais les relire tranquillement.

— Des choses que je devrais savoir ?

— Je crois que oui. J'attends celui de l'agent que Grajauskas avait neutralisé. Et celui des garçons qui étaient assis à côté d'elle dans la salle de télévision. On est en train de les retranscrire.

— Et alors ?

— Grajauskas et Sliousareva. Elles ont été en contact. Je pense que nous en aurons la confirmation.

Etait-ce son dialecte ou son calme ? Il l'écouta. Comme il l'avait déjà écoutée la veille, au QG improvisé. Il faudrait le lui dire. Qu'il l'appréciait. Qu'il lui faisait confiance. Ce n'était pas si fréquent.

— J'aimerais d'autres informations.

— Vous pouvez me donner quelques heures ? A ce moment-là, j'aurai les photos.

— Après le déjeuner ?

Il était déjà sur le pas de la porte. Il faudrait le lui dire.

— Au fait…

— Oui ?

Elle le regarda. Il devait continuer.

— Tu as fait du bon boulot hier. Ton analyse. Ce que tu as dit. Je retravaillerai volontiers avec toi.

Elle sourit. Cela le surprit.

— Des compliments ! De la part d'Ewert Grens ! Ça n'arrive pas à tout le monde.

Grens ne bougea pas. Cette impression d'être tout nu. Il connaissait ce sentiment. Il regretta presque, coupa court en changeant de sujet. Comme d'habitude.

— Le matériel vidéo.

— Comment ?

— J'ai besoin de quelque chose. Tu sais où il est rangé ?

Hermansson éclata de rire. Elle se leva. Grens se demanda ce qu'elle trouvait si drôle. Son enjouement le mit mal à l'aise.

— Entre nous, Grens…

— Oui ?

— Vous avez déjà fait des compliments à une femme policier ?

Pouffant toujours, elle fit un geste en direction du couloir.

287

— Le matériel vidéo est là-bas. Dans la réserve. A côté de la machine à café.

Retournant dans son bureau, elle se mit à fouiller parmi les papiers qu'elle avait étalés par terre. Grens la regarda un instant, puis il s'en alla. Il l'avait fait rire, il se demandait bien pourquoi.

Lisa Öhrström avait gardé les yeux fermés.

Après le départ de l'homme qui l'avait menacée, elle avait attendu le retour d'Ann-Marie pour bouger de sa chaise. L'infirmière en chef lui avait parlé doucement, elle l'avait prise dans ses bras, s'était assise auprès d'elle. Pendant un long moment, elles étaient restées là, superposant leurs mains. Comme des enfants jouant à la main chaude.

Elle avait fini par rentrer chez elle. Elle avait renoncé à voir ses patients. Sa peur était trop grande ; jamais elle n'avait connu une telle angoisse.

La nuit avait été longue.

Par un effort de la raison, elle avait essayé de chasser la douleur qui l'oppressait. Son cœur battait la chamade ; elle s'était efforcée de respirer lentement pour qu'il retrouve un rythme normal, mais le bruit de son souffle l'avait effrayée. L'air lui manquait, elle avait peur de s'endormir, peur de ne plus se réveiller. Elle n'avait pas osé fermer les yeux.

Jonathan et Sanna.

Elle les voyait.

Toute la nuit, elle les avait vus.

Elle avait essayé de maîtriser sa respiration, de conjurer la menace. Elle les adorait. Comme elle n'avait jamais osé adorer quiconque. Sauf Hilding, peut-être, jusqu'au jour où il avait tué le sentiment qu'elle avait eu pour lui. Les deux petits, en revanche, ils faisaient partie d'elle.

Il avait touché leurs photos. Il connaissait leur existence.

Cette maudite douleur dans la poitrine.

Ils étaient sa fragilité et son rempart. Elle ne supporterait pas de les perdre. Curieusement, ce fut grâce à eux qu'elle parvint à surmonter sa panique.

Le commissaire Sven Sundkvist l'avait appelée de bonne heure, alors qu'elle était encore au lit. Il s'était excusé, expliquant qu'ils étaient obligés d'avancer vite. Il lui avait demandé de venir à l'hôtel de police dès que possible.

Elle était maintenant assise dans une pièce plongée dans le noir. Elle n'était pas seule. Sundkvist était là et un avocat venait de franchir la porte. Probablement celui du suspect, se dit-elle.

Sven Sundkvist dit à Lisa de prendre son temps. Elle devait être sûre de son fait.

Elle s'approcha de la vitre.

Il lui avait expliqué qu'ils pouvaient voir sans être vus. De l'autre côté, on n'apercevait qu'une simple glace.

Dix hommes s'y trouvaient.

Ils avaient à peu près le même âge et la même taille. Tous avaient le crâne rasé.

Ils portaient des pancartes sur la poitrine. Des chiffres noirs sur fond blanc. Ils étaient alignés face à elle, épaule contre épaule. Comme s'ils l'observaient.

Elle les regarda sans les voir.

Quelques secondes pour chacun d'entre eux. De la tête aux pieds.

Elle évita leurs yeux.

— Non.

Elle secoua la tête.

— Aucun.

Sven Sundkvist s'approcha d'un pas.

— Vous êtes certaine ?

— Je n'en reconnais aucun.

Sundkvist fit un mouvement de tête vers la vitre.

— Ils vont marcher en décrivant un cercle. Je voudrais que vous les regardiez de nouveau.

Celui qui était en bout de rang à gauche et qui portait le numéro un fit quelques pas en avant et se mit à tourner lentement dans la pièce. Elle le suivit des yeux. Il avait une démarche chaloupée, pleine d'assurance. C'était lui.

C'était Lang.

Ce maudit, maudit Hilding !

Elle le vit reprendre sa position initiale. Le numéro deux prit la relève et ainsi de suite. Elle les observa, l'un après l'autre, tournant en rond devant ses yeux. Tout à l'heure ils lui avaient paru se ressembler tous ; maintenant elle distinguait clairement leurs différences.

Pendant que les dix hommes défilaient, Sven Sundkvist était resté silencieux. Il se tourna maintenant vers elle, impatient de connaître sa réponse.

— Vous venez de les regarder de nouveau. Leur visage, leur allure, leur façon de bouger. Vous reconnaissez quelqu'un ?

Elle baissa la tête.

— Non.

— Aucun ?

— Aucun.

Sundkvist s'approcha de nouveau, essaya de capter son regard fuyant.

— Vous en êtes absolument certaine ? Certaine que celui qui a tué votre frère Hilding ne se trouve pas parmi ces hommes ?

Il l'observa. Sa réaction le surprit. L'évocation de son frère n'avait provoqué aucune tristesse. De la colère, plutôt.

— L'amour fraternel, vous connaissez ? Je l'adorais. Le Hilding avec qui j'ai grandi. Pas celui qui est mort hier. Pas le toxicomane. Celui-là, je le haïssais. Je haïssais ce qu'il a fait de moi.

Elle déglutit. Tout ce qui se soulevait en elle – colère et haine, peurs et angoisses –, elle le ravala.

— Comme je vous l'ai dit : je ne reconnais aucun de ces dix hommes.

— Vous n'avez jamais vu aucun d'entre eux ?

— Non.

— Vous en êtes certaine ?

L'avocat, un homme d'une quarantaine d'années en costume et cravate, intervint pour la première fois. Son ton était acerbe ; il était en colère.

— Ecoutez, ça suffit. Le témoin affirme ne reconnaître personne. Et vous continuez à faire pression sur lui.

— Je vérifie son témoignage. Il ne concorde pas avec le précédent.

— Vous faites pression.

Il se tourna vers Sundkvist.

— J'exige que vous relâchiez Lang. Vous n'avez aucun élément contre lui.

Sundkvist le prit par le bras, le conduisit vers la porte.

— Je connais mon métier. Et maintenant, si vous me le permettez, j'ai encore à parler avec le témoin.

Il fit sortir l'avocat, s'assura que la porte était bien fermée. Debout devant la vitre, Lisa Öhrström contemplait l'autre pièce, déserte maintenant.

— Je ne comprends pas.

Sundkvist se planta entre elle et la vitre.

— Je ne comprends pas. Vous vous souvenez de l'interrogatoire d'hier ?

Lisa Öhrström avait des plaques rouges sur le cou. Son regard se fit suppliant.

— Oui.

— Alors vous vous rappelez aussi ce que vous m'avez dit ?

— Oui.

— Vous avez désigné l'homme figurant sur la photo 32. Je vous ai appris qu'il s'agissait de Jochum Lang. Vous m'avez répété plusieurs fois que vous étiez certaine que c'était lui qui avait frappé et tué Hilding Oldéus. Vous le savez, je le sais. C'est pourquoi je ne comprends rien. Vous venez de le voir en chair et en os et vous prétendez ne pas le reconnaître.

Elle se tut, se contenta de secouer la tête en regardant le sol.

— On vous a menacée ?

Il attendit sa réponse, qui ne vint pas.

— C'est comme ça qu'il procède. Il fait taire les gens en les menaçant. Pour pouvoir continuer ses méfaits.

S'armant de patience, Sven Sundkvist chercha de nouveau à capter son regard.

Ses yeux finirent par rencontrer les siens.

Elle ne se détourna plus. Elle aurait voulu le faire, mais elle en fut incapable. Elle regarda Sven Sundkvist en face.

— Désolée. Je suis désolée. J'ai un neveu et une nièce. Vous comprenez ? Je les adore.

Elle se racla la gorge.

— Vous comprenez ?

L'heure de pointe était passée et la circulation était fluide. Il avait traversé la ville sans problèmes et l'E4 était presque déserte. Il arriva au bout d'une petite demi-heure. Ce fut sa seconde visite en moins de vingt-quatre heures.

Lena se montra contente de le voir.

Alors qu'il était encore dans l'allée, elle ouvrit la porte et se précipita pour le prendre dans ses bras. Peu habitué au contact physique, Ewert Grens eut d'abord le réflexe de reculer. Finalement il ne bougea pas ; l'étreinte leur fit du bien à tous les deux. Elle alla chercher une veste ; bien que la pluie eût cessé, il faisait toujours froid pour la saison.

Ils se promenaient en silence depuis une vingtaine de minutes lorsqu'elle lui posa soudain la question.

Qui était la fille qui avait tué son mari ?

Celle dont le corps était allongé à côté de celui de Bengt.

Grens lui demanda si c'était important pour elle. Elle fit oui de la tête. Elle voulait savoir, elle n'avait pas le

293

courage d'expliquer pourquoi. Il s'arrêta, la dévisagea. Puis il lui parla de la première fois qu'il avait vu Grajauskas. Dans un appartement à serrure électronique. Inconsciente, le dos lacéré par des coups de fouet.

Elle écouta. Ils firent encore quelques pas en silence avant qu'elle ne parle de nouveau.

— Je voudrais savoir à quoi elle ressemble.

— Maintenant ? Depuis qu'elle est morte ?

— Non, avant. Je voudrais une image d'elle, avant. Elle nous a volé la vie que nous allions partager. Je sais que toi, tu comprends ce que ça veut dire. J'ai essayé de regarder les informations. J'ai cherché dans les journaux dès ce matin. On ne montre aucune photo d'elle. Si tant est qu'il en existe une. Ou alors on considère que ça n'a pas d'importance. Je veux dire, pour les autres. Qu'il suffit de savoir ce qu'elle a fait, comment elle est morte.

La vie que nous allions partager.

Ewert Grens avait dit la même chose. Pensé la même chose.

Le vent s'était levé. Tout en continuant de marcher, il boutonna sa veste. J'ai une photo, se dit-il. Dans ma poche intérieure. Celle que nous ont envoyée les collègues lituaniens.

Et j'ai aussi cette cassette. Qui bientôt n'existera plus.

Il y a beaucoup de choses que tu ne sauras jamais.

— J'ai une photo d'elle.

— Tu en as une ?

— Oui.

Grens s'arrêta, défit de nouveau les boutons qu'il

venait de fermer. Il tenait une enveloppe à la main. Il l'ouvrit, lui montra une photo en noir et blanc. Celle d'une jeune fille.

Sur la photo, elle souriait. Ses cheveux étaient remontés en une sorte de chignon lâche.

— Lydia Grajauskas. De Klaipeda. Elle avait vingt ans. La photo a été prise il y a trois ans, juste avant son départ, alors qu'elle en avait dix-sept.

Lena Nordwall ne bougea pas. Elle passa un doigt sur le visage de la jeune fille, comme si elle cherchait à la reconnaître.

— Jolie.

Elle s'apprêtait à ajouter quelque chose. Il l'observa.

Elle regardait fixement la photo de la jeune femme qui, moins de vingt-quatre heures plus tôt, avait tué l'homme qu'elle aimait.

Elle ne dit rien.

La veille, Sven Sundkvist était rentré tard.

Il était presque minuit. Assise dans la cuisine, Anita lisait. Elle l'avait attendu comme elle l'avait promis. Il l'avait prise dans ses bras, puis il était allé chercher le chandelier en argent qu'elle aimait tant. Il avait allumé les bougies blanches. Ils avaient mangé la moitié de tarte qui restait et bu un peu de vin.

Il venait d'avoir quarante et un ans.

Il était monté à l'étage pour embrasser Jonas. Finalement, il l'avait regretté, car le garçon s'était réveillé. L'air désorienté, il avait murmuré quelques mots inaudibles. Lui caressant la joue, Sven avait attendu quelques minutes, le temps qu'il se rendorme. Ensuite il avait rejoint Anita dans la salle de bains. Il lui avait dit combien elle était belle. En se couchant, il lui avait pris la main, avait caressé son corps nu. Ils s'étaient serrés fort l'un contre l'autre.

Il s'était réveillé de bonne heure.

Le pavillon était encore silencieux quand il était parti.

Il s'était montré trop zélé. Alors qu'elle avait déjà identifié Lang sur photo, il avait convoqué Lisa Öhrström pour une confrontation. Cela faisait doublon, c'était une faute professionnelle et il le savait. Mais il était pressé. Il voulait être sûr. Il leur fallait des arguments pour Ågestam. Pas question de laisser le procureur relâcher Jochum Lang. Pas cette fois-ci.

En abandonnant Öhrström devant la vitre qui la séparait des dix hommes portant un numéro sur la poitrine, il avait été furieux. Sachant que ce n'était pas sa faute à elle, qu'elle était terrifiée à cause des menaces de mort, il avait essayé de n'en rien laisser paraître. Mais il n'y était pas parvenu. Il s'était montré sarcastique, méprisant. Sa propre colère l'avait surpris. Il n'y était pas habitué, ne savait pas y faire face.

Il était parti en courant.

Vers le local d'interrogatoires de Kronoberg.

Pas question que Lang leur échappe.

Il y avait des travaux sur la route entre Skärholmen et Fruängen. Il râla en frappant contre le tableau de bord. Ewert Grens était pressé, il devait passer à l'hôtel de police de Kronoberg avant de se rendre à pied à Sankt Eriksgatan pour déjeuner avec Sven.

Il n'avait pas été à la hauteur. Il avait pris Lena dans ses bras, essayé de lui parler, mais tout cela avait sonné faux. Il ne savait ni consoler, ni étreindre quelqu'un. Il n'avait jamais su. Le vent s'était levé. Lena était restée silencieuse. Elle avait refusé de lâcher la photo de Lydia Grajauskas. Doucement, il l'avait obligée à la lui rendre.

Qu'est-ce qu'il était venu faire là ? Pourquoi avait-il fait irruption au milieu de son deuil ? Parce que Bengt lui manquait ? Parce que Lena n'avait personne d'autre ? Parce que lui non plus n'avait personne d'autre ?

Les voitures avançaient à une allure d'escargot, il n'y avait plus qu'une file au lieu de trois et les minutes défilaient au rythme des gouttes de sueur qui perlaient sur son front. Il serait en retard. Mais il n'avait pas le choix.

Il devait passer à la réserve avant le déjeuner.

Sven l'attendrait.

Le local d'interrogatoires était aussi nu que d'habitude.

Sven Sundkvist arriva hors d'haleine. Poussé par la colère, il avait couru plus vite que nécessaire. Assis à la table en train de fumer, Lang ne leva même pas le regard quand il franchit la porte.

Sven Sundkvist (SS) : Vous avez rendu visite à Hilding Oldéus au service de médecine générale de l'hôpital Söder peu avant sa mort.

Jochum Lang (JL) : C'est vous qui le dites.

SS : Nous avons des témoins.

JL : Tant mieux pour vous, Sundkvist. Comme ça,

vous pourrez les convoquer et organiser une confrontation.

SS : Des témoins qui vous ont indiqué la chambre d'Oldéus.

JL : Ils pourront me regarder, moi et neuf autres personnes, à travers une vitre. C'est parfait, Sundkvist. Allez-y.

Sundkvist fulminait. Lang cherchait à le déstabiliser, il y était presque parvenu. Il faut que je me calme, que je lui pose les bonnes questions. Je les poserai autant de fois qu'il le faudra.

Il regarda Lang. Celui-ci souriait. Son avocat n'avait pas perdu de temps, il savait déjà que la confrontation avait été un échec.

Mais il n'était pas question qu'il leur échappe.

Pas cette fois-ci.

Il allait encore répondre à ses questions. Il finirait bien par en dire plus qu'il n'aurait voulu. Cela suffirait pour le coffrer. Ågestam serait bien obligé d'ouvrir une instruction.

SS : On vous a retrouvé dans une BMW mal garée près de l'entrée de l'hôpital.

JL : Vous vous occupez de contraventions, maintenant ?

SS : Que faisiez-vous sur le siège passager de cette voiture, alors que tout le secteur était interdit à la circulation ?

JL : Si ça me plaît de m'asseoir sur le siège passager, j'en ai bien le droit, non ?

SS : Cette fois-ci, on ne vous lâchera pas.

JL : Il vaudrait mieux me faire remonter dans ma cellule, Sundkvist. Avant que je commette un délit pour lequel vous pourriez effectivement m'inculper.

Midi dix.

Il se gara devant l'hôtel de police. Sven devait s'impatienter, mais Grens parcourut tranquillement le couloir menant à son bureau. Il s'arrêta devant la machine à café. Non pas pour boire quelque chose, mais parce que la réserve était juste à côté. Hermansson la lui avait indiquée. C'était là qu'il allait.

On étouffait là-dedans. Les cassettes vidéo se trouvaient sur une étagère tout au fond. Des cartons marron, vingt cassettes dans chaque. Il en prit une, déchira l'enveloppe en plastique, sortit le boîtier noir. Il l'inspecta. Pareil que l'autre.

Grens ferma la porte derrière lui. Il se dirigea vers son bureau.

La honte de Lena ou celle de Grajauskas ?

Lena était vivante. Grajauskas était morte.

Son récit. Il n'existait plus. Il reposait au fond de l'eau, dans le lac Mälaren, près de la plage de Slagsta. Grens s'y était arrêté sur le chemin du retour. La honte pèse plus lourd quand on est vivant.

Ewert Grens bâilla. Il contempla brièvement la cassette, puis il la rangea à côté de celles de Siw Malmkvist.

Ewert Grens s'installa au fond du troquet, dans un coin mal éclairé, à peine visible si on passait la porte pour y jeter un œil. C'était une infâme gargote. Située au coin de Sankt Eriksgatan et Fleminggatan, elle n'était pas tout près, en plus.

Mais il n'avait pas le choix.

Des journalistes lui avaient filé le train à travers Kungsholmen. Ils savaient où il avait l'habitude de déjeuner, il y en avait tout un groupe faisant le pied de grue devant l'entrée du restaurant.

Ils n'obtiendraient aucune réponse. Ils n'obtiendraient rien. Pas de lui, en tout cas. Si la police avait embauché des attachés de presse, c'était bien pour qu'ils distillent des informations au compte-gouttes à cette meute vociférante.

Il avait tourné les talons, téléphoné à Sven qui l'attendait déjà et poursuivi son chemin. Il lui était déjà arrivé de déjeuner dans ce boui-boui quand la mort de quelqu'un faisait la une des journaux. On y mangeait mal, mais au moins on y était tranquille.

Il ramassa un journal qui traînait sur la table voisine,

eut le temps de s'y plonger quelques minutes. La prise d'otages de l'hôpital Söder s'étalait sur six pages.

Sven Sundkvist lui donna une tape dans le dos en s'asseyant.

— On venait juste de me servir. Soixante-cinq couronnes pour un plat auquel je n'ai même pas goûté. Et tout ça pour se retrouver ici.

Sundkvist regarda autour de lui en secouant la tête.

— Quel bel endroit !

— Ici, personne ne viendra nous déranger.

— Ça, je n'en doute pas.

Ragoût de Scanie aux betteraves. Ils en commandèrent un chacun.

— Comment va-t-elle ?

— Lena ?

— Oui.

— Mal.

— Elle a besoin de toi.

Ewert Grens poussa un soupir, posa son journal. Il était inquiet, se balançait sur sa chaise.

— Je ne sais pas m'y prendre, Sven. Je ne suis pas doué pour ça. J'ai peut-être fait une bourde. Elle voulait savoir à quoi ressemblait Grajauskas. Je lui ai montré la photo.

— Si elle te l'a demandé…

— J'ai eu une drôle d'impression. Comme si elle ne comprenait pas. Comme si elle avait reconnu le visage. Elle a regardé la photo, elle l'a touchée du doigt, elle a voulu dire quelque chose, mais elle s'est ravisée.

— Elle doit être en état de choc.

— Pourquoi faudrait-il qu'elle sache à quoi

301

ressemble la personne qui a tué son mari ? J'ai eu le sentiment de la replonger dans le malheur.

Il y avait beaucoup de sauce. Et quelques morceaux de viande. Ils mangèrent par devoir.

— Ewert ?

— Oui ?

— Ça a foiré.

Grens essaya d'attraper un bout de betterave. Il y renonça en le voyant disparaître sous un océan de liquide brunâtre.

— Tu crois que ça me fera plaisir de connaître les détails ?

— Non.

— Alors raconte.

Sven Sundkvist revécut la matinée qu'il venait de passer.

La peur de Lisa Öhrström. Sa méfiance. Qu'il avait déjà sentie en lui serrant la main. Les dix hommes de l'autre côté de la vitre. Son refus. Il l'avait suppliée de les regarder encore une fois, mais il avait bien compris qu'elle n'osait pas, qu'elle ne voulait rien savoir. On l'avait menacée, c'était évident. Il s'était mis en colère. Elle lui avait parlé de son amour pour son neveu et sa nièce. Malgré sa honte, elle avait persisté à nier. Et l'avocat avait exigé qu'on relâche Jochum Lang.

Sven Sundkvist s'attendait à la réaction de Grens.

Ewert posa ses couverts. Il était cramoisi, les yeux lui sortaient de la tête et une veine apparaissait à sa tempe. Il s'apprêtait à frapper du poing sur la table, mais Sven lui attrapa le bras.

— Pas ici, Ewert. On n'a pas intérêt à se faire remarquer.

Grens respirait lourdement. Il parlait bas ; sa voix portait difficilement quand la colère le gagnait.

— Bordel de merde, Sven, tu te rends compte de ce que tu es en train de me dire ?

Grens se leva, fit le tour de la table en donnant des coups de pied dans les chaises.

— Je suis aussi furieux que toi, Ewert. Mais je t'en supplie, calme-toi. On n'est pas au bureau.

Grens était toujours debout.

— Il l'a menacée ! Il a menacé les enfants !

Sven Sundkvist hésita avant de poursuivre. Les images de cette étrange matinée ne cessaient de le hanter. Il sortit un petit magnétophone de la poche de sa veste, le posa sur la table entre leurs assiettes à moitié pleines.

— J'ai interrogé Lang. Après.

Deux voix.

Une qui cherchait à engager la conversation.

L'autre qui voulait l'écourter.

Ewert Grens se figea. Son visage, ses muscles tendus en écoutant la voix de Lang. Il ne dit rien. Sunkvist se pencha en avant pour reprendre le magnétophone.

— Encore une fois. Juste la fin.

Le bruit d'une chaise qui racle le sol.

La respiration saccadée.

La voix de Lang.

— *Il vaudrait mieux me faire remonter dans ma cellule, Sundkvist. Avant que je commette un délit pour lequel vous pourriez effectivement m'inculper.*

303

Grens poussa un juron. Les rares clients du troquet se tournèrent vers cet homme plus tout jeune, lourd et massif, qui brandissait son poing.

— Assieds-toi, Ewert.

— Ça suffit, Sven. Pas question de laisser l'initiative à Lang ! On va le coffrer. Je me fous des conséquences.

Ewert Grens était toujours debout. Il pointait son index vers Sven Sundkvist.

— Le numéro de téléphone de Lisa Öhrström.

— Pourquoi ?

— Tu l'as ou pas ? Donne-moi son numéro. On va faire du vrai travail de police, toi et moi.

La serveuse, une très jeune femme, s'approcha timidement. Evitant le regard de Grens, elle prit son élan. S'adressant à Sven Sundkvist, elle leur demanda le silence, un peu de respect pour les autres clients. Sans quoi elle serait obligée d'appeler la police. Sundkvist s'excusa, promit que cela ne se reproduirait pas, d'ailleurs ils n'allaient pas tarder à partir. Pouvait-elle leur apporter l'addition ?

Sundkvist tendit à Ewert Grens son carnet d'adresses. Le numéro de Lisa Öhrström y figurait. Grens ne put s'empêcher de sourire ; les noms y étaient inscrits par ordre alphabétique. Tout à fait le genre de Sven.

Grens sortit son téléphone portable et composa le numéro. Il joignit Lisa Öhrström au service de médecine générale, elle y était retournée tout de suite après la confrontation.

— Docteur Öhrström ? Ici le commissaire Ewert Grens. Dans une heure, je vous enverrai quelques photos. Je voudrais que vous les regardiez.

Elle hésita. Comme si elle n'avait pas bien saisi le sens de ses paroles.

— De quoi s'agit-il ?

— De meurtres et de vols à main armée.

— Je ne comprends pas.

— Votre numéro de fax ?

Elle hésita de nouveau. Long silence ; elle n'avait pas envie de poursuivre cette conversation.

— Pourquoi voulez-vous m'envoyer ces photos ?

— Vous comprendrez en les voyant. Dans une heure.

Ewert Grens attendit avec impatience que Sven Sundkvist eût terminé sa bière. Sundkvist fouilla dans sa poche à la recherche d'argent, mais Grens était pressé. Il régla les deux repas en laissant un pourboire que la qualité de la nourriture ne justifiait en aucune manière.

En s'apprêtant à sortir, Grens aperçut deux journalistes. Faisant signe à Sundkvist d'attendre, il les observa à travers la porte à moitié ouverte. Les voyant s'éloigner, ils purent enfin quitter les relents de ragoût de Scanie.

Quelques pas dans Fleminggatan, un bref trajet jusqu'à Bergsgatan et ils se séparèrent.

Grens regagna son bureau. Il en ressortit quelques minutes plus tard, deux photographies en noir et blanc à la main, et se dirigea vers le fax, qui se trouvait près de la photocopieuse.

— Grens ?

Il se retourna. Ce matin, quand ils s'étaient vus, elle avait ri.

— Ah, Hermansson. Tu m'avais promis un rapport. Après le déjeuner. Nous y sommes.

Il se demanda s'il avait paru de mauvaise humeur. Il ne l'était pas.

— Il est prêt.

— Eh bien ?

— J'ai reçu les transcriptions des interrogatoires. Il y a des choses intéressantes dedans.

Ewert Grens avait toujours les deux photos à la main. Hermansson fit un geste – envoie ton fax, je peux attendre –, mais il les posa et lui demanda de raconter.

— L'agent. Il parle d'une femme. Qui a pénétré dans les toilettes pour handicapés juste avant Grajauskas. D'après sa description, je suis certaine qu'il s'agit d'Alena Sliousareva.

Ewert Grens l'écouta. Il pensait à leur rencontre du matin. Il lui avait fait des compliments. Il s'était presque senti mal à l'aise, ce n'était pas son genre, qu'est-ce qui lui avait pris ?

— Puis il y a les deux garçons assis à côté de Grajauskas dans la salle de télévision. L'un des deux se souvient d'avoir vu la même femme. Sa description est identique à celle de l'agent. Le portrait exact d'Alena Sliousareva.

Hermansson avait apporté un dossier. Une partie de l'enquête qui avait débuté vingt-quatre heures plus tôt ; un meurtre et un suicide dans une morgue. Elle le lui tendit.

— C'est elle, Grens. C'est elle qui a fourni l'arme et les explosifs à Grajauskas. J'en suis sûre. Alena Sliousareva s'est rendue complice de prise d'otages et de meurtre. Nous n'allons pas tarder à la coincer, elle n'a nulle part où aller.

Ewert Grens prit le dossier. Il regarda la jeune femme, qui s'éloignait déjà, et se racla la gorge.

— Au fait…

Elle s'arrêta, se retourna.

— Tu t'es trompée. Tu es la deuxième femme policier à qui je fais des compliments. Et là, je devrais sans doute le faire de nouveau.

Elle secoua la tête.

— Merci. Mais pour le moment, ça suffit.

Hermansson s'éloigna de nouveau. Il lui dit d'attendre, il avait encore une question.

— Ce que tu as dit ce matin…

— Oui ?

— Dois-je comprendre que tu penses que j'ai un problème avec les femmes policiers ?

— Exactement.

Elle n'avait pas hésité. Sans se départir de son calme. Il se sentit penaud.

Mais il avait compris. Il revoyait Anni.

Grens se racla bruyamment la gorge. La machine à café. Il avait besoin d'un café noir dans un gobelet en plastique, c'était ça qu'il lui fallait, un truc tout simple qui lui calmerait les nerfs. Il vida son gobelet d'un trait et appuya sur le bouton pour en remplir un autre. Il le savait. Pourquoi il avait un problème avec les femmes policiers. Avec les femmes tout court. Cela faisait vingt-cinq ans. Vingt-cinq ans qu'il n'avait pas tenu un être humain dans ses bras. Il ne se souvenait même pas de ce qu'on ressentait. Cela lui manquait, mais il ne s'en souvenait pas.

Encore un gobelet.

Il le but lentement. Jamais plus de trois. Le dernier, il fallait le faire durer. Le calme que cela lui procurait. Déglutissant méthodiquement, le gobelet dans une main, il s'aperçut soudain qu'il tenait encore les photos dans l'autre.

Il y jeta un œil. Il était sûr que cela allait marcher.

Lisa Öhrström répondit au bout de cinq sonneries.

— Une heure. Vous êtes ponctuel.

— Allez voir du côté de votre fax, s'il vous plaît.

Ewert Grens entendit ses pas dans le couloir. Il connaissait le service de médecine générale, il savait exactement où elle allait.

— Vous les avez ?

— Elles viennent d'arriver.

— Eh bien ?

— Je ne comprends pas où vous voulez en venir.

— Que voyez-vous ?

Elle soupira. Il attendit qu'elle se décide de nouveau à parler.

— De quoi s'agit-il ?

— Vous êtes médecin. Regardez les photos. Que voyez-vous ?

Lisa Öhrström se tut. Il entendait sa respiration, mais elle ne dit rien.

— Pour la dernière fois : que voyez-vous ?

— Une main gauche. Avec trois doigts fracturés.

— Le pouce. C'est exact ?

— C'est exact.

— Cinq mille couronnes.

— Je ne comprends pas où vous voulez en venir.

— L'index. Mille couronnes. Le petit doigt. Mille couronnes.

— Je ne comprends toujours pas.

— Jochum Lang. C'est son tarif. Et sa signature. Ce sont des photos prises pour les besoins d'une enquête. Une affaire que nous avons dû classer. Ce type dont on a brisé la main gauche, il devait sept mille couronnes. Une des victimes de Lang. Voilà le métier qu'exerce l'homme que vous couvrez. Et il continuera de l'exercer aussi longtemps que vous le couvrirez.

Ewert Grens attendit, ne dit plus rien, raccrocha. Elle était là. Avec trois doigts brisés en noir et blanc devant les yeux. Elle resterait là jusqu'à ce qu'il rappelle.

Une porte s'ouvrit derrière lui. Grens se retourna.

Sven Sundkvist. Pressé, il s'approcha en courant presque.

— Je viens de recevoir un coup de fil.

Grens s'assit sur le fax, sa jambe lui faisait mal. Il entendit le couvercle craquer sous son poids. Sven Sundkvist l'entendit aussi, mais il n'avait pas le temps d'y prêter attention. Il regarda son chef.

— Sur le port franc. Un interprète russe est déjà en route.

— Oui ?

— Elle s'apprêtait à embarquer pour la Lituanie.

Grens écarta les bras avec impatience.

— Viens-en aux faits.

— Alena Sliousareva. On vient de l'arrêter.

Ils en avaient parlé tant de fois.

Il s'était trouvé en compagnie de Bengt dans des locaux d'interrogatoires, au café ou chez lui dans le jardin de son pavillon, et c'était souvent de cela qu'ils avaient parlé. De la vérité. Ils avaient constaté que les choses étaient simples : il y avait la vérité et le mensonge. Et à la longue, seule la vérité était supportable.

Tout le reste, c'était du baratin.

Un mensonge accouche d'un autre mensonge et ainsi de suite, et on finit par être tellement embrouillé qu'on ne sait plus reconnaître la vérité. Même quand c'est la seule chose qui vous reste.

Ils avaient construit leur amitié sur la vérité. Toujours dire ce qu'on pensait, même si cela vous coûtait. Il leur était arrivé de sentir que l'autre se dérobait, qu'il se taisait par peur de se montrer blessant. Alors ils avaient fermé la porte et ils s'étaient engueulés un bon coup. Et ils ne l'avaient rouverte que lorsque tout avait été dit.

Ewert Grens frissonnait.

Un mensonge pareil.

Qu'est-ce qu'il s'était imaginé ? Qu'entre Bengt et lui il n'y avait que la vérité nue ?

Assis à son bureau, il pensait toujours à cette cassette vidéo. Celle qu'il avait trimballée dans la poche intérieure de son veston pendant vingt-quatre heures avant de la balancer dans le lac Mälaren.

Voilà que je mens.

A cause de Lena.

Quelle saleté, la vérité.

Je mens pour couvrir ton mensonge.

Un carton était posé devant lui. Il se pencha en avant, enleva le couvercle, contempla les objets saisis quelques heures plus tôt par le policier qui avait arrêté et fouillé Alena Sliousareva.

Ewert Grens prit le carton, le renversa. La vie d'Alena Sliousareva s'étala sur son bureau. Ce n'était pas grand-chose, juste les affaires qu'on emportait quand on était en fuite. Il les souleva, les soupesa, l'une après l'autre.

Une pince à billets avec quelques milliers de couronnes. Ce qu'elle avait gagné en ouvrant les cuisses douze fois par jour pendant trois ans.

Un journal intime. Il força la serrure, le feuilleta. Des caractères cyrilliques, de longs mots auxquels il ne comprenait rien.

Une paire de lunettes de soleil bon marché en plastique. Le genre de truc qu'on achète sur un coup de tête.

Un téléphone portable. Neuf, avec des tas de fonctions inutiles.

Un aller simple pour Klaipeda. Il regarda sa montre. La validité du billet venait d'expirer.

Il passa en revue sa vie, puis il remit les affaires dans

le carton. Il parcourut rapidement le procès-verbal accompagnant la saisie, le signa et le posa sur le dessus.

Ewert Grens en savait déjà plus qu'il n'avait envie de savoir.

Maintenant il allait l'interroger.

Elle allait lui dire des choses qu'il ne voulait pas entendre. Il allait l'écouter, s'efforcer de tout oublier, lui dire de prendre ses affaires et de rentrer chez elle.

A cause de Lena. Pour elle. Pas pour toi.

Grens se leva, traversa le couloir, prit l'ascenseur. Jusqu'au dépôt. On l'y attendait, l'agent de service le conduisit jusqu'à la cellule où Alena Sliousareva patientait depuis une heure et demie. L'agent se pencha en avant pour regarder à travers l'œilleton. Elle était assise sur la couchette étroite, les genoux remontés jusqu'au menton. Ses longs cheveux bruns tombaient jusqu'au sol.

L'agent ouvrit la porte et Grens pénétra dans le misérable cachot. Elle leva la tête. Elle avait pleuré. Il lui fit un signe de tête en guise de bonjour.

— Vous parlez suédois, je crois ?

— Un peu.

— Parfait. Je dois vous interroger. Nous allons nous asseoir ici, sur la couchette, avec ce magnétophone entre nous. Vous comprenez ?

— Pourquoi ?

Alena Sliousareva se recroquevilla. Comme elle l'avait souvent fait quand on la pénétrait trop brutalement, quand elle avait mal au bas-ventre, quand elle voulait se rendre invisible.

Ewert Grens (EG) : Vous vous souvenez de moi ?

Alena Sliousareva (AS) : L'appartement. Vous êtes policier, c'est vous qui avez enfoncé une matraque dans le ventre de ce salopard de Dimitri. Quand il était par terre.

EG : Donc, vous m'avez vu faire. Et malgré ça, vous vous êtes enfuie.

AS : J'ai vu Bengt Nordwall. J'ai paniqué. Je ne pouvais pas rester là.

Il était assis sur une couchette étroite à côté d'une jeune femme balte. Sa jambe lui faisait mal, son dos aussi après quelques heures de sommeil sur le canapé de son bureau. Il respirait lentement. Il était fatigué. Qu'est-ce qu'il faisait là, à salir la seule chose qui comptait, sa dignité ? Il détestait le mensonge et il était obligé de continuer à mentir.

AS : Je le sais. Lydia est morte.

EG : Oui.

AS : Je le sais.

EG : Elle a d'abord tué un policier. Puis elle s'est suicidée d'une balle dans la tête avec la même arme. Un Makarov 9 mm. J'aimerais bien savoir comment elle s'est procuré ce pistolet.

AS : Elle est morte. Elle est morte ! Je le sais.

Elle avait espéré. Comme on espère toujours. Tant qu'on ne sait pas, rien n'est arrivé.

Maintenant elle pleurait.

Elle se signa d'une main tremblante. Elle pleurait comme on pleure quand on a irrémédiablement perdu quelqu'un.

Ewert Grens attendit. Qu'elle eût fini de pleurer. Il regarda le magnétophone tourner, se tut, lui laissa le temps de se calmer. Puis il reprit son interrogatoire.

EG : Un Makarov 9 mm.

AS : (inaudible)

EG : Et des explosifs. Dans un sac ICA.

AS : C'est moi.

EG : C'est vous qui…

AS : Qui suis allée chercher le sac.

EG : Où ?

AS : Au même endroit.

EG : Où ?

AS : Völundsgatan. Dans la cave.

Grens donna un coup de poing dans le magnétophone. Alors qu'elle était en fuite et qu'elle devait être morte de trouille, elle avait réussi à passer devant les agents qui stationnaient devant l'immeuble, à descendre dans les sous-sols et à récupérer assez d'explosifs pour faire sauter tout un hôpital.

Elle eut peur, la violence de Grens lui rappela celle de ses clients. Elle se recroquevilla encore plus.

Il demanda pardon, lui promit de ne pas recommencer.

EG : Vous saviez à quoi tout cela allait servir ?

AS : Non.

EG : Vous lui avez remis une arme chargée sans lui demander pourquoi ?

AS : Je n'ai pas posé de questions.

EG : Elle ne vous a rien dit ?

AS : Si elle avait dit quelque chose, j'aurais exigé d'être là. Elle le savait.

Ewert Grens coupa le magnétophone, sortit la cassette. Cet interrogatoire ne serait jamais transcrit. Il ferait disparaître l'enregistrement. Comme il avait déjà fait disparaître l'autre bande.

Il se tourna vers elle. Elle évita son regard.

— Vous allez rentrer chez vous.

— Aujourd'hui même ?

— Aujourd'hui même.

Alena Sliousareva se leva précipitamment, se passa les mains dans les cheveux, tira sur son chemisier pour le défroisser, enfila ses pantoufles de prisonnière.

Elles s'étaient juré de rentrer ensemble.

Maintenant c'était impossible. Lydia était morte.

Elle était seule.

Grens avait appelé un taxi. C'était préférable. Moins de gens impliqués, mieux ce serait. Ils attendirent dans la rue. Un homme d'un certain âge et sa jeune épouse. Un père et sa fille. Des gens comme il y en avait tant. Personne n'aurait deviné qu'il s'agissait d'un commissaire de police et d'une prostituée sortant d'un interrogatoire.

La voiture se faufila à travers l'intense circulation de

l'après-midi. Alena Sliousareva était assise sur la banquette arrière. Norr Mälarstrand, Vasagatan, Kungsgatan, Stureplan, puis Valhallavägen et Lidingö-vägen jusqu'au port. Elle ne reviendrait plus jamais ici. Elle ne quitterait plus jamais la Lituanie. Elle le savait. Elle avait voyagé pour la première et la dernière fois de sa vie.

Grens régla le taxi. Ils pénétrèrent dans le terminal. Le prochain ferry quitterait Stockholm dans moins de deux heures. Il prit un billet, le lui tendit. Elle le tenait fermement. Elle le garderait à la main jusqu'au moment de débarquer à Klaipeda. Sa ville.

L'endroit qu'elle avait quitté à l'âge de dix-sept ans. Elle n'avait pas hésité longtemps quand les deux hommes lui avaient proposé du travail et un bon salaire. Là où elle vivait, il n'y avait pas d'avenir. Et puis, elle resterait absente quelques mois seulement. Elle revien-drait. Elle n'avait rien dit à Janoz. Elle ne se rappelait pas pourquoi.

Elle était une autre à cette époque.

C'était il y a trois ans seulement. Une autre vie. Un autre temps.

Elle avait davantage vécu que les gens de son âge.

Janoz l'avait-il cherchée ? S'était-il posé des ques-tions ? Elle le voyait, elle avait gardé son image en elle. Ça, ils n'avaient pas pu le lui voler. Ils l'avaient péné-trée, ils lui avaient craché dessus, mais ils n'avaient jamais pu atteindre ce qu'elle avait de plus précieux. Etait-il encore en vie ? A quoi ressemblait-il maintenant ?

Ewert Grens lui dit de le suivre jusqu'à l'autre bout du terminal, jusqu'à la cafétéria. Il lui proposa un café et un sandwich. Elle accepta. Il acheta deux journaux et ils lurent en silence en attendant son départ.

Il s'était passé vingt-quatre heures à peine.

Assise à la table de la cuisine, Lena Nordwall regardait dans le vide.

Cela prendrait combien de temps ? Deux jours ? Trois ? Une semaine ? Deux semaines ? Un an ? Toute une vie ?

Elle ne cherchait pas à comprendre. Ce n'était pas nécessaire. Pas encore.

Il y avait quelqu'un derrière elle. Elle s'en rendit compte soudain. Dans l'entrée, assis dans l'escalier. Elle se retourna, vit sa fille qui la regardait en silence.

— Depuis quand es-tu là ?

— Je ne sais pas.

— Pourquoi n'es-tu pas dehors ?

— Il pleut.

Leur fille avait cinq ans. *Sa* fille avait cinq ans. C'était cela qu'elle devait se dire désormais. *Sa* fille. Il n'y avait plus d'autres adultes dans la maison. Elle était seule. Face aux responsabilités. Face à l'avenir.

— Ça va durer longtemps ?

— Qu'est-ce qui va durer longtemps ?

— Papa va rester mort longtemps ?

Sa fille s'appelait Elin. Elle portait des bottes. Des bottes pleines de boue. Lena ne s'en aperçut pas. Elin traversa l'entrée, s'approcha de la table, laissant des empreintes sur le sol. Lena ne les vit pas.

— Quand est-ce qu'il rentre ?

317

Elin s'assit à côté d'elle. Lena le remarqua, mais ce fut tout. Elle entendit à peine ses questions.

— Il ne va pas rentrer ?

Sa fille tendit le bras, lui caressa la joue.

— Il est où ?

— Papa dort.

— Il se réveillera quand ?

— Il ne se réveillera plus.

— Pourquoi ?

Sa fille était là à côté d'elle, elle lui lançait des questions. Des questions qui l'assaillaient ; elle les sentait venir, glisser sur sa peau, pénétrer dans son corps. Elle se leva. Elle ne supportait plus l'attaque des mots. Elle cria à sa fille, qui ne comprenait pas :

— Arrête ! Arrête de me poser des questions !

— Pourquoi il est mort ?

— Je n'en peux plus ! Je n'en peux plus !

Elle faillit frapper son enfant. Elle sentit venir le geste : sa main suspendue en l'air et les questions qui lui martelaient la tête. Elle avait le bras levé, mais elle ne frappa pas, elle n'avait jamais frappé. Elle s'assit de nouveau, en larmes, et prit sa fille dans ses bras. *Sa* fille.

En quittant le troquet, Sven Sundkvist n'avait pu s'empêcher de rire. Pas à cause du repas, même si les quelques morceaux de viande grasse nageant dans une sauce en sachet lui paraissaient tout à fait mériter son ricanement. Non, il riait d'Ewert. Il voyait encore son collègue tourner autour de la table, donnant des coups de pied dans les chaises, maudissant le magnétophone d'où sortait la voix de Lang, et la serveuse leur demandant de baisser la voix. Sans quoi elle serait obligée d'appeler la police.

Il avait ri sans même y penser. Dans la rue, deux femmes l'avaient regardé d'un air consterné, murmurant quelque chose à propos des effets de l'alcool. Prenant une profonde inspiration, il avait essayé de se calmer. On pouvait dire toutes sortes de choses sur Ewert Grens. Mais ennuyeux, ça, il ne l'était pas.

Ewert s'était éclipsé pour interroger Alena Sliousareva. Sven était persuadé qu'elle détenait des informations qui leur seraient utiles. Il avait pressé le pas pour regagner son bureau. Il allait mettre Lang de côté pour se concentrer sur la prise d'otages. Ce qui s'était passé dans la morgue lui avait laissé un sentiment de malaise. Et pas seulement à cause des morts.

Il y avait autre chose.

La détermination de Grajauskas, sa brutalité.

Elle avait tenu en respect le médecin et les étudiants, elle avait fait sauter deux cadavres, elle avait échangé les otages contre Bengt Nordwall, elle l'avait tué avant de se suicider. Mais jamais elle n'avait expliqué ce qu'elle voulait exactement.

Il fallait revoir la succession des événements.

Il les détailla, minute par minute, en notant l'heure précise de chaque fait nouveau. Il passa en revue toute la journée du 5 juin. De douze heures quinze, lorsque Lydia Grajauskas était encore assise dans la salle de télévision, jusqu'à seize heures dix, quand plusieurs personnes munies d'écouteurs avaient entendu les trois coups de feu et le fracas de la porte qu'on enfonçait.

Il relut les interrogatoires des otages. Selon le Dr Ejder et les quatre étudiants, Grajauskas était restée parfaitement calme. Elle avait gardé le contrôle de la situation. En dehors de Larsen, qui avait tenté de la maîtriser, elle n'avait blessé personne.

Leurs observations étaient précises. Elles lui apportaient tous les éléments dont il avait besoin. Sauf un : le mobile.

Il vérifia enfin le protocole technique, la description de la scène du crime. Il n'y découvrit rien de nouveau. Rien qui le surprît. Rien d'inattendu.

A part un détail.

Il relut encore les deux lignes.

Une cassette vidéo trouvée dans son sac en plastique. Portant au dos une étiquette autocollante avec une inscription en caractères cyrilliques.

Ils avaient échangé leurs journaux. Ewert Grens était allé chercher deux autres cafés et deux tartes aux pommes à la sauce vanille. Elle mangea sa tarte avec autant d'appétit que son sandwich.

Il regarda la femme assise en face de lui.

Elle était belle. Non pas que cela eût de l'importance. Mais elle l'était.

Elle aurait dû rester chez elle. Quel gâchis ! Si jeune, au seuil de la vie, et puis ça. Ouvrir les cuisses devant des types en rut. Des types fuyant leur pavillon de banlieue et leur pelouse à tondre, leurs enfants ingrats et leur épouse vieillissante.

Grens secoua la tête. Vraiment, quel gâchis !

Il attendit qu'elle eût fini de manger.

Il l'avait laissé dans sa serviette. Il le sortit, le posa sur la table.

— Vous le reconnaissez ?

Elle regarda l'objet. Un cahier bleu. Elle haussa les épaules.

— Non.

Grens ouvrit le cahier, le poussa pour mieux lui permettre de le regarder.

— Vous comprenez ce qui est écrit ?

Alena Sliousareva examina la page noircie, en lut quelques lignes, leva les yeux.

— D'où il vient ?

— On l'a trouvé à côté de son lit, à l'hôpital. Le seul objet qui lui appartenait. Car il est bien à elle, non ?

— C'est l'écriture de Lydia.

Il lui expliqua qu'il avait tenté de le faire traduire quand elle était encore en vie, quand elle était dans la morgue avec les otages, mais qu'il n'avait trouvé personne maîtrisant le lituanien.

Quand Bengt était encore vivant, pensa-t-il. Quand son propre mensonge n'existait pas encore.

Alena Sliousareva feuilleta lentement le cahier, lut les cinq pages couvertes de l'écriture de son amie. Puis elle traduisit.

Tout.

Tout ce qui s'était passé vingt-quatre heures plus tôt.

Dans les moindres détails.

Lydia Grajauskas avait tout planifié, tout écrit. L'arme, les explosifs, la corde et la vidéocassette dissimulés dans la corbeille à papier des toilettes pour handicapés. Le coup sur la tête de l'agent. La morgue, la prise d'otages, le cadavre piégé, la demande d'un interprète appelé Bengt Nordwall.

Ewert Grens écouta. Il écouta et déglutit. Tout était

là. Tout. Si j'avais su. Si on me l'avait traduit. Jamais je ne l'aurais laissé y aller. Il serait encore en vie.

Tu serais encore en vie !

Si tu n'y étais pas allé, tu serais en vie.

Tu devais le savoir !

Pourquoi n'as-tu rien dit ?

Ni à moi, ni à elle ?

Si au moins tu avais avoué la reconnaître. Si au moins tu lui avais donné cela.

Alors tu serais en vie.

Elle ne voulait pas tirer.

Elle voulait qu'on confirme que ce n'était pas sa faute. Que ce n'était pas elle qui avait choisi de rester enfermée dans cet appartement, que ce n'était pas elle qui avait choisi de se déshabiller devant des hommes.

Elle demanda si elle pouvait le garder. Grens secoua la tête, se pencha en avant, prit le cahier bleu et le glissa dans sa serviette. Il attendit. Quand il ne resta plus que vingt minutes avant le départ, il lui dit de se lever. Ensemble, ils se dirigèrent vers la sortie. Alena Sliousareva tenait son billet à la main. Elle le montra à une femme assise derrière une vitre.

Elle se retourna, lui dit merci. Grens lui souhaita bon voyage.

La laissant au contrôle des billets, il retourna dans le terminal. Adossé à un pilier, il essaya de penser à Lang et à Lisa Öhrström. Mais ils s'évanouissaient ; les jeunes femmes de Klaipeda étaient trop présentes. Il regarda distraitement les voyageurs quittant le ferry, le mouvement des vagues toujours présent dans le corps. Epier les gens à distance, il aimait bien ça. Il y avait ceux qui trimballaient de lourds sacs en plastique pleins d'alcools détaxés, et qui avaient bu et dansé et flirté toute la nuit avant de s'écrouler seuls dans leur cabine du pont inférieur. Et ceux, tirés à quatre épingles, qui avaient économisé pendant des années pour s'offrir une semaine de vacances en Suède, sur l'autre rive de la Baltique. Et aussi quelques hommes aux vêtements froissés, sans bagages, partis en toute hâte, fuyant on ne sait quoi. Tout à son observation, il oublia presque son attente, sa hâte de voir partir la jeune femme.

Il allait se retourner lorsqu'il vit un dernier groupe quitter le navire.

Il reconnut immédiatement l'homme.

Un peu plus de vingt-quatre heures auparavant, il l'avait vu à Arlanda, entre deux balèzes, se faire copieusement engueuler par un petit diplomate lituanien avant d'être poussé sans ménagement vers la porte d'embarquement et l'avion qui l'emporterait à Vilnius en moins de deux heures.

Dimitri le mac.

Même costume que lorsqu'on l'avait escorté jusqu'à la passerelle de l'avion. Même costume qu'il y a trois jours, quand il avait lacéré le dos de Lydia Grajauskas. Quand il leur avait interdit l'entrée de l'appartement à la porte enfoncée.

Dimitri le mac n'était pas seul. Il était suivi par deux jeunes femmes. Deux jeunes filles, plutôt ; seize ou dix-sept ans. S'arrêtant au contrôle des passeports, il leur tendit quelque chose qu'Ewert Grens distingua à peine. Mais il savait ce que c'était.

Leurs passeports.

Leur dette.

Une femme en survêtement, la capuche relevée sur sa

tête, s'approcha d'eux d'un pas vif. Elle tournait le dos à Grens, qui ne fit guère attention à elle. Mais il remarqua qu'elle les saluait tous les trois à la manière balte, en les embrassant légèrement sur la joue.

Elle fit un geste vers la sortie la plus proche. Ils la suivirent. Aucun d'eux n'avait de bagages.

Ewert Grens se sentit mal.

Lydia Grajauskas s'était tuée d'une balle dans la tête. Alena Sliousareva venait de fuir ; dans quelques heures elle serait chez elle. Pendant trois ans on les avait violées dans des appartements munis d'une serrure électronique. On les avait menacées, frappées, elles avaient fait semblant de jouir alors qu'on les détruisait de l'intérieur. Puis quarante-huit heures avaient passé et on les avait déjà remplacées. Par deux jeunes femmes qui ne se doutaient pas de ce qui les attendait, mais qui apprendraient vite à sourire quand on leur cracherait dessus. Pour que les trafiquants puissent continuer à toucher cent cinquante mille couronnes par fille chaque mois.

Le ferry allait bientôt larguer les amarres. Grens s'attarda encore quelques minutes. Il les vit s'éloigner, la femme balte à la capuche relevée et Dimitri le mac, suivis des deux jeunes filles qui venaient de leur remettre leurs passeports. Deux jeunes filles dont les seins avaient à peine poussé.

Il ne pouvait rien faire. Pas maintenant. Grajauskas et Sliousareva avaient eu le courage de se révolter. Ce devait être rarissime ; il n'avait jamais entendu parler d'un cas pareil. Ces deux-là, si fragiles, n'oseraient jamais témoigner. Paniquées, elles nieraient tout. Comme leur mac.

324

Il n'y aurait donc aucun crime.

Mais il savait qu'on les retrouverait tôt ou tard. Lui ou un collègue. Il ignorait où et quand, mais il savait que ça se terminerait mal.

En découvrant la mention d'une cassette enveloppée dans un sac ICA portant les empreintes de Grajauskas et de Sliousareva, Sven Sundkvist avait laissé de côté le reste du dossier pour partir à sa recherche.

Il avait commencé par l'endroit où elle aurait dû se trouver : aux services techniques de la police judiciaire.

Elle n'y était pas.

Il avait interrogé la permanence de nuit ainsi que les linguistes censés décrypter les caractères cyrilliques de l'étiquette.

Personne ne l'avait vue.

Restait une dernière possibilité : les archives.

Elle n'y était pas non plus.

Il eut de nouveau cette douleur dans le ventre.

Une sensation de malaise qui ne cessait de croître, qui se transformait en irritation puis en colère. C'était inhabituel ; il détestait cela.

Il vérifia quel technicien était intervenu à la morgue. C'était Nils Krantz, un type d'un certain âge qui avait toujours été là, sur chaque scène de crime, depuis que Sven était dans la police. Il le joignit dans un appartement de Regeringsgatan. Une agression ; Krantz était pressé, mais il prit le temps de répondre à Sven. Il expliqua où ils avaient trouvé la cassette, ce qu'ils y avaient découvert, confirma tout ce que Sven avait pu lire dans le procès-verbal.

— Parfait. Parfait, Krantz. Et le contenu ?

— Qu'est-ce que tu veux dire ?

— Qu'est-ce qu'il y avait sur la bande ?

— Je n'en sais rien.

— Tu ne sais pas ?

— Ça, c'est votre boulot.

— Justement, c'est pour ça que je voudrais savoir.

Il entendit Krantz poser le combiné, parler à quelqu'un. Impossible de comprendre ce qu'il disait. Une petite minute, et il fut de retour.

— Tu as d'autres questions ?

— Oui. Où se trouve-t-elle maintenant ? La cassette, je veux dire.

Krantz eut un petit rire découragé.

— Vous ne communiquez pas entre vous ?

— Comment cela ?

— Demande à Grens.

— Ewert ?

— Il la voulait. Je la lui ai passée dès qu'on a eu fini de l'examiner. A la morgue.

Sven Sundkvist respira lourdement. La douleur dans le ventre, l'irritation, la colère.

Il quitta son bureau, passa devant quatre portes, frappa à celle d'Ewert Grens.

Il savait qu'Ewert était en train d'interroger Alena Sliousareva. Il tourna la poignée. Ce n'était pas fermé à clé.

Il entra, jeta un coup d'œil autour de lui. La situation lui déplut ; il cherchait un scellé, mais il était là en intrus. Il n'avait rien à faire dans cette pièce, il ne s'était jamais trouvé seul dans le bureau d'Ewert. Pas plus que ses collègues.

Il la vit au bout de quelques secondes. Sur l'étagère derrière le fauteuil d'Ewert, à côté des vieilles cassettes emplissant la pièce de la voix de Siw Malmkvist. L'étiquette au dos, avec les caractères cyrilliques qu'il était incapable de déchiffrer.

Il enfila des gants en latex, prit la cassette, la soupesa, l'air indécis. Grajauskas avait soigneusement planifié ses dernières heures. Elle avait marché vers la mort sans la moindre hésitation et il y avait une raison à chacun de ses gestes. Sven Sundkvist retourna la cassette, caressa le boîtier lisse. Cet objet ne s'était pas trouvé là par hasard. Elle avait poursuivi un but. Elle avait voulu leur montrer quelque chose.

Il referma la porte derrière lui, parcourut le couloir jusqu'à la salle de réunion. Au bout de la table, il y avait un magnétoscope.

Il y introduisit la cassette.

Il s'assit sur la chaise qu'avait occupée Ewert Grens la veille au soir.

Mais ce qu'il vit était différent.

Jonas, son fils, appelait cela la guerre des fourmis. Un bourdonnement assez fort, mais aucune image. A part un scintillement argenté.

Une cassette vidéo censée ne pas exister, ne figurant sur aucun procès-verbal. Une bande sans images. Cette douleur dans le ventre : ce qui n'avait été qu'un vague malaise était maintenant une franche colère.

Qu'est-ce que tu fabriques, Ewert ?

Alena Sliousareva était montée à bord et le ferry avait quitté le port. Naviguant maintenant entre les îles de l'archipel côtier, il se dirigeait vers la haute mer. Alena allait traverser la Baltique, jusqu'à la Lituanie et Klaipeda. Moins de vingt-quatre heures plus tard, elle allait mettre pied à terre pour ne plus jamais revenir.

Ewert Grens attendait un taxi qui n'arrivait pas. Il jura, appela de nouveau, exigea qu'on lui explique pourquoi. La standardiste s'excusa ; elle ne trouvait pas trace de l'appel, ses listings ne comprenaient aucun Grens ayant demandé une voiture pour se rendre à l'hôtel de police de Bergsgatan. Mais elle promit de faire le nécessaire. Grens jura de nouveau, parla de clowns et de désorganisation, voulut connaître le nom de la jeune femme, haussa le ton. Au bout d'un moment, une voiture finit par arriver et il s'installa sur la banquette arrière.

Il contempla l'étendue d'eau, devina la maison qui se dressait de l'autre côté de la baie.

Quelque chose coulait de sa tête.

Adossé à la voiture, je la tenais dans mes bras et ça coulait de ses oreilles, de son nez, de sa bouche.

Elle lui manquait.

Elle lui manquait tellement. Depuis plusieurs années, il ne l'avait pas ressenti aussi fort. Il était incapable d'attendre lundi matin. Il n'avait qu'une envie : traverser le pont de Lidingö, passer devant Millesgården, s'arrêter sur le parking désert et se précipiter à l'intérieur pour être là avec elle. Juste être là, tous les deux.

Mais elle n'existait pas.

La femme qui lui manquait n'existait plus depuis vingt-cinq ans.

Tu me l'as volée, Lang.

La circulation était dense et le taxi n'avançait pas. Il mit une demi-heure à gagner Kronoberg. Quand il régla la course, il avait largement eu le temps de se calmer. Il faisait plus chaud. La veille, la pluie incessante avait refroidi toute ébauche de chaleur estivale. Maintenant, l'été pointait de nouveau son nez ; le soleil apparaissait et le vent était tombé. Décidément, il ne comprenait rien à ce temps.

Grens pénétra dans son bureau et alluma le lecteur de cassettes. La voix de Siw Malmkvist dans le haut-parleur monophonique. Ils chantèrent en chœur tous les deux : *Le Fromage du bonheur*, 1968 (titre original : *Hello Mary Lou*). Il prit le dossier posé devant lui. L'enquête concernant Jochum Lang.

Il savait que les photos s'y trouvaient.

Il les examina les unes après les autres. Un mort, par terre. Elles étaient mal cadrées, pleines de grain, insuffisamment éclairées, plus ou moins floues. Krantz et ses collègues étaient des techniciens hors pair, mais de piètres photographes. Il soupira, choisit trois photos à peu près correctes et les glissa dans une enveloppe.

Deux coups de fil, et il serait prêt.

Il appela d'abord Lisa Öhrström. Elle répondit dans un des couloirs de l'hôpital. Sa voix lui parut stressée. Il annonça laconiquement qu'il viendrait la voir avec Sven Sundkvist pour lui montrer d'autres photos. Elle protesta : elle était occupée et n'avait aucune envie de regarder des corps mutilés en noir et blanc. Ewert Grens lui fit part de son plaisir de la revoir. Puis il raccrocha.

Le second coup de fil fut pour le parquet. Plus précisément pour Ågestam. Grens lui expliqua qu'une femme médecin du nom de Lisa Öhrström était décidée à témoigner contre Jochum Lang. Elle l'avait désigné comme étant responsable du meurtre d'un des patients du service où elle travaillait. Ågestam voulut en savoir davantage, mais Grens coupa court. Demain, quand ils se verraient, il lui donnerait d'autres éléments. Aussi bien sur l'affaire Grajauskas que sur l'affaire Lang.

Siw chantait toujours. Esquissant un pas de danse, Ewert bougea avec légèreté dans la pièce. *Maman ressemble à sa maman*, 1968 (titre original : *Sadie the cleaning lady*).

Peu de gens remarquèrent la voiture. Ni spécialement grande, ni spécialement neuve, elle s'arrêta devant Völundsgatan 3. Le conducteur ouvrit la portière avant. Deux jeunes filles étaient assises à l'arrière. Seize ou dix-sept ans, mignonnes, elles regardèrent autour d'elles avec curiosité.

Un père et ses deux filles, probablement.

L'homme ouvrit la portière arrière. Les filles descendirent, levèrent les yeux vers la façade où s'alignaient des fenêtres identiques. Elles ne devaient pas habiter l'immeuble ; manifestement, elles le voyaient pour la première fois.

Sans doute allaient-elles rendre visite à quelqu'un.

Le conducteur ferma les portières. Ensemble, ils se dirigèrent vers l'entrée. La main sur la poignée de la porte, l'homme se retourna. Il dit quelques mots, et une des filles fondit en larmes. L'autre la serra dans ses bras, lui caressa la joue en la soutenant.

L'homme continua de parler. Quand ils pénétrèrent dans le hall, la jeune fille pleurait toujours. Les rares passants qui avaient prêté attention au petit groupe ne purent comprendre les paroles de l'homme. Il parlait une langue étrangère. Quand il expliqua à la jeune fille qu'elle avait maintenant des dettes et qu'il allait lui ouvrir le sexe pour l'étrenner jusqu'à la faire saigner, il n'y eut donc personne pour s'en rendre compte.

Sven Sundkvist quitta la salle de réunion, la cassette vierge à la main. Il s'arrêta à la machine à café et se servit un café avec beaucoup de lait ; la colère lui nouait l'estomac et il devait faire attention. Mais il fallait bien se donner du courage.

Il n'y avait pas la moindre image. Sven était persuadé que Grajauskas n'avait pas voulu cela. Elle avait tout planifié, tout contrôlé. Il savait que cette bande correspondait à un but précis.

Il retourna dans son bureau, rappela Nils Krantz. Krantz répondit immédiatement. Toujours dans l'appartement de Regeringsgatan, il était occupé et se montra énervé.

— Encore cette histoire de cassette ?

— Je voudrais savoir si c'était une cassette neuve ?

— Neuve ?

— Elle était vierge ?

— Non.

— A quoi peut-on le savoir ?

— Je le sais parce qu'il y avait de la poussière dessus quand je l'ai sortie du boîtier. Je le sais parce qu'on avait retiré la languette de protection. Pour être sûr de ne pas effacer l'enregistrement.

Sundkvist dirigea sa lampe de bureau vers la cassette

qu'il tenait toujours à la main. Celle-ci était neuve, il n'y avait aucun doute. Elle brillait. Pas le moindre grain de poussière. Et la languette de protection était intacte. Il reprit le combiné.

— J'arrive.

— Plus tard. Je n'ai pas le temps.

— Je veux que tu examines encore cette cassette. C'est important. Il y a quelque chose qui cloche.

Lars Ågestam se demanda s'il fallait rire ou pleurer. Ewert Grens venait de lui annoncer de nouveaux éléments sur la mort de Lydia Grajauskas, sur celle de Bengt Nordwall et sur celle de Hilding Oldéus. Sur Alena Sliousareva et sur Jochum Lang. Sur deux drames reliés par le seul fait de s'être déroulés en même temps et dans le même lieu. Il s'était passé près d'un an depuis leur première collaboration. A l'époque, Ågestam était le plus jeune des procureurs. Il avait espéré une belle affaire et il avait été servi : un père venait de tuer le meurtrier de sa fille. On l'avait chargé de l'instruction et le commissaire Ewert Grens était censé enquêter sous ses ordres. Ewert Grens, dont il avait entendu parler, qu'il admirait à distance et avec qui il devait maintenant travailler.

Leur collaboration avait tourné à la catastrophe.

On aurait dit que Grens avait décidé dès le départ que ça ne collerait pas entre eux. Refusant toute réflexion commune, il n'avait pas fait le moindre effort pour être aimable. Pas même pour les besoins de l'enquête.

Lars Ågestam prit le parti d'en rire. C'était plus simple. Voilà qu'il allait de nouveau travailler avec

Grens. Sur deux enquêtes. Et s'il riait au lieu de pleurer, la raison en était qu'on avait décidé en haut lieu que leur première collaboration avait été un succès. Ils avaient obtenu des résultats et on avait donc reformé leur tandem.

Collaboration, mon œil !

Le corps mince d'Ågestam était secoué de spasmes. Riant aux larmes, il ôta sa veste, mit ses pieds aux chaussures impeccablement cirées sur la table et ébouriffa ses cheveux.

Collaboration, mon œil !

Sur le trottoir de Regeringsgatan, Sven Sundkvist contemplait le ciel qui aurait dû être bleu. Et le ciel gris et morne le contemplait à son tour. La pluie n'allait pas tarder à revenir. Sven était là depuis un moment. Il devait retourner à l'hôtel de police, mais il n'était pas certain d'en avoir le courage. Une fois là-bas, il ne pourrait pas faire autrement que de continuer ses investigations. Cela le déchirait, le rendait furieux. Stressé et énervé, Nils Krantz avait interrompu ses fouilles dans le luxueux appartement pour jeter un œil sur la cassette. Deux secondes lui avaient suffi pour constater que ce n'était pas celle qu'il avait examinée la veille. Sven s'en était douté, mais il avait espéré s'être trompé. Comme on espère parfois que les choses n'existent pas.

Maintenant il savait. Ou plutôt, il ne savait rien du tout.

L'Ewert Grens qu'il connaissait et admirait n'escamotait pas des pièces à conviction.

L'Ewert Grens qu'il connaissait pouvait être une peau de vache. Mais il était droit et honnête.

Le ciel s'obstinait toujours à le contempler lorsque son téléphone sonna. C'était Ewert. Sven prit une profonde inspiration. Il n'était pas sûr d'être prêt. Alors il écouta. Ils devaient retourner à l'hôpital Söder. Pour voir Lisa Öhrström. Ewert voulait lui montrer d'autres photos. Surtout, que Sven ne bouge pas : Ewert passerait le prendre d'ici quelques minutes.

Assis sur le siège du passager, Sven Sundkvist évita le regard de son chef. Plus tard, en temps voulu, il l'affronterait, il le savait. Mais pas tout de suite. Pour l'instant, il fixait des yeux les voitures anonymes qui avançaient lentement sur Skeppsbron, vers Slussen et Södermalm. Sven pensait à la femme qu'ils allaient bientôt revoir. Il était toujours aussi énervé. La confrontation avait été un fiasco ; Lisa Öhrström s'était obstinée à nier contre toute évidence. Bien sûr, on l'avait menacée ; il comprenait sa peur. Mais il y avait autre chose. Elle aussi connaissait la honte, cette honte qu'il avait essayé de décrire à Ewert. Il l'avait compris au moment de l'interroger : la mort de Hilding Oldéus l'avait plongée dans la douleur, mais elle éprouvait aussi une sorte de colère, de haine contre ce petit frère qui, indirectement, avait fini par se suicider à coups de drogues.

Elle n'avait rien pu faire pour l'en empêcher. C'était cela, sa honte. Au-delà des menaces et de la peur, cela lui donnait une raison supplémentaire de ne pas reconnaître Lang.

Il en était sûr : elle était de ceux qui se reprochaient d'avoir échoué. De ceux qui avaient le sentiment de ne jamais en faire assez. C'était sans doute à cause de Hilding qu'elle avait fait des études de médecine. En tant que parente, elle devait soulager et aider, soulager et aider.

Et maintenant il était mort, malgré son aide.

Maintenant, sa honte était éternelle.

Jamais elle ne pourrait s'en libérer.

Elle était assise dans la cage en verre de l'infirmière en chef. Pâle, le regard fatigué. Le chagrin et la peur avaient détruit ses forces ; ces horreurs vous dévorent de l'intérieur. Quand ils entrèrent, elle ne les salua même pas, se contentant de les dévisager avec quelque chose qui ressemblait à du dégoût.

Ewert n'y prêta pas attention. Ou alors il n'avait rien remarqué. Il lui rappela leur dernière conversation, les photos des trois doigts brisés valant sept mille couronnes. Elle se détourna. Par défi ou par découragement ? D'un ton sec, Ewert lui intima l'ordre de leur faire face. Il allait lui montrer d'autres images.

Elle mit un certain temps à détacher son regard du mur, à le diriger vers la photo en noir en blanc posée devant elle.

— Que voyez-vous ?

— Je ne comprends toujours pas à quoi vous jouez.

— Je suis curieux, c'est tout. Que voyez-vous ?

Levant les yeux vers Ewert Grens, Lisa Öhrström secoua légèrement la tête. Elle prit la photo, y promena son doigt. Le papier était rugueux, bizarre.

— Une fracture. Du bras gauche.

— Trente mille couronnes.

— Pardon ?

— Les photos que je vous ai faxées tout à l'heure. Vous vous en souvenez ? Trois doigts brisés. Le pouce, cinq mille couronnes. Les deux autres, mille couronnes chacun. Je vous ai dit que c'était Lang. Sa signature, son tarif. Que le malheureux devait sept mille couronnes. Je vous ai menti. C'était trente-sept mille. Un bras, c'est trente mille.

Sven Sundkvist était assis derrière Grens. Il avait honte. C'est de la torture, Ewert, pensa-t-il. Je sais ce que tu cherches à obtenir, je sais qu'on a besoin de son témoignage, mais là, tu vas trop loin.

— J'en ai une autre.

Une deuxième photo en noir et blanc. Une personne nue sur une civière. Un corps. Photographié en plongée, légèrement de biais, avec un éclairage insuffisant. Malgré cela, on le distinguait bien.

— Vous ne dites rien. Alors je vais vous aider. C'est un cadavre. Le bras que vous venez de regarder appartient à ce cadavre. Vous voyez ? Les doigts sont là, au bout du bras. Je vous ai encore menti. Ce type ne devait pas trente-sept mille couronnes. Il devait cent trente-sept mille couronnes. Un meurtre, c'est cent mille couronnes. Celui-ci a remboursé sa dette. Cent trente-sept mille couronnes.

Lisa Öhrström serra les mâchoires. Elle ne dit rien, ne bougea pas, se mordit les lèvres pour ne pas crier. Sven la regarda. Il regarda Ewert. Ça va marcher. Tu es sur le point de réussir. Mais tu es allé trop loin. Tu la fais souffrir. Tu vas encore la faire souffrir. Pourtant, je ne te condamne pas. J'ai honte pour toi, à cause de toi, mais je ne te condamne pas. Tu es le policier le plus droit que j'aie jamais rencontré. Tu as besoin de son témoignage et tu l'auras. Je devrais te seconder, me réjouir de la voir acculée. Mais il y a l'autre affaire. L'affaire Grajauskas. Qu'est-ce que tu fabriques, Ewert ? J'ai vu Krantz. C'est pour cela que je n'arrive pas à me concentrer. C'est pour cela que j'évite ton regard. C'est pour cela que je voudrais me coucher sur cette table et hurler jusqu'à ce que tu m'écoutes. Krantz m'a confirmé ce que je savais déjà. Que ce n'était pas la même bande. Pas la même bande, Ewert !

Ewert Grens s'étira. Il attendait la reddition de Lisa Öhrström. Il n'était pas pressé.

— Au fait, j'ai encore quelques photos.

La réponse de Lisa Öhrström fut à peine audible.

— J'ai compris.

— Parfait. Dans ce cas, vous allez certainement trouver ces photos très intéressantes.

— Je ne veux pas les voir. Et il y a quelque chose qui m'échappe. Si ce que vous affirmez est vrai, si tout cela est l'œuvre de Lang, son « tarif », comme vous dites, comment se fait-il qu'il ne soit pas derrière les verrous ?

— Comment cela se fait ? Vous êtes bien placée pour le savoir. Vous avez reçu des menaces, n'est-ce pas ? Vous savez donc comment il travaille.

C'était dans la cuisine. Il avait brandi les photos de Sanna et Jonathan. Elle sentit de nouveau cette douleur dans la poitrine. Et son corps qui n'avait cessé de trembler.

Grens posa une enveloppe sur la table. Il l'ouvrit, lui mit une photo sous les yeux. Une deuxième main. Cinq doigts fracturés. Pas besoin d'être médecin pour s'en rendre compte.

Elle se tut. Il ne dit rien, prit une deuxième photo, la posa à côté de la première. Une rotule brisée.

— On dirait un puzzle, n'est-ce pas ? Cette main, ce genou, ils appartiennent à la même personne. Mais là, ce n'était pas une question d'argent. C'était une question de respect.

Ewert Grens souleva les photos, les lui colla devant le visage.

— Il ne faut jamais couper de l'amphétamine yougoslave avec du détergent.

Sans lâcher les deux photos, il en sortit une troisième de l'enveloppe.

Elle montrait un homme qui venait de mourir. A côté de lui, un fauteuil roulant baignait dans le sang qui coulait de sa tête.

Elle la regarda, puis elle se détourna vivement. Elle pleurait.

— C'est ce qu'avait fait ce type. Au fait, il s'appelait Hilding Oldéus.

Sven Sundkvist avait pris sa décision pendant le trajet du retour. Il attendrait, ne dirait rien. Une fois arrivé à l'hôtel de police, il regagnerait son bureau, refermerait la porte derrière lui et n'en sortirait qu'après avoir trouvé.

Il regarda la pile de transcriptions d'interrogatoires.

Il savait bien que c'était quelque part là-dedans.

Il les relut. Lentement. Pas question de passer à côté.

Un quart d'heure lui suffit pour découvrir ce qu'il cherchait.

Il commença par l'interrogatoire de l'étudiante. Un

interrogatoire assez court ; elle était encore sous le choc, il lui faudrait du temps pour comprendre. Il continua avec celui du médecin, le Dr Gustaf Ejder. Il était nettement plus long. Ejder se défendait contre la peur en raisonnant avec logique. Tant qu'il pouvait faire appel à son intellect, il était à l'abri. Sundkvist avait déjà vu des comportements analogues : à chacun sa méthode pour ne pas céder à la panique. Grâce à son attitude, Ejder était un témoin précieux, capable de décrire avec précision les moindres détails pour amener son interlocuteur à partager son expérience, à être là avec lui, pieds et poings liés, dans la morgue de l'hôpital.

Cela lui sauta aux yeux au milieu de l'interrogatoire.

La question portait sur le sac en plastique, celui où elle avait caché son arme. Ejder mentionna soudain une cassette vidéo.

Sven Sundkvist suivit le texte avec le doigt, relut chaque mot.

Ejder avait aperçu la cassette quand Lydia Grajauskas avait ouvert le sac pour en sortir les explosifs. C'était au tout début ; il avait essayé d'établir un contact avec elle, de gagner sa confiance pour tenter de calmer les autres. Elle avait rechigné à répondre à sa question, mais il ne s'était pas démonté. A la fin, elle lui avait donné une explication dans son anglais rudimentaire.

Elle avait dit que la cassette était *truth*. Il avait demandé de quelle vérité elle parlait, et elle avait répété le mot trois fois. *Truth. Truth. Truth.* Puis elle s'était tue, baissant les yeux pour pétrir la pâte des explosifs, avant de se tourner de nouveau vers lui.

Two cassettes.

In box station train.

Twenty-one.

Elle lui avait montré deux fois ses dix doigts, suivis du seul pouce.

Twenty-one.

Gustaf Ejder se rappelait chaque mot. Il était certain de rendre fidèlement ce qu'elle avait dit. Elle avait parlé si peu, avec tant d'hésitation ; c'était facile de s'en souvenir.

La vérité. Deux cassettes. Dans casier gare train. Vingt et un.

Sven Sundkvist revint en arrière, relut encore une fois le passage.

Dans casier gare train. Vingt et un.

Il en était sûr. Il existait une autre cassette. Casier vingt et un à la gare centrale. Une cassette dont on avait ôté la languette de protection, et qui contenait autre chose que du scintillement argenté.

Il repoussa la pile de dossiers, se leva. Dans quelques minutes, il y serait.

Il lui avait collé les photos sous les yeux.

Lisa Öhrström était incapable de haïr. Elle ne savait pas ce que c'était, pas plus qu'elle ne savait ce que c'était d'aimer. Pour elle, il s'agissait des deux visages d'un même sentiment et elle avait fait une croix dessus : si elle ne pouvait pas éprouver l'un, elle ne pourrait pas non plus éprouver l'autre. Mais ce policier, elle le haïssait. Etait-ce à cause de tout ce qui s'était passé depuis hier ? Son deuil de Hilding, qui n'était pas vraiment un deuil. Sa peur pour Jonathan et Sanna, qui n'était pas vraiment une peur. Comme si tout ce qu'elle avait réprimé pendant trente-cinq ans remontait soudain à la surface. Enferme-toi à double tour, cache-toi derrière ta honte, ne cherche surtout pas à te connaître ! Elle ne savait même pas à quoi cela pouvait ressembler ; elle n'avait jamais connu des sentiments aussi violents, aussi âpres, aussi imparables.

Et puis un policier boiteux vous mettait le nez dedans.

Elle avait tout de suite reconnu Hilding. Elle s'était levée d'un bond pour lui arracher les photos des mains, elle les avait déchirées et avait jeté les morceaux contre la paroi en verre.

Elle savait où aller. Elle courut à travers les couloirs, jusqu'à la sortie de l'hôpital. Il lui restait encore plusieurs heures avant la fin de son service, mais pour la première fois de sa vie elle n'en avait rien à faire. Elle traversa le parking, le jardin de Tantolunden, les rails du chemin de fer. Elle n'eut même pas peur des chiens errants, surexcités par sa panique. Elle longea les immeubles de Zinkendamm, parcourut Hornsgatan et s'arrêta à l'ombre de l'église de Högalid.

Elle n'était pas fatiguée, ne sentait pas la transpiration qui lui coulait sur le front et sur les joues. Elle resta immobile un petit moment, le temps de se sentir prête. Puis elle traversa la pelouse et descendit jusqu'à la maison qu'elle considérait presque comme la sienne.

On avait changé la porte de l'appartement du sixième étage de Völundsgatan 3. L'immense trou avait disparu, jamais on n'aurait deviné que la police y avait pénétré quelque jours plus tôt pour mettre fin à un cas de maltraitance grave : trente-cinq coups de fouet sur le dos d'une femme nue.

Les deux jeunes filles, seize ou dix-sept ans, se tenaient derrière un homme qui aurait pu être leur père, attendant qu'il ouvre la porte. En pénétrant dans l'entrée, elles virent la serrure électronique sans comprendre ce que c'était. L'homme referma la porte. De nouveau, il leur montra leurs passeports, leur expliquant que les papiers, ça coûtait cher, qu'elles avaient des dettes et qu'elles devaient travailler pour les rembourser. D'ailleurs, les premiers clients arriveraient dans deux heures environ.

Celle qui avait fondu en larmes pleurait toujours. Elle protesta devant cet homme qui, quelques jours plus tôt, s'était fait traiter de « salopard de mac de Dimitri » par deux autres jeunes femmes. Il braqua un pistolet sur sa tempe. Un instant, elle crut qu'il allait appuyer sur la détente.

Il leur ordonna de se déshabiller. Il devait les essayer. C'était important ; il fallait qu'elles apprennent à satisfaire un homme.

Lisa Öhrström avait chaud. Elle avait quitté l'hôpital en courant et ne s'était pas arrêtée avant d'apercevoir la maison d'Ylva, dans Högalidsgatan.

Elle s'était trompée. Elle savait aimer. Non pas un homme, mais son neveu et sa nièce, oui. Elle les aimait plus qu'elle-même. Elle avait tardé à aller les voir ; alors qu'elle leur rendait visite tous les jours, elle n'avait pas trouvé la force de leur annoncer que leur oncle était mort. Qu'il s'était fracassé le crâne contre un mur vingt-quatre heures plus tôt.

Ils avaient adoré leur oncle. Pour eux, ce n'était pas un junkie. Leur Hilding était différent : fraîchement libéré, les joues pleines, d'un calme qui disparaissait au bout de quelques jours quand le monde devenait trop angoissant, quand il devait de nouveau chasser tout ce qu'il ne supportait pas. Ils n'avaient jamais connu le toxicomane, ne l'avaient jamais vu se transformer. Il existait pour eux pendant quelques jours, puis il disparaissait avant de devenir un autre.

Maintenant elle allait le leur dire. Ils n'allaient pas apprendre cela en regardant une photo en noir et blanc qu'on leur collerait sous le nez.

Elle tenait la main d'Ylva. Dans l'entrée, Ylva l'avait prise dans ses bras. Maintenant elles étaient assises sur le canapé du petit séjour. Elles ressentaient la même chose. Non pas du chagrin, plutôt une sorte de soulagement : elles savaient où il était, où il n'était pas. Elles n'étaient pas sûres d'avoir le droit de penser ainsi, mais les sentiments interdits devenaient moins lourds quand on les partageait.

Jonathan et Sanna étaient assis en face d'elles. Ils avaient déjà compris qu'il se passait quelque chose d'inhabituel. Elle n'avait pas encore parlé, mais ils s'apprêtaient à l'écouter. Sa façon de refermer la porte, de leur dire « salut », de traverser l'entrée : ils savaient que ce ne serait pas une journée ordinaire.

Elle se demanda par où commencer. Elle n'eut pas le temps d'y réfléchir.

— Qu'est-ce qu'il y a ?

Sanna avait douze ans. Plus une gamine, pas tout à fait une jeune fille. Elle répéta sa question en regardant les deux femmes adultes en qui elle avait confiance.

— Qu'est-ce qu'il y a ? Je vois bien qu'il y a quelque chose.

Lisa se pencha en avant, posa une main sur son genou et l'autre sur celui de Jonathan. Il était encore petit ; de ses doigts, elle pouvait lui entourer la jambe.

— Tu as raison. Il y a quelque chose. Il s'agit d'oncle Hilding.

— Il est mort.

Sanna n'avait pas hésité. Comme si elle avait déjà formulé sa phrase avant de la prononcer.

Lisa leur serra plus fort les genoux. Elle fit oui de la tête.

— Il est mort hier. A l'hôpital. Dans mon service.

Jonathan, avec ses six ans, regarda sa maman qui pleurait, Lisa qui pleurait. Il ne comprenait pas. Pas encore.

— Oncle Hilding n'était pas vieux. Il était quand même assez vieux pour mourir ?

— Ce que tu es bête. C'est la drogue qui l'a tué. Tu ne comprends pas ?

Sanna regarda son petit frère, lui jeta à la figure les pensées qu'elle n'avait plus la force de garder pour elle.

Lisa caressa la joue de sa nièce.

— Ne dis pas ça.

— C'est pourtant vrai.

— Non. C'était un accident. Il est mort dans un escalier. Son fauteuil roulant a dérapé. Alors ne dis pas ça.

— Ce n'est pas la peine de me raconter des histoires.

Je sais qu'il se droguait. Je sais que c'est pour ça qu'il est mort. Je le sais. Ça ne sert à rien de faire semblant.

Jonathan écouta. Il n'était pas d'accord. Il se leva d'un bond, en larmes. Son oncle n'était pas mort, ce n'était pas vrai.

— C'est ta faute !

Il se précipita dehors, traversa la cour intérieure en courant, ses pieds nus contre les dalles en béton, criant sans cesse.

— C'est ta faute ! Tu es bête ! Si tu dis ça, c'est que c'est ta faute !

L'après-midi touchait à sa fin. Voyant Ewert Grens pénétrer dans son bureau sans frapper, Lars Ågestam leva la tête avec surprise. Il constata que Grens n'avait pas changé : toujours aussi imposant, les cheveux clairsemés, la jambe raide.

— On devait se voir demain.

— Je préfère qu'on se voie maintenant. J'ai des éléments nouveaux.

— Oui ?

— Sur les meurtres. Sur les affaires de l'hôpital Söder. Les deux.

Sans attendre l'invitation d'Ågestam, il s'empara d'une chaise posée près de la porte, la débarrassa sans ménagement des dossiers qui l'encombraient et s'assit face au procureur. Après tout, ce jeune homme n'était qu'un gandin de plus parmi ceux qu'il avait croisés pendant sa longue carrière.

— Commençons par Alena Sliousareva. L'autre jeune Balte. Elle est à bord d'un ferry. En route vers son

pays. Je l'ai interrogée. Elle ne sait rien. Bengt Nordwall lui était totalement inconnu. Elle ignore comment
Grajauskas s'est procuré une arme et des explosifs. Elle
n'a jamais entendu parler d'un projet de prise d'otages.
Alors je l'ai aidée à rentrer chez elle. A Klaipeda, en
Lituanie. C'est mieux pour elle. Et pour nous, c'est
aussi bien.

— Vous l'avez renvoyée chez elle ?

— Vous y voyez une objection ?

— Vous auriez dû m'en parler. Nous aurions pu en
discuter. Et si nous étions arrivés à la conclusion qu'il
fallait la laisser partir, j'en aurais pris la décision.

Ewert Grens regarda le jeune homme avec dégoût. Il
avait envie de pousser un juron. Mais il s'abstint.

Il venait de déposer un mensonge sur le bureau d'un
procureur.

Pour une fois, il choisit de ravaler sa colère.

— Vous avez terminé ?

— En somme, vous venez de renvoyer chez elle une
personne susceptible d'être inculpée d'association de
malfaiteurs, d'infraction aux lois sur les armes et de
complicité de prise d'otages.

Lars Ågestam haussa les épaules.

— Mais bon. Puisque vous dites qu'elle n'y est pour
rien. Et si elle est déjà partie…

Grens lutta contre le mépris qu'il éprouvait pour le
jeune homme. Il n'y pouvait rien : les gens ayant pour
tout bagage leurs études universitaires lui étaient
insupportables.

— Jochum Lang, en revanche…

— Oui ?

— Il est temps de le coffrer.

Ågestam fit un geste vers la pile de documents que Grens venait de poser par terre.

— Tout est là, Grens. Tous les interrogatoires. Il n'y a rien. Je ne pourrai pas le garder plus longtemps.

— Si, vous pouvez.

— Non.

— Vous pouvez même le mettre en examen pour le meurtre de Hilding Oldéus. Quelqu'un l'a identifié.

— Qui ?

Lars Ågestam était maigre, il portait des lunettes rondes et sa mèche lui tombait sur les yeux. Il avait trente ans, mais quand il se penchait en avant pour poser une question il ressemblait à un petit garçon.

— Lisa Öhrström. Elle est médecin. Elle travaille dans le service où Oldéus était hospitalisé. Et par ailleurs elle est sa sœur.

Ågestam se tut. Il repoussa son fauteuil, se redressa, dévisagea Grens.

— D'après le rapport que m'a transmis votre collègue Sven Sundkvist, la confrontation s'est mal passée. Et l'avocat de Lang ne cesse de me harceler. Il exige que je relâche son client, puisque personne n'a pu l'identifier.

— Vous n'entendez pas ce que je vous dis ? Votre témoignage, vous l'avez. Je vous l'apporterai demain matin.

Lars Ågestam s'assit de nouveau, approcha son fauteuil de son bureau. Il leva les bras. Comme au cinéma, devant une menace.

— Je me rends, Grens. Expliquez-moi ce qui se passe.

— Demain, vous aurez votre témoignage. Il n'y a rien à expliquer.

Ne bougeant pas, Ågestam essaya de comprendre ce qu'il venait d'entendre.

Il instruisait deux affaires sur lesquelles Grens enquêtait. Deux affaires qui n'avaient rien en commun, mais qui s'étaient déroulées en même temps et dans le même lieu.

Les réponses qu'on lui fournissait étaient trop simples. Sliousareva déjà en route vers la Lituanie, Lang identifié : il aurait dû être satisfait, son enquêteur venait de lui dire qu'il avait tout sous contrôle. Mais quelque chose n'allait pas.

— Les journalistes. Ils insistent.

— Envoyez-les paître.

— On me pose des questions sur le mobile de Grajauskas. Pourquoi une prostituée a-t-elle tué un policier avant de se suicider ? Et tout cela dans une morgue. Je n'ai pas de réponse. J'en veux une.

— Nous n'en avons pas encore. L'enquête continue.

— C'est là le problème, Grens. Je ne comprends pas. Si vous n'avez aucun mobile, pourquoi avez-vous laissé partir Alena Sliousareva ? La seule personne qui pourrait savoir quelque chose.

Ewert Grens sentit monter la colère que lui inspiraient toujours ces jeunes procureurs. Il s'apprêtait à élever la voix, mais il y renonça : il était dépositaire du mensonge de Bengt. Pour une fois, il devait avancer avec prudence. Quand il parla, ce fut à voix basse, presque dans un sifflement.

— Vous me soumettez à un interrogatoire ?

— J'ai relu la transcription de vos échanges par talkie-walkie juste avant les coups de feu.

Ågestam avait fait semblant de ne pas remarquer le ton acerbe de Grens. Evitant de le regarder, il fouilla dans les papiers posés sur son bureau. Il savait exactement ce qu'il cherchait : extrayant un feuillet de la pile, il laissa glisser son doigt jusqu'au milieu de la page et lut à haute voix.

— C'est vous qui parlez, Grens. Vous criez même. Je cite : *Tout ça, c'est une histoire personnelle ! Bengt, tu sors de là ! Arrête, Bengt ! Assaut immédiat ! Je répète : assaut immédiat !*

Ågestam leva les yeux vers Grens, écarta ses bras maigres.

— Fin de citation.

Le téléphone se mit soudain à sonner. Ils le regardèrent tous les deux, comptèrent sept sonneries. Puis l'appareil se tut, laissant la place à la voix de Grens.

— C'est facile pour vous de me citer. Vous n'y étiez pas. Sur le coup, j'ai eu ce sentiment. Qu'il y avait quelque chose de personnel. Et je pense toujours que c'est possible. Même si je ne sais pas de quoi il s'agit.

Lars Ågestam essaya de capter le regard de Grens. Il y parvint pendant un instant, puis il se tourna vers la fenêtre et contempla la vue de cette ville qui ne se reposait jamais, trop grande pour se laisser embrasser du regard.

Il hésita.

Ce sentiment étrange, ces pensées qui l'assaillaient. Il savait que cela pouvait paraître comme une accusation informulée contre un des hommes les plus puissants de l'hôtel de police. S'il ne disait rien ? Mais il le fallait. Il ne pouvait pas se taire. Il se retourna, le regarda de nouveau.

— Ainsi, vous n'avez… rien ? Ce n'est pas quelque chose de concret, juste un sentiment, mais franchement, Ewert – je crois bien que c'est la première fois que je vous appelle par votre prénom –, franchement, Ewert, vous êtes bien conscient de ce que vous faites ? Je veux dire, vous enquêtez sur votre meilleur ami. Sur la mort de votre meilleur ami. Je comprends que ce soit dur. Et je me pose des questions. Je ne sais pas si c'est bien. Votre deuil ; vous étiez proche de lui, ça doit vous perturber.

Ågestam prit une profonde inspiration, puis il se lança :

— Je veux dire… vous ne souhaiteriez pas être remplacé ?

Ewert Grens se leva vivement, se dirigea déjà vers la sortie.

— Vous êtes là derrière votre bureau, plongé dans vos papiers ! Je vais vous dire une chose, espèce de petit arriviste : j'enquêtais sur des crimes, de vrais crimes, alors que votre maman n'avait pas encore soulevé ses jupes devant votre papa. Et je continue de le faire.

Grens montra la porte du doigt.

— Maintenant j'y retourne. M'occuper des putes et des gens qui font du recouvrement pour la mafia. Vous aviez autre chose à me dire ?

Lars Ågestam secoua la tête, le vit s'en aller, poussa un soupir.

Il savait qu'Ewert Grens ne ratait jamais une affaire. Il n'était pas du genre à faire des erreurs. C'était comme ça ; ensuite, on pouvait dire ce qu'on voulait de lui et de son incapacité à communiquer avec les gens.

Ågestam avait confiance en lui.

Il décida de continuer à lui accorder sa confiance.

Petit à petit, la nuit avait chassé les banliusards qui faisaient la navette entre leur domicile et leur travail. La gare centrale de Stockholm était en train de retrouver le silence, de recharger ses forces pour le lendemain, quand les salariés se déverseraient de nouveau sur les quais.

Assis sur un banc, Sven Sundkvist regardait distraitement le tableau des départs et des arrivées. Une demi-heure plus tôt, il avait traversé la salle des pas perdus jusqu'à la consigne. Le 21 était tout en bas d'une colonne, au milieu d'une longue rangée de casiers fermés. Il connaissait bien ces casiers destinés aux touristes, mais qui servaient surtout aux SDF ou aux criminels ayant besoin d'un endroit pour planquer des drogues, des armes ou des objets volés. Il était resté un moment sans bouger, tâtant la porte du casier, se demandant s'il ne ferait pas mieux de laisser tomber. S'il ne ferait pas mieux d'oublier ce qu'il avait découvert en relisant les interrogatoires.

Personne d'autre ne les relirait.

Il pourrait rentrer chez lui, retrouver Anita et Jonas.

Personne ne se poserait de questions.

Rentrer chez lui, oublier cette merde.

Il ne s'en était pas allé. Il avait de nouveau senti monter sa colère. La douleur dans le ventre. Elle était

351

bien réelle, maintenant. Il avait pensé à ce que Krantz lui avait dit. Le technicien avait été sûr de son fait.

La cassette avait servi. On avait ôté la languette de protection. Et maintenant elle était introuvable.

Tu risques de foutre en l'air trente-cinq ans de carrière. Je ne comprends pas.

C'est pour ça que je suis là. Devant un casier de consigne de la gare centrale de Stockholm. J'ignore ce que je vais découvrir, j'ignore ce que Lydia Grajauskas a voulu nous dire, et je me passerais bien de le savoir.

Il avait mis un quart d'heure à convaincre la femme derrière le guichet qu'il était réellement commissaire de police et qu'il avait besoin de son concours pour ouvrir un casier dont il n'était pas locataire.

Elle n'avait cessé de secouer la tête. Quand il en eut assez de parlementer et qu'il finit par élever la voix, lui rappelant qu'il pouvait lui ordonner d'obtempérer et qu'elle avait le devoir d'aider la police, elle consentit enfin à appeler un vigile disposant d'un passe.

Sven Sundkvist vit l'uniforme vert dès que l'homme franchit l'entrée principale. Il se leva de son banc, alla à sa rencontre et lui montra sa carte de police. Ensemble, ils pénétrèrent dans le local de la consigne.

Un lourd trousseau de clés.

Rien ne distinguait le numéro 21 des autres casiers.

Après l'avoir ouvert, le vigile s'écarta un peu. Sven Sundkvist se trouva devant deux étagères fixées dans des parois métalliques. L'intérieur était sombre ; il s'approcha pour mieux voir.

Il n'y avait pas grand-chose.

Un sac de supermarché contenant deux robes. Un album avec des photos en noir et blanc prises en studio, représentant les membres d'une même famille vêtus de leurs plus beaux atours et arborant des sourires nerveux. Une boîte à cigares contenant des billets de cent et de cinq cents couronnes. Il fit un rapide calcul : quarante mille.

Les possessions de Lydia Grajauskas.

Il comprit soudain que le casier contenait toute sa vie. Tout ce qui lui restait de son passé. Le seul avenir qu'elle pouvait imaginer. Son espoir, son désir de fuite, l'assurance d'exister au-delà de l'appartement où elle était séquestrée.

Sven Sundkvist ouvrit sa sacoche, glissa les robes, l'album, la boîte à cigares dans des sacs en plastique.

Il tendit la main, explora l'étagère supérieure, découvrit la cassette. Au dos, une étiquette autocollante avec des caractères cyrilliques.

Elle avait couru derrière lui. A travers la cour intérieure, à travers l'entrée, jusque sur le trottoir de Högalidsgatan. Il s'y était arrêté, pieds nus, en larmes. Elle l'adorait. Le serrant contre elle, elle l'avait porté dans ses bras en répétant sans cesse son nom. Il s'appelait Jonathan, il était son neveu, mais elle l'aimait comme elle aurait aimé son propre enfant.

Lisa Öhrström lui caressa les cheveux. Elle allait partir ; il était tard et l'obscurité tombait, quelques brèves heures de nuit s'apprêtaient à chasser le jour. Elle l'embrassa sur la joue. Sanna était déjà allée se coucher. Elle regarda Ylva, sa sœur, referma la porte derrière elle et s'en alla.

Il ne lui restait plus beaucoup de famille désormais.

Papa était mort. Hilding était mort. Bien sûr, cela faisait longtemps qu'elle s'y attendait, mais maintenant elle s'installait dans cette solitude qui ne cesserait de grandir.

Elle avait décidé d'y aller à pied. En passant par Västerbron, Norr Mälarstrand, les petites rues. Ce n'était pas loin, elle en aurait pour une petite demi-heure à travers le Stockholm nocturne. Elle connaissait le chemin.

Elle savait qu'il travaillait tård. Il le lui avait dit et c'était le genre d'homme qui n'avait rien d'autre dans sa vie. Il serait là, avec son enquête à terminer. Comme la semaine précédente, avec une autre enquête. Et la semaine d'après, ce serait pareil : toujours un prétexte pour ne pas rentrer chez lui.

Elle sonna et s'annonça à l'interphone. Il répondit tout de suite. Il savait déjà que c'était elle. Il l'avait attendue.

Il l'accueillit dans le hall. Elle le suivit à travers le couloir mal éclairé. Cela sentait le renfermé, ses pas boiteux résonnaient entre les murs, c'était lugubre, comment pouvait-on choisir de passer sa vie dans un endroit pareil ? Elle regarda son dos massif. Il était trop gros, à moitié chauve, mais sous la lumière blafarde il dégageait une grande force, une force que seuls possèdent ceux qui sont sûrs d'eux, qui ont fait un choix. Et il avait réellement choisi de vivre là.

Ewert Grens ouvrit la porte de son bureau, la laissa entrer. Il l'invita à s'asseoir, indiqua un fauteuil. Elle regarda autour d'elle. La pièce était sinistre. Les seuls objets un peu vivants, qui ne sortaient pas de chez un marchand de meubles de bureau, étaient un lecteur de cassettes – un monstre antédiluvien – et un horrible canapé tout défoncé. Elle en était sûre : il y passait souvent la nuit.

— Du café ?

C'était juste pour se montrer poli.

— Merci. Je ne suis pas venue prendre le café.

— Je m'en doute. Mais quand même.

Il prit un gobelet en plastique rempli de café noir et le vida d'un trait.

— Eh bien ?

— Vous n'avez pas l'air surpris. De me voir ici.

— Surpris, non. Mais content, oui.

Lisa Öhrström le comprit : ce qu'elle ressentait, ce qui l'accablait, était de la fatigue. Elle était restée si tendue. Elle se relâcha ; le poids des dernières journées la quitta.

— Je ne regarderai plus vos photos. Je ne me laisserai plus brutaliser par quelqu'un que je ne connais pas et que je n'ai pas envie de connaître. Ça suffit. Je vais témoigner. Je désignerai Jochum Lang comme étant la personne qui a rendu visite à mon frère.

Lisa Öhrström se pencha en avant, les coudes sur la table, le menton dans ses mains. Elle était épuisée. Bientôt elle rentrerait chez elle.

— Mais je veux que vous sachiez une chose. Si j'ai refusé de le faire tout à l'heure, ce n'est pas seulement à cause des menaces. Depuis un moment déjà, j'avais décidé de ne plus laisser Hilding et sa drogue me gâcher la vie. Cela faisait un an que je tenais le coup. Je n'étais plus là pour lui. Mais maintenant c'est fichu. Je ne lui échapperai jamais. Maintenant il est mort. Et malgré cela, il ne cesse de me voler mes forces. Alors, autant témoigner.

Ewert dut faire un effort pour ne pas sourire. C'était bon.

C'est bon, Anni.

C'était fini.

— Personne ne vous reprochera rien.

— Je ne veux pas de votre compassion.

— C'est votre choix. Mais c'est ainsi. Personne ne vous reprochera de ne pas avoir su quoi faire.

Grens se leva, fouilla parmi ses cassettes, trouva ce qu'il cherchait, mit en route le lecteur. Siw Malmkvist. Elle l'aurait parié.

— Juste une question. Qui vous a menacée ?

Siw Malmkvist. Elle venait de prendre la décision la plus difficile de sa vie, et il écoutait Siw Malmkvist.

— Peu importe. Je témoignerai. Mais à une condition.

Lisa Öhrström resta immobile, les mains sous le menton. Elle leva les yeux vers lui.

— Mon neveu et ma nièce. J'exige qu'ils aient une protection.

— C'est déjà fait.

— Je ne comprends pas.

— Depuis la confrontation, on les surveille. Je sais par exemple que vous y êtes allée tout à l'heure, qu'un des enfants a couru jusque dans la rue, pieds nus. Bien entendu, on continuera de les protéger.

La fatigue. Elle était paralysée. Elle bâilla, ne fit même pas semblant de s'en cacher.

— Je veux rentrer.

— Je vous fais reconduire. Dans une voiture
banalisée.

— A Högalidsgatan. Auprès de Jonathan et Sanna.
Ils dorment.

— Je propose qu'on renforce la surveillance. Qu'on
place un homme dans l'appartement. Si vous êtes
d'accord.

La nuit était tombée.

L'obscurité, le silence. Comme si l'immense bâtiment était vide.

Elle regarda le policier qui se tenait près du lecteur de
cassettes. Il paraissait chanter. La mélodie sirupeuse, le
texte absurde ; il chantait en silence et elle eut pitié de
lui.

VENDREDI 7 JUIN

Il n'avait jamais aimé l'obscurité.

Il avait grandi à Kiruna, avec ses longs hivers sans jour, il était parti à Stockholm pour entrer à l'école de police, il avait passé ses soirées à travailler, mais il n'avait jamais pu s'y faire : dans son esprit, l'obscurité ne pouvait pas être belle.

Il regarda par la fenêtre du séjour. La nuit de juin enveloppait la forêt, le noir avait atteint sa densité maximale. Il était rentré peu après dix heures, les affaires de Grajauskas dans sa sacoche. Jonas dormait déjà. Comme d'habitude, Sven Sundkvist l'avait embrassé sur le front. Puis il était resté là à écouter sa respiration régulière. Anita était assise dans la cuisine devant une grille de mots croisés. Il s'était glissé à côté d'elle, sur la même chaise. Ils avaient passé une heure à tenter de terminer la grille, se retrouvant finalement avec quelques cases vides dans chaque coin. C'était toujours pareil, il leur manquait encore quelques lettres pour pouvoir la découper et l'envoyer au journal en espérant gagner un prix.

Ensuite ils avaient fait l'amour. Elle lui avait ôté ses

vêtements avant de se déshabiller elle-même. Elle avait voulu qu'il reste assis. Elle l'avait chevauché, leurs corps avaient besoin de ce contact.

Une fois couchés, il avait attendu qu'elle s'endorme. A minuit un quart il s'était levé. Il avait enfilé un tee-shirt et un pantalon de survêtement. Sa sacoche était restée dans la cuisine. Il était allé la chercher, puis il s'était installé sur le canapé, devant la télévision.

Il voulait être seul pour regarder la cassette.

Seul avec ce sentiment de malaise qui lui nouait le ventre.

Ce qu'Anita et Jonas ignoraient ne leur ferait pas mal.

L'obscurité là-bas. Son regard s'y perdait, il distinguait à peine les arbres.

Il jeta un œil sur sa montre. Une heure dix. Cela faisait près d'une heure qu'il regardait dans le vide.

Il ne pouvait plus atermoyer.

Elle avait dit à Ejder qu'il y avait deux cassettes.

Elle en avait fait une copie. Au cas où il arriverait ce qui était arrivé. Au cas où quelqu'un essaierait d'effacer l'original ou le remplacerait par une bande vierge.

Sven Sundkvist ne savait pas si ce qu'il regardait était identique à ce qui figurait sur l'autre cassette.

Mais il le supposait.

Elles semblent avoir le trac. Comme souvent, lorsqu'on n'a pas l'habitude de cet œil qui fixe les choses pour la postérité.

C'est Grajauskas qui parle la première.

— *Змо мой повод. Моя нсмория макая.*

Deux phrases.

Elle se tourne vers Sliousareva, qui prend le relais en suédois.

— *Ceci parle de moi. C'est mon histoire.*

Grajauskas de nouveau. Regardant son amie, elle dit encore deux phrases.

— *Надеюсь чмо когда мы слышишь змо мого о ком идем речь уже нем. Чмо он чувсмвовал мой смыд.*

L'air grave, elle hoche la tête, regarde Sliousareva qui se tourne vers la caméra pour traduire.

— *Quand tu écouteras ceci, j'espère que l'homme dont je vais parler aura disparu. Qu'il aura connu la honte que j'ai connue.*

Elles parlent lentement. Font attention à bien articuler chaque mot en suédois et en russe.

Se penchant en avant, il arrêta le magnétoscope.

Il ne voulait pas regarder la suite.

Ce n'était plus un malaise qu'il éprouvait. Ni de la peur. C'était de la colère. Il n'y avait plus de doute. Il avait espéré, comme on espère toujours. Il savait maintenant qu'Ewert avait fait disparaître l'autre cassette. Qu'il avait eu une raison pour agir ainsi.

Sven Sundkvist se leva. Il retourna dans la cuisine, alluma la cafetière électrique et mit une bonne dose de café dans le filtre. La nuit serait longue, il devait réfléchir.

La grille de mots croisés était toujours sur la table. Il la repoussa, prit un des papiers à dessin de Jonas, regarda la feuille vierge. Un stylo à l'encre de Chine mauve. Il le promena distraitement sur la surface blanche.

Un homme. Un homme d'un certain âge. Un torse massif, pas beaucoup de cheveux, des yeux au regard intense.

Ewert.

En s'en apercevant, il ne put s'empêcher de sourire. Il venait de dessiner Ewert à l'encre de Chine mauve.

Il savait pourquoi. C'était sa longue nuit qui était là, devant lui, sur la table.

Il travaillait avec Ewert Grens depuis bientôt dix ans. Au début, il avait réagi comme les autres : Grens lui avait paru insupportable. Puis, petit à petit, une sorte d'amitié était née entre eux. Sven était devenu un des rares collègues à qui Ewert adressait la parole, qu'il laissait pénétrer dans son bureau. A qui il permettait une certaine familiarité, dans des limites étroitement contrôlées. Au fil des ans, Sven avait appris à l'apprécier. Mais il ne le connaissait pas du tout. Il n'était jamais allé chez lui. Et on ne connaît pas une personne tant qu'on ne connaît pas l'endroit où elle vit. Ewert était venu chez Sven, il s'était attablé dans la cuisine entre Anita et Jonas. Il y avait déjeuné, pris le café.

Sven avait laissé Ewert pénétrer dans son intimité. Ewert ne lui jamais rendu la réciproque.

Il regarda son dessin. Il continua à tracer des lignes, habillant la silhouette mauve d'une veste mauve et de chaussures mauves. Il ignorait tout de l'homme Ewert Grens. Il connaissait le policier, celui qui arrivait toujours le premier et qui faisait profiter tout le couloir de ses enregistrements de Siw Malmkvist, celui qui travaillait du matin au soir et qui passait souvent la nuit sur le canapé de son bureau pour pouvoir reprendre son enquête dès l'aurore.

Il savait que c'était le meilleur policier qu'il eût jamais rencontré. Un policier qui ne faisait jamais d'erreurs. Un policier qui allait toujours jusqu'au bout de son enquête, quelles qu'en soient les conséquences. C'était l'enquête qui importait, rien que l'enquête. Comme s'il n'y avait pas de place pour autre chose dans sa vie.

Et voici qu'il ne savait plus rien.

Sven Sundkvist avala le reste de son café, se versa une autre tasse. Il avait besoin de caféine pour tenir le coup.

Un autre stylo. Toujours à l'encre de Chine, mais verte cette fois-ci. D'un vert fluo.

Il se mit à écrire dans l'espace laissé libre par le bonhomme mauve.

Gustaf Ejder aperçoit une cassette vidéo dans le sac en plastique de Lydia Grajauskas.

Nils Krantz la découvre sur la scène du crime et constate qu'on s'en est servi. Les empreintes digitales indiquent que la cassette a été manipulée par deux femmes, dont Lydia Grajauskas.

Nils Krantz remet la cassette à Ewert Grens.

Ewert Grens ne signale à personne que la cassette est en sa possession. Ni au service des scellés, ni à la permanence de la police judiciaire, ni aux services techniques.

Sven Sundkvist trouve la cassette sur les étagères du bureau d'Ewert Grens et constate qu'elle est vierge.

Dans un interrogatoire, Gustaf Ejder dit que Lydia Grajauskas a fait mention d'une deuxième cassette, une copie, se trouvant dans un casier de consigne à la gare centrale de Stockholm.

Sven Sundkvist fait ouvrir le casier, ramène la copie chez lui, se lève au milieu de la nuit pour la visionner et constate que des images y sont enregistrées.

Il s'arrêta d'écrire. Il aurait pu ajouter une dernière phrase : *Sven Sundkvist n'a pas le courage de continuer le visionnage.* Il se contenta de dévisager son Ewert mauve. Qu'est-ce que tu as fait ? Je sais que tu as escamoté une pièce à conviction et je sais pourquoi. Il froissa le papier, le balança en direction du plan de travail. Il prit la grille de mots croisés, essaya en vain de remplir les cases vides, mais finit par y renoncer au bout d'un quart d'heure. Il quitta la cuisine, retourna dans le séjour.

Cette foutue cassette ne voulait pas le laisser en paix.

Il aurait pu décider de ne pas aller la chercher. Il aurait pu décider de ne pas la rapporter à la maison.

Maintenant il n'avait plus le choix.

Il devait la regarder.

Lydia Grajauskas de nouveau. Pendant quelques secondes, l'image est floue. On lui fait signe de continuer à parler.

— *Когда Бенгм Нордвалл встремил меня в Клайпейде сказал он чмо была хорошая высокооплачивая рабома.*

Elle regarde son amie, attend qu'elle traduise. Sliousareva lui caresse la joue, se tourne vers la caméra.

— *Quand Bengt Nordwall m'a rencontrée à*

Klaipeda, il m'a dit que c'était un bon travail avec un
bon salaire.

Sven Sundkvist arrêta de nouveau la bande. Il quitta le séjour, se réfugia dans la cuisine. Il ouvrit le réfrigérateur, but directement au carton une gorgée de lait, referma délicatement la porte. Il ne voulait pas réveiller Anita.

Il ne se l'était pas formulé clairement. Mais c'était exactement ce qu'il avait craint.

Une vérité différente.

Une vérité différente, cela implique un mensonge. Et si personne ne le dénonce, le mensonge continuera d'exister.

Il retourna dans le séjour, s'assit sur le canapé.

Il partageait maintenant le mensonge de Bengt Nordwall.

Il était certain que la même chose était arrivée à Ewert. Que la cassette qu'on avait remise à Ewert montrait exactement ce qu'il venait de voir. Ewert l'avait regardée. Puis il l'avait fait disparaître. Pour protéger un ami.

Et il se retrouvait encombré du mensonge de Bengt Nordwall, qui était aussi celui d'Ewert. Et qui deviendrait le sien s'il ne faisait rien pour le dénoncer. S'il agissait comme Ewert, s'il détournait le regard pour protéger un ami.

Il remit en route le magnétoscope, appuya sur avance rapide. Il y avait une vingtaine de minutes d'enregistrement. Il jeta un œil sur sa montre. Deux heures et demie. S'il rembobinait la cassette, il aurait le temps d'écouter

367

le récit de Lydia Grajauskas avant trois heures. Ensuite, il monterait dans la chambre et il laisserait un petit mot sur l'oreiller, expliquant à Anita qu'il avait été appelé pour le travail. Puis il s'habillerait et il prendrait la voiture. A cette heure, il ne mettrait pas plus de vingt minutes à gagner Kronoberg.

Il était quatre heures moins le quart lorsqu'il ouvrit la porte de son bureau.

Le jour était déjà là, cette lumière qui était apparue au-dessus de la mer pendant qu'il roulait sur l'autoroute déserte, entre Gustavsberg et Stockholm.

Il prit encore un café. Non pas pour rester éveillé : les pensées continuaient de tourner dans sa tête, il aurait été incapable de dormir. Plutôt pour garder l'esprit clair, pour l'empêcher de s'emballer. Comme cela arrive parfois quand on ne dort pas.

Il avait fait le vide devant lui, posé les dossiers et les photos par terre. Le plateau en bois était nu, il ne l'avait jamais vu comme ça. Sauf le jour où il avait emménagé dans cette pièce. Cela faisait cinq ou six ans qu'il l'occupait.

Il sortit un papier froissé de la poche de son pantalon. Le papier qu'il avait récupéré dans l'évier avant de quitter la maison. Il le déplia, le posa sur la table.

Il savait que cet homme dessiné à l'encre de Chine mauve avait franchi une limite. Pour protéger un ami, il avait manipulé une pièce à conviction. Il défendait un mensonge qui n'était pas le sien.

Sven Sundkvist suivit du doigt les lignes du dessin, sentit sa colère monter. Il n'avait pas la moindre idée de ce qu'il allait faire.

Lars Ågestam avait fait ce qu'il faisait d'habitude quand il ne parvenait pas à dormir. Il avait enfilé son costume et ses chaussures noires, il avait emporté un petit porte-documents et il avait quitté sa maison de Vällingby pour se rendre à pied à son bureau. Trois heures de promenade à travers la banlieue résidentielle de Stockholm.

Leur conversation lui avait paru étrange. Il avait eu du mal à suivre, ce qui ne lui arrivait pas souvent. Ewert Grens, qu'il admirait et dont il avait pitié, lui avait expliqué qu'on ignorait toujours pourquoi Lydia Grajauskas avait neutralisé l'agent chargé de veiller sur elle, pris cinq otages et exécuté un policier avant de se suicider. Et que son amie Sliousareva n'avait rien à dire, si bien qu'elle se trouvait maintenant en liberté sur l'autre rive de la Baltique.

Il n'avait pas pu dormir.

Sur le coup, il avait décidé de faire confiance à Grens.

Maintenant il se promenait en compagnie du soleil levant. Il avait déjà téléphoné à l'hôpital Söder. Il voulait retourner à la morgue.

Il n'avait pas frappé. Alors qu'il le faisait toujours.

Sven Sundkvist sursauta, leva le regard vers la porte.

— Ewert ?

— Déjà là, Sven ? Ça alors !

Sven rougit. Sachant que cela devait se voir, il baissa la tête. Il était pris en flagrant délit devant le portrait de son chef.

— Ça s'est trouvé comme ça.

— Il n'est même pas cinq heures et demie. D'habitude, je suis seul à cette heure-ci.

Grens se tenait sur le pas de la porte. Il fit mine de vouloir entrer. Sven jeta un rapide coup d'œil sur le bonhomme mauve, puis il posa sa main dessus.

— Qu'est-ce que tu fabriques, mon garçon ?

Il ne savait pas mentir. Pas aux gens qui comptaient pour lui.

— Je ne sais pas. On a beaucoup de boulot en ce moment.

Comme s'il allait suffoquer. Il était cramoisi.

— Tu sais bien, Ewert. L'hôpital Söder. Les journalistes qui ne nous lâchent pas. Toi, tu as horreur de tout ça. Et le service de presse a besoin de quelques éléments.

Il baissa de nouveau les yeux. Pourvu qu'il ne me pose pas d'autres questions. Je ne pourrai pas faire face.

Ewert Grens s'approcha d'un pas, s'arrêta, resta un instant immobile. Puis il se retourna. Parlant d'une voix forte, il se dirigea vers la porte.

— Parfait, Sven. Je suppose que tu sais ce que tu fais. Et j'apprécie que tu te charges de la presse.

L'hôpital Söder était énorme. Massif et laid. Sous le soleil du matin, le bâtiment paraissait cependant presque beau grâce aux lueurs rouges se reflétant dans les vitres. Lars Ågestam traversa le hall désert. Il était bientôt six heures ; l'établissement n'allait pas tarder à se réveiller.

Il prit l'ascenseur jusqu'au sous-sol, refit le trajet qu'avait fait Grajauskas deux jours plus tôt, un sac en plastique dissimulé sous son pyjama d'hôpital.

Une rubalise bleu et blanc barrait le couloir à l'endroit où s'était tenu Edvardson, à trente mètres de la morgue. Ågestam se baissa pour passer dessous. Il zigzagua entre les décombres jusqu'à l'emplacement de la porte. A la place il n'y avait plus qu'un trou, obstrué par plusieurs mètres de bande adhésive courant de part et d'autre du chambranle. Il arracha la bande et pénétra à l'intérieur.

D'abord la grande pièce toute en longueur, puis celle où on les avait trouvés. La craie blanche les dessinait encore côte à côte sur le sol carrelé. Son corps à elle contre son corps à lui. Leurs sangs, mélangés. Morts ensemble. Ågestam était persuadé que cette mise en scène voulait dire quelque chose.

Le silence était absolu. Debout au milieu de la pièce, il regarda autour de lui. Lui qui craignait tellement la mort, la fuite du temps, qui ne portait même plus de montre, voilà qu'il se trouvait dans une morgue, seul, à essayer de comprendre.

Il posa le petit magnétophone par terre.

Il voulait écouter ce qu'ils avaient dit.

Il voulait participer, comme il le faisait toujours : après coup.

— *Ewert ?*

— *A toi.*

— *Les otages dans le couloir sont morts. Je ne vois pas de sang, je ne sais pas où ils ont été touchés. Mais il y a une odeur. Une odeur forte. Acre.*

La voix de Bengt Nordwall. Elle était calme. Elle le paraissait en tout cas. Lars Ågestam ne l'avait pas connu, ne l'avait jamais entendu parler.

Maintenant il allait essayer de connaître un homme mort.

— *Elle nous a eus, Ewert. Elle ne les a pas tués. Ils étaient là tous les quatre. Tous les otages. Ils sont vivants et ils viennent de sortir. Elle a collé au moins trois cents grammes de Semtex sur le chambranle, ça oui, mais elle ne peut pas le faire exploser.*

Il perçut son angoisse. Nordwall avait continué d'observer, de décrire ce qu'il voyait, mais sa voix avait changé. Nordwall avait compris quelque chose. Il avait compris ce que les autres, ceux qui l'écoutaient, n'avaient pas encore saisi.

— *Ça te fait quel effet ? De te trouver à poil dans une morgue, devant une femme qui tient une arme ?*

— *J'ai fait ce que tu m'as demandé.*

— *Tu te sens humilié ? N'est-ce pas ?*

— *Oui.*

— *Seul ?*

— *Oui.*

— *Tu as peur ?*

— *Oui.*

— *A genoux !*

C'était il y a deux jours à peine. Les voix sur la bande étaient vivantes. Chaque mot résonnait distinctement dans la pièce fermée. Elle avait pris une décision. Lars Ågestam en était sûr. Elle l'avait prise bien avant. Elle allait mourir. Il allait mourir.

Elle allait l'humilier. Puis ils allaient cesser de respirer.

Lars Ågestam se tenait immobile à l'endroit où s'était trouvé Bengt Nordwall. Il se demanda si Nordwall l'avait su. S'il avait compris qu'il ne lui restait plus que quelques secondes à vivre.

Ewert Grens n'arrivait pas à se concentrer.

Il n'avait pas dormi. Il aurait dû rester au bureau, se coucher sur le canapé. Trop de choses lui trottaient dans la tête. Dormir à la maison, il n'y arrivait pas.

Il avait déjeuné avec Lena, comme promis. Elle voulait encore parler de Bengt. Il avait commencé par refuser. Cela ne lui disait rien. Bengt lui manquait, bien sûr, mais il venait de découvrir un Bengt qui n'avait rien à voir avec celui qu'il avait connu.

Si seulement j'avais su.

Ça t'arrivait de penser à elle ? Est-ce que tu la rejoignais pour faire l'amour ? Je veux dire, après ?

Je le fais pour Lena.

Toi, tu es mort.

Il avait fini par accepter. Quand elle avait renouvelé son invitation. Elle n'avait rien mangé. S'était contentée de picorer. Avait bu de l'eau minérale. Deux bouteilles. Avait pleuré. C'est surtout les enfants. Voilà ce qu'elle avait dit. C'est surtout les enfants. Ils ne comprennent pas. Moi non plus je ne comprends pas. Alors comment le leur expliquer, Ewert ?

Finalement il était content d'y être allé. Elle avait besoin de lui. Elle avait besoin de parler, de redire encore les mêmes choses pour essayer de comprendre.

Il n'était pas doué pour le chagrin.

Voir quelqu'un qui n'avait pas peur de montrer le sien, cela le réconfortait.

Lars Ågestam avait rembobiné la bande plusieurs fois. Il l'avait écoutée en restant debout. En s'asseyant par terre, dos au mur, comme les otages. En s'allongeant à l'endroit où on avait découvert le corps de Bengt Nordwall – comme il était plus petit que lui, il avait largement eu la place de s'installer entre les traits de craie. Il s'était protégé le sexe avec les mains, comme Nordwall. Il avait contemplé le plafond, comme Nordwall. Après avoir écouté et réécouté ce qui s'était dit entre Nordwall et Grens, il était persuadé que Bengt Nordwall savait pertinemment qui était Lydia Grajauskas. Il était persuadé qu'il y avait un lien entre eux et qu'Ewert Grens s'en était douté. Il pensait même que Grens en avait la certitude et qu'il était prêt à bazarder sa carrière pour dissimuler la vérité.

Cela faisait deux heures qu'il était dans la morgue. Il était temps de partir ; il avait faim, un petit déjeuner dans un café plein de gens bien vivants qui bavardaient et mastiquaient, voilà ce qu'il lui fallait. La peur de la mort était en train de refaire surface.

— J'avais condamné l'accès.

Il ne l'avait pas entendu s'approcher. Nils Krantz, technicien à la police judiciaire. Ils s'étaient rencontrés, mais ne se connaissaient guère.

— Pardon. J'ai été obligé. Je cherche des réponses.

— Vous vous promenez sur une scène de crime.

— Je dirige l'instruction.

— Je le sais et je m'en fous. Vous devez respecter les lignes tracées à la craie, comme tout le monde. Je suis responsable des indices qui pourraient se trouver ici. Je dois veiller à ce qu'ils puissent être exploités.

Ågestam poussa un soupir bien audible. Il n'avait aucune envie de discuter avec Krantz. Il se retourna, prit le magnétophone, ramassa ses notes et glissa le tout dans son porte-documents. Ce café, il avait hâte d'y être.

— Vous avez l'air pressé.

— Je croyais que vous vouliez être débarrassé de moi.

Nils Krantz haussa les épaules, s'approcha négligemment, examina le chambranle de la pièce où s'était déroulée la dernière phase de la prise d'otages. Il restait encore du Semtex sur le bois. Tournant le dos à Ågestam, il parla d'une voix forte.

— Au fait, on a le résultat des analyses. Je me disais que ça pouvait vous intéresser.

— Quelles analyses ?

— L'autre enquête. Lang. On l'a passé au détecteur de chimiluminescence.

— Et alors ?

— Rien.

— Rien ?

— Sur son corps il n'y a pas la moindre trace du sang d'Oldéus.

Lars Ågestam s'arrêta net. Il se sentait vide, n'eut pas le courage de bouger.

— Je vois.

Krantz continua imperturbablement de palper le chambranle avec ses doigts gantés de latex. Ågestam le regarda d'un air découragé. Puis il ramassa son porte-documents et se dirigea vers le trou bâillant qui remplaçait la porte. Il était sur le point de quitter la pièce lorsqu'il entendit la voix de Krantz.

— Attendez.

— Oui ?

— En revanche, sur ses vêtements et sur ses chaussures, il y en avait. Du sang et des traces d'ADN.

Ewert Grens avait laissé Lena seule dans le restaurant. Elle lui avait expliqué qu'elle voulait rester encore un peu. Elle avait commandé une troisième bouteille d'eau minérale, puis elle l'avait serré dans ses bras. Il était déjà en route vers son bureau lorsqu'il changea d'avis. Il allait faire un détour par le dépôt.

Il ne pouvait pas résister à l'envie.

Il ne suffit pas qu'une femme médecin tout à fait fiable identifie le meurtrier sur photo en se déclarant certaine à cent pour cent. Puisque le meurtrier aura eu le temps de menacer ladite femme médecin et qu'elle n'osera plus le désigner lors de la confrontation.

Si. Cette fois, cela suffirait.

Grens prit l'ascenseur, s'arrêta au deuxième étage. Il annonça au gardien qu'il voulait parler à Jochum Lang, lui demanda de l'emmener au local d'interrogatoires.

Il parcourut le couloir, deux pas derrière le gardien. Ils passèrent devant des portes muettes. Numéro 8. Fermée comme les autres. Il fit signe au gardien d'ouvrir l'œilleton.

Il était là. Allongé sur la couchette, les yeux fermés. Il dormait ; que pouvait-il faire d'autre, enfermé vingt-trois heures sur vingt-quatre sans journaux, sans radio, sans télévision ?

Ewert Grens cria à travers l'œilleton.

— Lang ! Réveille-toi !

Il l'avait entendu. Mais il ne bougea pas.

— Allez ! On va parler un peu, tous les deux.

Lang se retourna, se coucha sur le flanc, dos à la porte.

Grens referma l'œilleton d'un geste sec.

D'un signe de tête il ordonna qu'on ouvre la porte. Il pénétra dans la cellule, se posta sur le seuil, demanda qu'on le laisse seul.

Le gardien hésita. Jochum Lang faisait partie des détenus particulièrement signalés. S'efforçant de rester calme, Grens lui expliqua qu'il prenait ses responsabilités. Si cela tournait mal, le gardien n'aurait rien à craindre.

Ce dernier haussa les épaules, sortit, referma la porte derrière lui.

Grens s'approcha d'un pas, s'arrêta à un mètre de la couchette.

— Je sais que tu m'entends. Redresse-toi.

— Te fatigue pas, Grens.

Encore un pas. Il aurait pu toucher son corps. Il s'abstint. A la place, il entreprit de secouer la couchette. Il réussit enfin à faire mettre Lang debout.

Ils étaient face à face.

Ils étaient de la même taille. Ils se dévisageaient.

— Je vais t'interroger, Lang.

— Va te faire foutre.

— On a des traces de sang. Des traces d'ADN. On a une identification. Cette fois-ci, on te coffre. Pour meurtre.

Quelques dizaines de centimètres entre leurs visages.

— Je n'ai pas la moindre idée de ce que tu fabriques, Grens. Mais tu ferais peut-être mieux de réfléchir. Des flics qui tombent d'une voiture et qui se font mal, c'est déjà arrivé.

Ewert Grens sourit, montrant ses dents jaunies.

— Tu peux me menacer autant que tu veux. Je n'ai plus rien à perdre. Plus rien qui en vaille la peine. Tu te branleras dans ta cellule jusqu'à l'âge de soixante ans.

Qui éprouvait le plus de haine ? Difficile de le savoir.

Chacun cherchait le regard de l'autre.

L'haleine de Lang, chaude, quand il baissa la voix.

— Je ne répondrai plus à aucune question. C'est tout. Si toi ou quelqu'un d'autre se ramène pour m'interroger, je m'arrangerai pour que la personne en question se retrouve dans un sale état. C'est mon dernier avertissement. Alors va te faire foutre. Et referme la porte derrière toi.

Sven avait appelé pour expliquer pourquoi il s'était volatilisé au milieu de la nuit, pourquoi il était parti sans même la réveiller, se contentant de laisser un mot sur l'oreiller. Anita s'était énervée. Elle n'aimait pas les cachotteries. D'ailleurs, il le lui avait promis : jamais il ne s'absenterait sans lui en parler. Ils avaient fini par crier tous les deux. Sven avait cru bien faire en téléphonant, mais il n'avait fait qu'aggraver son cas. Du coup, il avait décidé de rentrer chez lui. Les nerfs à fleur de peau, il conduisait trop vite. Il avait franchi Slussen et venait de passer devant les monstrueux ferries amarrés près du terminal de Viking Line quand son portable sonna. C'était Lars Ågestam.

Ågestam lui demanda de passer le voir. Un rendez-vous en tête à tête. Après la fermeture des bureaux, quand il n'y aurait plus personne.

Sven Sundkvist s'arrêta pour rappeler Anita, ce qui n'arrangea rien. Et voilà qu'il était coincé en ville sans savoir quoi faire. En réalité il n'avait que deux heures à attendre, mais cela lui semblait une éternité.

C'était certainement une belle soirée. Tiède, comme souvent en juin. Il se promena sans but sur Kungsholmen. On entendait de la musique au loin et des odeurs de nourriture s'élevaient des terrasses des restaurants. La ville était animée. Il aurait dû s'en réjouir, mais il le remarqua à peine.

Il commençait à accuser la fatigue.

La nuit avait été longue, et la journée plus longue encore.

Il évita de penser à la cassette vidéo, à la sordide vérité qu'il venait de découvrir.

Etait-ce pour cela qu'Ågestam voulait le voir ?

Voulait-il tester sa loyauté ?

Il était trop fatigué pour y réfléchir.

Ils se retrouvèrent à Kungsbron peu après huit heures. Lars Ågestam l'attendait devant l'entrée. Ågestam n'avait pas changé : mèche bien peignée, costume sombre, chaussures impeccables. Après lui avoir serré la main, il ouvrit la porte avec sa carte magnétique. Dans l'ascenseur, ils gardèrent le silence. Le moment de parler viendrait assez tôt.

Au neuvième étage, Ågestam le fit entrer dans son bureau. A travers les vitres, Sven devina la ville. La précaire obscurité estivale tentait vaillamment de chasser le jour.

Il s'installa dans un des fauteuils de visiteurs. Ågestam s'excusa et retourna dans le couloir. Au bout de quelques minutes, il revint avec deux tasses de café et des tranches de brioche qu'il posa sur une petite table, à côté de deux gros dossiers.

Ågestam faisait de son mieux pour dédramatiser, pour diminuer cette tension qu'ils ressentaient tous les deux. Mais il n'y réussissait qu'à moitié. Ils savaient bien qu'ils n'étaient pas là pour manger de la brioche. Il était tard, l'immeuble était vide, ils avaient des choses à se dire qui devaient rester à l'abri des oreilles indiscrètes.

— J'ai eu du mal à dormir cette nuit.

381

Ågestam s'étira, les bras au-dessus de la tête, comme pour montrer à quel point il était fatigué.

Et moi donc, pensa Sven. Je n'ai pas dormi du tout. Cette vidéo. Ewert. C'est de cela que tu veux parler ? Je n'en sais encore rien.

— J'ai pensé à votre ami. A votre collègue. Ewert Grens.

Pas ça. Pas tout de suite.

— Il faut que je vous parle, Sven. Il y a quelque chose qui ne va pas.

Ågestam se racla la gorge, fit mine de vouloir se lever, resta finalement assis.

— Vous savez que je n'ai guère d'atomes crochus avec lui.

— C'est un sentiment que vous partagez avec pas mal de gens.

— Je sais. Et pourtant, je tiens à le souligner : peu importe ce que je pense d'Ewert Grens en tant qu'homme. Il s'agit d'un problème d'ordre professionnel. De son comportement en tant qu'enquêteur dans une affaire que j'instruis.

Il bougea de nouveau, finit par se lever. Il se mit à faire les cent pas, regardant Sven d'un air inquiet.

— Hier. Hier, j'ai eu une entrevue étrange avec Grens. Il venait de laisser Alena Sliousareva à bord d'un ferry pour Klaipeda, en Lituanie. Sans m'en avoir parlé.

Il s'arrêta au milieu de la pièce, attendant une réaction. Il n'y en eut pas.

— Ce matin, je suis retourné à la morgue. Je voulais comprendre. J'ai également parlé avec quelques-uns de vos collègues. D'après le brigadier Hermansson – une jeune femme très intelligente que je ne connaissais pas –, deux témoins ont vu une personne ressemblant à Sliousareva se rendre dans les toilettes pour handicapés où Lydia Grajauskas a pénétré juste avant la prise d'otages. On peut donc imaginer que c'est Sliousareva qui a fourni une arme et des explosifs à Grajauskas. Dans ce cas, pourquoi Grens était-il si pressé de la faire partir ?

Sven Sundkvist se tut.

La bande. Il avait craint qu'il ne soit question de cette bande qu'un policier avait escamotée pour protéger un collègue. Cette bande dont il avait pris connaissance. Cette bande qui l'obligerait à parler. Ou à couvrir un mensonge.

— Sven, je vous en supplie. Savez-vous quelque chose que je devrais savoir ?

Sven Sundkvist garda le silence.

Lars Ågestam répéta sa question.

— Savez-vous quelque chose ?

Il fallait bien répondre.

— Non. Je ne sais pas de quoi vous parlez.

Respirant nerveusement, Ågestam se mit de nouveau à marcher de long en large.

— C'est un des meilleurs éléments de la police. Je devrais sans doute attendre tranquillement les résultats de l'enquête.

Encore quelques respirations saccadées, puis sa voix se fit de nouveau entendre.

— Mais il y a quelque chose qui ne va pas. Vous comprenez ? Quelque chose qui m'a empêché de dormir. Qui m'a poussé à retourner au bureau au milieu de la nuit. Qui m'a poussé à repasser à la morgue et à m'allonger entre les traits de craie tracés autour d'un homme mort.

Il se planta devant Sven, le dévisagea. Sven soutint son regard mais continua de se taire. Rien de ce qu'il pourrait dire ne l'aiderait à se tirer d'affaire.

— J'ai fini par appeler Vilnius.

Ågestam était devant lui, immobile.

— J'ai demandé à la police lituanienne de localiser Alena Sliousareva. Ils l'ont retrouvée. Elle est chez ses parents, à Klaipeda.

Il s'assit sur le bord de son bureau, souleva une pile de documents. Le dossier. Celui dont il était en train de parler.

— Il n'y a aucune trace de l'interrogatoire de Sliousareva par Grens. Il a décidé tout seul qu'elle devait partir. Nous ne savons que ce qu'il veut bien nous dire.

Sa voix se brisa. Il avait conscience de prononcer des mots qu'il ne fallait pas dire. Pas à un policier. Pas à propos d'un collègue.

— L'histoire d'Ewert Grens ne tient pas.

Silence. Puis il poursuivit.

— Je ne comprends pas pourquoi, mais j'ai l'impression qu'il manipule l'enquête.

Ågestam mit en route le magnétophone posé sur son bureau. Ils écoutèrent la fin d'une conversation qu'ils avaient déjà entendue.

— *Le* Stena Baltica *? Mais c'est un ferry ! Tout ça, c'est une histoire personnelle ! Bengt, tu sors de là ! Arrête, Bengt ! Assaut immédiat ! Je répète : assaut immédiat !*

Pas un mot. Il n'était pas encore nécessaire de choisir entre la loyauté et la vérité.

— Sven ?

— Oui ?

— Je veux que vous y alliez. A Klaipeda. Je veux que vous interrogiez Alena Sliousareva, sans en parler à personne. Et que vous me fassiez un rapport. Je veux savoir ce qu'elle a dit.

SAMEDI 8 JUIN

L'aéroport de Palanga dégageait une forte odeur. En franchissant la porte de débarquement, il fut accueilli par des effluves de détergent parfumé. Le sol encore humide sentait le pays étranger, les substances chimiques prohibées en Suède depuis longtemps.

Une heure et vingt minutes, pensa-t-il. Une heure et des poussières, et même les produits d'entretien sont différents.

C'était la deuxième fois qu'il se rendait en Lituanie. Il gardait peu de souvenirs de sa première visite, ne se rappelait même pas à quel aéroport ils avaient atterri. Il faisait partie d'un groupe de collègues assurant un transfert jusqu'au pénitencier de Vilnius. A l'époque il était encore nouveau dans la police ; il avait été très fier de partir à l'étranger pour escorter un criminel dange- reux. Aujourd'hui, la seule image qui lui restait était celle de la prison. Il avait eu le sentiment de voyager vers le passé : les chiens qui aboyaient, les couloirs aux murs lépreux, les prisonniers au crâne rasé qui s'entas- saient dans des cellules trop petites, l'air irrespirable, les écriteaux portant les lettres *tbc*. Une expérience étrange. Il n'en avait parlé à personne, pas même à Anita.

Quittant le terminal, il se dirigea vers la file de taxis jaunes. Vingt-six kilomètres en direction du sud. Vers Klaipeda. Vers Alena Sliousareva. Vers tout ce qu'il ne voulait pas savoir.

Avant de partir, il avait appelé Jonas. Il avait promis de lui rapporter quelque chose, une surprise. Des friandises. Achetées précipitamment dans un kiosque quelconque. Il avait peu de temps devant lui. Il devait repartir de bonne heure le lendemain matin. D'ici là, il savait ce qu'il avait à faire.

La voiture roulait lentement sur la route entre Palanga et Klaipeda. Commençant à s'énerver, Sven Sundkvist faillit demander au chauffeur d'accélérer. Finalement, il y renonça. Les quelques minutes gagnées ne valaient pas les efforts pour se faire comprendre. Le soleil éclairait le paysage. Les gens étaient pauvres, il le savait : huit sur dix se débrouillaient avec le minimum vital. Mais il leur trouvait une sorte de dignité. Ce qu'il découvrait lui plaisait ; cela n'avait rien à voir avec la prison de Vilnius. Comme tout le monde, il avait été abreuvé de clichés par les informations télévisées. Et il avait fini par croire que la réalité, c'était cela. Des gens gris portant des vêtements gris sous un ciel gris. Mais là, c'était l'été. Des gens vrais, la vraie vie, de vraies couleurs.

Il demanda à être conduit directement à l'hôtel. Il était en avance, mais l'Aribò était loin d'être complet et on lui attribua une chambre déjà prête.

Il s'allongea quelques instants. C'était le lit d'hôtel le plus étroit qu'il eût jamais vu. Juste quelques minutes. Il essaya de se rappeler l'image de la femme qu'il allait rencontrer. Elle ressemblait à quoi ? Son visage, sa voix ?

Dans l'appartement, tout avait été mis sens dessus dessous. En proie à une crise de nerfs, elle n'avait cessé de crier. Elle avait pleuré à cause de son amie allongée par terre sans connaissance, elle avait hurlé contre ce salopard de mac de Dimitri qui se tenait à quelques mètres d'elle, devant le trou de la porte, dans son costume satiné. Sven Sundkvist n'avait pas eu le temps d'observer la jeune femme. Il ne s'était pas douté qu'il allait revoir son visage sur une bande vidéo. Ni qu'il allait la retrouver dans une ville inconnue sur l'autre rive de la Baltique.

Il l'avait aperçue dans la pièce contiguë, aussi nue que son amie étendue sur le sol.

Elle était brune, contrairement à la plupart des prostituées de l'Europe de l'Est qu'il avait eu l'occasion de croiser au cours de ses enquêtes.

Elle avait disparu pendant qu'ils s'occupaient de la jeune femme blessée.

Depuis, on ne l'avait plus revue.

Jusqu'à ce qu'elle se fasse appréhender alors qu'elle montait à bord d'un ferry.

Ewert l'avait interrogée. Puis il avait décidé de la laisser rentrer chez elle.

Sven Sundkvist se leva, prit une douche, mit des vêtements plus légers. Il n'avait pas pensé qu'il ferait aussi chaud – encore un de ces clichés sur la grisaille des pays de l'Est. Ouvrant sa sacoche, il regarda le petit magnétophone qu'il y avait glissé. Il renonça finalement à l'emporter. Il prendrait des notes. Il ne savait pas pourquoi. Comme s'il avait peur de ce qu'elle dirait, peur de sa voix.

Il traversa la ville à pied. Les belles maisons témoignaient d'une époque révolue. Les visages des passants lui rappelaient les traits de Lydia Grajauskas.

Elle lui avait dit de descendre jusqu'à la lagune de Curonia et de prendre le bac pour Smiltynï. La chaleur qui l'avait accueilli dès l'aéroport se faisait maintenant plus intense. Pendant la courte traversée, le soleil lui brûlait la nuque. Il aurait dû se protéger ; avant le soir, il serait rouge comme une écrevisse.

En arrivant, il devait tourner à droite, lui avait-elle expliqué. Un immense aquarium était aménagé dans l'ancienne forteresse. Cent espèces de poissons de la Baltique et un spectacle de dauphins : voilà ce qu'annonçaient les affiches qu'il avait aperçues au débarcadère. Elle avait préféré qu'ils se voient au milieu de la foule. A l'heure du déjeuner, il y aurait sans doute beaucoup de monde, des touristes, des groupes d'écoliers ; ils pourraient se promener et parler sans se faire remarquer.

Il se posta devant l'entrée, à l'endroit qu'elle lui avait indiqué. Il regarda sa montre. Il était en avance. De presque vingt minutes. Ne connaissant pas les distances, il avait mal calculé son coup.

Il s'assit sur un banc un peu plus loin. Le soleil lui chauffait le visage. Il regarda les passants en plissant les yeux. Il chercha son propre reflet dans la foule ; c'était une habitude qu'il avait prise. Il était sûr de se trouver parmi tous ces gens. Ou d'y découvrir quelqu'un qui lui ressemblait. Quelqu'un du même âge que lui, accompagné de la femme qu'il aimait et d'un enfant qui courait devant eux. Un policier, peut-être. Quelqu'un dont le métier impliquait le sens du devoir et de longues heures de travail. Un homme casanier, mais qui passait le plus clair de son temps hors de chez lui. Un homme parmi d'autres, sans l'agressivité d'Ewert, sans la dureté de Lang, sans cette capacité qu'avait eue Grajauskas de relever la tête pour se venger. Sans tous ces traits de caractère qui rendent les gens moins prévisibles, moins ternes, moins ordinaires.

Il se vit. Sous plusieurs aspects. Tel qu'il aurait pu être s'il était né ici. Il était en train de sourire à un de ses doubles – un homme en chemisette et pantalon de toile qui s'apprêtait à franchir la porte d'entrée – lorsqu'elle lui donna une petite tape sur l'épaule.

Trop occupé par son petit jeu, il ne l'avait ni vue ni entendue. Elle portait des lunettes de soleil, une veste et un jean un peu trop large. Sinon, elle correspondait à l'image qu'il avait gardée d'elle. Brune, les cheveux longs, pas très grande. Trois ans passés à n'être plus qu'une marchandise. Violée plusieurs fois par jour. Cela ne se voyait pas. Elle ressemblait à n'importe quelle femme de vingt ans, au seuil de la vie. Mais dans sa tête, il le savait, dans sa tête, elle était vieille. Ses blessures étaient intérieures. Et elles ne guériraient sans doute jamais tout à fait.

— Monsieur Sundkvist ?

— Oui.

Il se leva, la salua d'un signe de tête. Ils se comprenaient sans problème. Lui avec son anglais un peu rouillé ; elle avec une meilleure maîtrise de la langue. Une langue apprise à l'école, mais qu'elle avait pratiquée pendant trois ans et qu'elle préférait au suédois.

— Vous saviez qui j'étais ?

— Je vous ai reconnu. Je vous ai vu à l'appartement.

— Au milieu de toute cette agitation ?

— Même si je ne vous avais jamais vu, je vous aurais reconnu. J'ai appris à reconnaître un homme suédois.

Elle fit un geste vers l'entrée. Ils s'y dirigèrent côte à côte. Il prit deux tickets et ils pénétrèrent dans le hall. Il se demanda comment procéder, s'il devait attendre ou commencer tout de suite. Elle lui vint en aide.

— Je ne sais pas ce que vous voulez savoir. Mais je vous répondrai de mon mieux. J'aimerais qu'on s'y mette sans tarder. J'ai confiance en vous, je vous ai vu travailler quand vous êtes arrivé à l'appartement. Mais j'aimerais en finir au plus vite. Je veux rentrer chez moi. Je veux oublier. Vous comprenez ?

Elle était debout devant une paroi en verre. Derrière elle, un poisson nageait. Elle regarda Sven, l'air suppliant. Il essaya de paraître calme, plus calme qu'il ne l'était. Ses réponses. Il ignorait ce qu'elle allait dire. Il en avait peur.

— Je ne peux pas vous dire combien de temps cela prendra. Je ne sais pas où notre conversation nous amènera. Mais je vous comprends. Je ferai tout pour que ce ne soit pas long.

Il n'aimait pas les aquariums. Il n'aimait pas non plus les zoos ; des animaux en cage, cela ne lui plaisait pas. Tout ce qui les entourait, les gens qui se promenaient en regardant les poissons, il n'avait aucune difficulté à en faire abstraction. Pour écouter Alena Sliousareva, pour se concentrer sur ses réponses.

Sur un récit qu'il craignait par-dessus tout.

Sur des événements dont il aurait voulu qu'il n'aient pas eu lieu.

Ils parlèrent – car c'était plus une conversation qu'un interrogatoire – pendant trois heures. Elle lui raconta ses journées à errer dans Stockholm après sa fuite, son corps enfin délivré, sa peur de se faire arrêter, son inquiétude pour Lydia qu'elle avait laissée sans connaissance, le dos lacéré par des coups de fouet. Elles avaient juré de ne pas se séparer avant d'avoir retrouvé la liberté, mais quand elle avait dévalé l'escalier et franchi la porte de l'immeuble, elle s'était dit qu'elle serait plus utile à Lydia en fuyant l'appartement du sixième étage.

Il l'interrompit parfois pour demander des précisions qu'elle lui apporta volontiers. Mais sans modifier son récit ; c'est du moins ce qu'il pensa.

Ils déambulèrent lentement, croisèrent d'autres gens regardant d'autres poissons derrière d'autres vitres. Elle lui apprit qu'elle était déjà sur le point d'embarquer pour la Lituanie quand Lydia l'avait appelée de son lit d'hôpital.

Elle le supplia à voix basse de la croire quand elle disait n'avoir aucune idée de ce que Lydia s'apprêtait à faire.

Il s'arrêta, la regarda, lui assura que le but de leur conversation n'était en aucun cas de déterminer si elle s'était rendue complice de prise d'otages et de meurtre.

Elle soutint son regard, lui demanda ce qu'il cherchait alors.

— Rien. Tout.

Des chaises ordinaires, un petit guéridon. Il alla chercher deux cafés. Ils s'installèrent parmi les couples avec enfants. La toile cirée était ornée de poissons.

Elle lui parla de la consigne de la gare centrale, de l'effraction à la cave, du sac ICA qu'elle avait caché dans la corbeille à papier. Il l'arrêta, voulut vérifier le degré de véracité de son récit.

— Quel numéro ?

— De quoi parlez-vous ?

— Du casier.

— Vingt et un.

— Qu'est-ce qu'il contenait ?

— Des affaires à moi, surtout. En général, Lydia demandait de l'argent quand les clients voulaient faire des extras.

— Des extras ?

— Nous frapper. Nous cracher dessus. Nous filmer. Réaliser leurs fantasmes.

Sven Sundkvist déglutit. Il sentit le malaise de la jeune femme.

— Et elle ? Qu'est-ce qu'elle y conservait ?

— De l'argent, justement. Dans une boîte. Et deux cassettes vidéo.

— C'était quoi, ces cassettes ?

— La vérité. C'est comme ça qu'elle les appelait. *Ma vérité.*

— Ce qui veut dire ?

— Elle y racontait tout. Je l'ai aidée, en traduisant. Comment nous étions arrivées en Suède. Les gens qui nous vendaient et nous achetaient comme des marchandises. La raison de sa haine pour le policier qu'elle a tué.

— Nordwall ?

396

— Bengt Nordwall.

Sven Sundkvist ne lui dit pas qu'il était allé à la consigne, qu'il avait regardé leur enregistrement, qu'il s'était installé sur le canapé de son séjour pour les écouter. Il ne lui dit pas que personne ne verrait la cassette trouvée à la morgue, qu'elle avait disparu, qu'un policier avait escamoté leur récit pour protéger un autre policier. Il ne lui dit pas qu'il avait honte. Honte parce qu'il était incapable de dire si ce qu'elles avaient subi comptait davantage que son ami et collègue. Honte parce qu'il ignorait s'il aurait un jour le courage de révéler ce qu'il était le seul à savoir : qu'il existait une copie de la cassette, une autre vérité.

— Je l'ai vu.

— Qui ?

— Je l'ai vu à l'appartement. Bengt Nordwall.

— Vous l'avez vu ?

— Et il m'a vue. Je suis sûre qu'il m'a reconnue. Et qu'il a reconnu Lydia.

Après cela, il eut du mal à l'écouter.

Elle continua de raconter, il continua de lui poser des questions, mais il était ailleurs.

Il était en colère. Comme il ne l'avait jamais été.

Il voulut crier.

Il ne le fit pas.

Il faisait partie des gens ternes, ordinaires.

Il étouffait. Il avait un poids sur la poitrine.

Il continua de faire semblant. Il s'efforça de rester calme, essaya de réprimer sa frayeur devant ce qu'il entendait. Il ne voulait pas lui faire peur. Il comprenait combien cela devait être dur pour elle. Il admirait son courage.

Il cria.

Il lui demanda pardon. Il avait mal, lui expliqua-t-il. Son cri ne s'adressait pas à elle ; il avait mal, là, à la poitrine.

Quand ils prirent le bac pour rentrer à Klaipeda, il savait tout ce qui s'était passé entre sa fuite de l'appartement de Völundsgatan et le moment où on l'avait arrêtée. La colère lui nouait toujours l'estomac. Il avait cependant le sentiment que leur conversation n'était pas terminée. Il lui restait encore des questions. Sur ses trois années en Suède, sur le fonctionnement de ce trafic d'êtres humains. Le sexe d'une femme offert à la vente plusieurs fois par jour pour qu'un type puisse s'acheter une voiture ou garnir son compte en banque.

Il lui demanda s'il pouvait l'inviter à dîner.

Elle sourit.

— Je crois que je suis à bout. Je veux rentrer chez moi. Seulement rentrer chez moi. Cela fait trois ans que je n'ai pas été chez moi.

— Vous ne serez plus jamais importunée par un policier suédois. Je vous le promets.

— Je ne comprends pas. Vous voulez encore savoir des choses ?

— Il y a quelques jours, j'ai vu un diplomate litua-nien. Il était à l'aéroport d'Arlanda quand on a réex-pédié le fameux Dimitri chez lui. Il était désespéré. Il nous a donné un aperçu de l'étendue du phénomène. De ce monde que vous venez de fuir. J'aimerais que vous m'en parliez. Pour mieux comprendre.

— Je suis fatiguée.

— Juste une soirée. Pour parler. Après, ce sera fini.

Il rougit soudain, se rendit compte qu'il exigeait son attention. Qu'il se comportait exactement comme ces hommes suédois qu'elle avait appris à haïr.

— Pardon. Ce n'est pas une invite. Ne le prenez pas ainsi. Je veux vraiment savoir. Et j'ai un fils. Je suis marié.

— Ils le sont tous.

Il passa devant une ancienne brasserie industrielle, regagna l'hôtel Aribò d'un pas vif. Une douche pour se rafraîchir. Il se changea pour la deuxième fois depuis son arrivée.

Elle s'était renseignée auprès de deux vieilles dames qu'ils avaient croisées en quittant le bac. Elles avaient conseillé un restaurant chinois, le Taravos Aniko. C'était copieux et il y avait une cuisine à vue où on pouvait regarder le chef travailler, à condition de trouver une table tout au fond.

Elle y était déjà installée quand il franchit la porte. Portant les mêmes vêtements que tout à l'heure. Elle lui sourit. Il répondit à son sourire. Ils commandèrent de l'eau minérale et deux menus du jour. Entrée, plat principal, tout était déjà décidé : pas besoin de réfléchir.

Elle chercha longtemps ses mots. Il ne voulut pas la bousculer.

Commençant au milieu de son histoire, elle en déroula le fil. Elle l'invita à un voyage à travers un monde qu'il croyait connaître mais dont il ignorait tout. Elle pleura, chuchota, mais finit par parler sans s'interrompre. C'était la première fois qu'elle décrivait à quelqu'un d'autre ce qu'avait été sa vie d'adulte. La première fois qu'elle entendait ses propres mots. Il l'écouta, impressionné par sa force de caractère.

Il attendit qu'elle eût terminé. Qu'elle n'eût plus le courage de poursuivre. Qu'elle se taise, le regard vide.

C'était fini. Elle avait fini. Plus jamais elle ne raconterait son histoire à qui que ce soit.

Sven se pencha vers la sacoche posée à ses pieds.

— Je vous ai apporté quelque chose.

Il ouvrit la sacoche, en sortit une petite boîte marron et deux robes soigneusement pliées.

— Je pense que cela devait appartenir à Lydia.

Elle regarda la boîte, les robes. Elle en connaissait la provenance, mais elle ne put s'empêcher de regarder Sven d'un air interrogateur. Il hocha la tête ; elle avait deviné juste.

— Il est vide maintenant. Le casier. Loué à quelqu'un d'autre. Je suppose que ce sont ses robes. Et son argent. Il y a quarante mille couronnes. En billets de cent.

Alena ne bougea pas, ne dit rien.

— Faites-en ce que vous voulez. Gardez-le ou donnez-le à sa famille.

Elle se pencha en avant, caressa le tissu noir et brillant.

C'était tout ce qui restait de son amie.

— J'y suis allée hier. Je voulais voir sa mère. Lydia parlait souvent d'elle.

Elle baissa les yeux.

400

— Elle est morte. Elle est morte il y a deux mois.

Sven hésita. Il finit par pousser la boîte et les robes sur la table, vers Alena. Il referma sa sacoche, la reposa par terre.

— Je voudrais en savoir davantage sur elle. Sur sa personnalité. Je n'ai vu qu'une femme qui avait reçu trente-cinq coups de fouet et qui ensuite a pris des otages. C'est tout.

Alena secoua la tête.

— Je ne veux plus parler.

— D'une certaine façon, je peux comprendre son geste.

— Ni aujourd'hui, ni plus tard.

Ils restèrent encore un moment sans dire grand-chose. Jusqu'à ce que le garçon leur demande gentiment de partir ; il allait fermer. Ils s'étaient déjà levés lorsqu'un jeune homme d'une vingtaine d'années franchit la porte d'entrée et s'approcha de leur table. Sven l'observa discrètement : grand, blond, bronzé, l'air posé. Pas le genre à chercher la bagarre. Alena alla à sa rencontre, l'embrassa sur la joue, le prit par le bras.

— Janoz. Je suis partie. Et il m'a attendue. Jamais je ne pourrai le remercier assez.

Elle l'embrassa de nouveau, se serra contre lui. Elle raconta comment il l'avait cherchée partout, comment il s'était démené, dépensant tout son argent pour la retrouver.

Elle rit. Pour la première fois de la soirée, elle rit. Sven les félicita ; le malheur s'effaça un bref instant.

— Et Lydia ? Elle n'avait personne ?

— Il s'appelait Vladi.

— Et ?

— Il a dû se faire payer.

Elle ne dit plus rien. Il ne posa pas d'autres questions. Ils se séparèrent devant le restaurant. Sven lui promit encore qu'elle n'aurait plus jamais affaire à la police suédoise.

Elle s'en alla. Au bout de quelques pas, elle se retourna.

— Juste une chose.

— Oui ?

— Notre rendez-vous à l'aquarium. L'interrogatoire. Je ne comprends pas. C'était dans quel but ?

— Il y a eu un crime. Dans ce cas, on fait toujours une enquête.

— Ça, oui, je le comprends. Que vous cherchez à savoir. Mais vous saviez déjà tout.

— Que voulez-vous dire ?

— C'était le même interrogatoire. Les mêmes questions que m'a posées l'autre policier.

— Qui ?

— L'homme âgé. Celui qui était avec vous à l'appartement.

— Il s'appelle Grens.

— C'est ça.

— Le même interrogatoire ?

— Tout ce que je vous ai dit cet après-midi, je le lui avais déjà raconté. Les mêmes questions, les mêmes réponses.

— Tout ?

— Tout.

— Sur l'appel de Lydia ? Sur ce qu'elle vous a dit ?

Sur la cassette que vous êtes allée chercher ? Sur l'arme et l'explosif ? Sur le sac en plastique que vous avez laissé dans les toilettes ?

— Tout.

Il était deux heures lorsqu'il se glissa dans le lit étroit. Il n'avait rien acheté pour Jonas. Il dormirait quelque heures, puis il irait au cimetière de St Johns Lutheran Church mettre un cierge sur la tombe de la mère de Lydia Grajauskas. Ensuite il serait temps de se rendre à l'aéroport et prendre le premier avion pour Stockholm. A la boutique hors taxes il trouverait des friandises. En attendant son vol, il pourrait acheter des pâtes de fruits et des chocolats enveloppés de papier argenté.

Il était couché dans l'obscurité sans bouger. La fenêtre était ouverte.

Klaipeda se taisait.

Il savait qu'il ne lui restait plus beaucoup de temps.

Il devait faire un choix. Il connaissait la vérité. Maintenant il fallait décider ce qu'il en ferait.

DIMANCHE 9 JUIN

En les essayant, il s'était dit que les deux nouvelles, ce n'était vraiment pas ça.

Complètement inexpérimentées, à part ce qui s'était passé dans la cabine du ferry.

Mais elles faisaient des progrès. Elles étaient là depuis trois jours maintenant. Bientôt elles recevraient chacune douze clients par jour. Comme cette folle de Grajauskas et sa copine, avant qu'elles pètent les plombs.

Cela dit, il y avait encore des choses à améliorer. Elles devraient mieux jouer la comédie, se montrer plus convaincantes. L'excitation, c'était important. Quand on paie, on veut se sentir beau, désiré. On veut croire à une vraie relation. Sinon, autant se branler dans les chiottes.

Il les frappait un peu, parfois. Cela les rendait plus dociles. Dans quelques jours, elles arrêteraient peut-être de chialer tout le temps. Il avait horreur de ça. De la morve qui coulait. Les nouvelles, c'était toujours pareil.

Il regrettait la conscience professionnelle de Grajauskas et Sliousareva. Elles savaient s'y prendre.

Mais il était content de ne plus avoir à supporter leurs ricanements. Content de ne pas se faire traiter de salopard dès qu'il levait la main sur elles.

Les premiers clients n'allaient pas tarder.

Dès huit heures, ils seraient là.

Ils arrivaient directement de chez eux, après avoir laissé bobonne à la maison. Elle commençait à grossir et ils avaient envie d'autre chose avant d'aller au boulot.

Aujourd'hui, il allait les observer. Leur faire passer un examen. Pour se rendre compte si elles savaient baiser ou s'il devait encore leur apprendre des choses.

Il commencerait par celle qui occupait la chambre de Grajauskas. C'était exprès qu'il l'avait installée là. Elle lui ressemblait ; comme ça, elle pourrait facilement reprendre ses clients.

Elle se préparait. Exactement comme elle devait faire. En enfilant les sous-vêtements choisis par le client. Jusque-là, c'était parfait.

On frappa à la porte. Elle se regarda dans la glace, se dirigea vers la porte dont la serrure électronique était déverrouillée. Elle l'ouvrit, sourit au client. Un homme en costume gris, avec une chemise bleu clair et une cravate noire.

Son sourire. Elle continua de sourire, même lorsqu'il lâcha sa salive. Son crachat atterrit devant ses pieds, devant ses escarpins noirs.

Il pointa son index vers le sol.

Son doigt bien droit.

Elle se baissa. Tout en continuant de sourire, comme on le lui avait appris. Elle prit appui sur ses bras, s'accroupit, s'affaissa presque. Son nez toucha le sol.

En avalant le crachat, elle sentit le froid du carrelage contre sa langue.

Elle se redressa, ferma les yeux.

Il la gifla du plat de la main. Elle continua à sourire. A sourire au client, comme on le lui avait appris.

Dimitri était satisfait de ce qu'il voyait. Il leva le pouce en direction de l'homme en costume gris. Celui-ci l'imita.

Elle avait réussi son examen.

Il allait pouvoir lui prendre des rendez-vous.

Lydia Grajauskas n'existait plus. Pas même ici.

Il craignait toujours le moment d'atterrir. Le bruit du train d'atterrissage, le sol de plus en plus net à travers le hublot, le contact avec le tarmac. A chaque voyage, sa peur augmentait. Surtout dans un avion comme celui-ci, de trente-cinq places, où on tenait à peine debout. Le temps que l'appareil cesse de rebondir pour se mettre à rouler de façon régulière, il regretta d'y être monté.

Sven Sundkvist respira de nouveau. Il descendit de l'avion, traversa le hall d'arrivée. Une demi-heure en voiture et il serait à Stockholm si la circulation était fluide.

Ses pensées. Impossible de les fixer.

Il avait seize ans, il était avec Anita, il la prenait par l'épaule pour la première fois. Il était dans une cage d'escalier de l'hôpital Söder avec Jochum Lang, qui venait de tuer Hilding Oldéus. Il était dans la morgue, devant le corps de Lydia Grajauskas, allongée auprès de l'homme qu'elle venait de tuer. Il était à Phnom Penh, dans l'orphelinat où ils étaient venus chercher Jonas, dont il deviendrait le père deux semaines plus tard. Il était à Klaipeda, assis dans un restaurant chinois en face d'Alena Sliousareva qui lui parlait de trois années d'humiliations…

Tout, plutôt que de penser à Ewert.

A Sollentuna, des travaux l'obligèrent à ralentir. Plus qu'une seule file et des bouchons à n'en plus finir.

Il rétrograda, resta bloqué, repassa la vitesse supérieure, rétrograda encore, resta de nouveau bloqué. Il observa les autres conducteurs. Assis dans leur voiture en attendant que cela se passe, ils faisaient pareil. Ils regardaient droit devant eux, perdus dans leurs pensées. Sans doute avaient-ils également un Ewert qui les préoccupait.

Il eut un frisson de dégoût.

Il décida de faire un détour, de passer par Eriksberg. C'était là qu'elle habitait. Lena Nordwall.

Le banc était dur. Il lui était déjà arrivé d'y passer des heures en attendant qu'une plaidoirie se termine. Pour l'instant, la salle d'audience était vide. Assis tout au fond, ils attendaient. Malgré l'inconfort, Ewert Grens se plaisait dans cette salle du palais de justice. En y pénétrant, il savait que son enquête y trouverait peut-être son aboutissement.

Il regarda sa montre. Encore cinq minutes. Puis les huissiers ouvriraient les portes, feraient entrer Lang, lui indiqueraient où s'asseoir pendant l'audience qui marquerait sans doute le début d'une longue peine.

Grens se tourna vers Hermansson.

— Contente ?

Il lui avait demandé de l'accompagner. Sven avait disparu et ne répondait pas au téléphone. Bengt était mort. Quant à Lena, il ne savait pas comment la consoler. Il était heureux de se trouver là en compagnie de quelqu'un. Et le quelqu'un en question, c'était Hermansson. Il était bien obligé de l'admettre : c'était une fille bien. Elle aurait dû le mettre hors de lui en insinuant qu'il avait un problème avec les femmes policiers, voire avec les femmes tout court. Mais elle l'avait dit avec un tel calme. Sans doute parce qu'elle avait raison. Il lui demanderait de rester à Stockholm quand son remplacement prendrait fin ; il espérait bien retravailler avec elle, parler encore avec elle. Elle était si jeune ; en y pensant il eut presque honte. Mais ce n'était pas l'histoire d'un vieux type bavant devant une jeunette. Il était surpris de découvrir qu'il existait encore des gens qu'il avait envie de connaître.

— Oui, je suis contente. Je sais que les éléments qu'on a sont suffisants. Et puis, Lang et la prise d'otages : ça valait vraiment le coup de venir à Stockholm.

Sans juges, sans jury, sans procureur, avocats et public, une salle d'audience paraît toute nue. La dramaturgie d'une affaire de justice, le face-à-face entre le criminel et la victime, tout ce qui a pour but de reconnaître et d'évaluer l'infamie : sans cela, c'est mort.

Grens regarda autour de lui. Les boiseries sombres, les vitres sales donnant sur Scheelegatan, le lustre trop beau, l'odeur des vieux recueils de textes de loi.

— C'est étrange, Hermansson. Les professionnels du crime, comme Lang. J'en vois depuis que j'ai commencé à travailler, mais je ne les comprends toujours pas. Ils ont une façon de se comporter pendant les interrogatoires, pendant les procès. Ils se taisent. Quelles que soient nos questions, ils se taisent. « Je ne sais pas. Je ne suis pas au courant. » Ils nient tout. Et je me demande si ce n'est pas une stratégie gagnante. Après tout, c'est à nous de prouver qu'ils ont fait ce dont on les accuse.

Ewert Grens fit un geste vers une porte d'un bois aussi sombre que les murs.

— Dans quelques minutes, Lang va entrer par cette porte. Et il va nous faire son numéro habituel. Il va se taire, nier, murmurer « Je ne sais pas », et c'est pour cela, Hermansson, c'est pour cela qu'il va se faire avoir. Cette fois-ci, son jeu va se retourner contre lui. Ce sera la plus grande erreur de sa vie. Car en réalité, je ne le crois pas coupable. Pas de meurtre, en tout cas.

Elle le regarda d'un air surpris. Il s'apprêtait à continuer lorsque la porte s'ouvrit. Quatre gardiens et deux policiers armés entouraient Jochum Lang. Menotté, il portait la tenue bleue des prisonniers. Lang les vit aussitôt. Ewert Grens lui fit signe de la main en souriant. Il se tourna vers Hermansson en baissant la voix.

— Je viens de lire le rapport technique et le rapport d'autopsie, et je ne pense pas qu'il s'agisse d'un meurtre. Je pense au contraire qu'on ne lui avait rien demandé d'autre que cinq doigts brisés et une rotule écrasée. La mort ne faisait pas partie de sa mission. Il n'avait pas été payé pour cela. Hilding Oldéus est allé tout seul se fracasser contre le mur avec son fauteuil.

Ewert montra ostensiblement Jochum Lang du doigt.

— Regarde-le, cet idiot. En se taisant, il va écoper de

412

dix ans pour meurtre, alors qu'en parlant il aurait pu s'en tirer avec deux pour coups et blessures.

Grens fit de nouveau signe de la main à l'homme qu'il haïssait le plus au monde. Lang le dévisagea aussi intensément que la veille, dans la cellule. Derrière lui, derrière son crâne rasé, le public commença à pénétrer dans la salle. Ågestam apparut en dernier, saluant Ewert Grens d'un signe de tête. Grens se demanda ce que pensait le jeune procureur après leur rencontre de la veille, après le mensonge qu'il lui avait servi. Puis il chassa ces réflexions. Se tournant de nouveau vers Hermansson, il chuchota.

— Je suis sûr de ce que j'avance. Ce n'était pas un meurtre. Mais tu peux me croire : je ne lèverai pas le petit doigt pour empêcher ce qui va se passer. Il va prendre le maximum ! Le maximum !

Dimitri était content. Elles étaient jeunes, avaient le teint frais et baisaient bien. Comme il les avait achetées à crédit, il avait décidé d'arrêter les paiements si elles ne faisaient pas l'affaire.

Mais elles lui convenaient. Et il continuerait de payer.

Le flic n'était plus là. Mais la femme avec qui il travaillait avait fait du bon boulot. Elle lui avait fourni deux nouvelles putes, comme convenu.

Elle l'attendait. Elle voulait le deuxième versement. Les filles valaient trois mille euros chacune. Il lui donnerait un tiers.

Il ouvrit la porte de l'Eden. Une femme nue se frottait contre une poupée gonflable, remuait le bassin, poussait des gémissements, pendant que les spectateurs – des hommes uniquement – se touchaient l'entrejambe.

Elle était assise à l'endroit habituel. Tout au fond, dans un coin, près de la sortie de secours.

Il s'avança vers elle. Ils se saluèrent d'un mouvement de tête.

Toujours le même survêtement. Avec la capuche relevée.

Elle insistait pour se faire appeler Ilona. Il obtempérait, mais cela l'énervait. Ce n'était pas son vrai nom.

Comme d'habitude, ils ne parlèrent pas beaucoup, se limitant à quelques amabilités en russe.

Il lui tendit l'enveloppe avec les billets. Elle ne les compta pas, se contenta de les fourrer dans son sac.

Dans un mois.

Dans un mois, il paierait le solde. Alors elles seraient à lui ; sa propriété, toutes les deux.

Ewert Grens se leva avant la fin des délibérations, fit signe à Hermansson de le suivre et quitta la salle. Il se dépêcha de descendre les escaliers jusqu'au sous-sol, où il prit le couloir menant au garage souterrain. Hermansson lui demanda où ils allaient.

— Tu vas comprendre, répondit-il. Tu vas comprendre tout de suite.

L'effort le fit souffler bruyamment, mais il ne s'arrêta pas avant de retrouver la poussière et les odeurs de moisi du parking. Il jeta un bref regard autour de lui, puis il se dirigea droit vers la porte métallique conduisant aux ascenseurs.

Il ne bougea plus. Il savait qu'ils passeraient

forcément par là, que Jochum Lang devait prendre l'ascenseur pour être reconduit à sa cellule.

Il n'eut pas à attendre longtemps.

Au bout de quelques minutes, ils apparurent tous. Lang, les quatre gardiens et les deux policiers.

Ewert Grens s'avança de quelques pas, demanda qu'on le laisse seul un instant avec Lang. On le lui accorda. Cela ne réjouissait guère le responsable du transfert, mais il connaissait Grens et savait que cela ne servirait à rien de protester.

Ils se dévisagèrent. Grens attendit une réaction, mais il n'y en eut aucune. Toujours menotté, Lang balançait son corps de lutteur d'un pied sur l'autre. Comme s'il hésitait à frapper.

— Espèce d'idiot.

Ils étaient si près l'un de l'autre que Grens put se contenter de chuchoter.

— Tu as refusé de parler. Comme d'habitude. Mais on vient de te coffrer. Et tu n'échapperas pas à une condamnation. Je sais que tu n'as pas tué Oldéus. Mais les gens n'en croiront rien. Si tu continues de te comporter en truand, si tu continues de nier et de te taire, tu es bon pour six ou sept ans de plus. A mon avis.

Ewert Grens fit signe aux gardiens de les rejoindre.

— C'était tout ce que je voulais te dire, Lang.

Jochum Lang resta muet, ne bougea pas, ne le regarda même pas.

Les gardiens ouvrirent la porte. Il s'apprêtait déjà à la franchir lorsque Grens lui cria de se retourner.

Lang obéit. Et il cracha par terre lorsque le commissaire lui demanda s'il se souvenait de sa fouille au corps. S'il se souvenait de s'être moqué de Grens en évoquant son collègue mort. S'il se souvenait d'avoir envoyé des baisers à la ronde. « Tu t'en souviens ? » hurla Grens. Et il lui renvoya ses baisers, faisant claquer sa langue, pendant qu'on poussait Lang vers l'ascenseur.

Sven Sundkvist se gara dans une rue bordée de pavillons mitoyens. Des enfants y jouaient au hockey entre deux buts improvisés. Ils bloquaient la circulation, mais ils s'en foutaient. Sundkvist dut attendre que deux petits de neuf ou dix ans acceptent enfin de se pousser pour le laisser passer.

Il savait désormais. Lydia Grajauskas avait décidé de tuer. Et de se tuer elle-même. Et quand elle avait voulu leur expliquer pourquoi, quand elle avait voulu leur parler de sa honte, Ewert l'en avait empêchée.

Qui lui en avait donné le droit ?

Lena Nordwall était assise dans le jardin, les yeux fermés. Posée sur une table, une radio diffusait de la musique ; l'appareil était réglé sur une station commerciale où le programme était sans cesse interrompu par des jingles et des rappels de la fréquence. Sven n'avait pas vu Lena depuis qu'ils étaient venus lui annoncer la mort de son mari.

Ewert veut protéger la femme et les enfants d'un ami.
Mais il a refusé la parole à une morte.

— Bonjour.

Il faisait chaud. Sven transpirait, alors que Lena affrontait le soleil vêtue d'un pantalon noir, d'un blouson en jean et d'un tee-shirt à manches longues. Elle ne l'avait pas entendu. Il s'approcha. Elle sursauta.

— Tu m'as fait peur.

— Pardon.

Elle écarta un bras, l'invita à s'asseoir. Il prit la chaise qu'elle lui indiquait, la plaça de manière à pouvoir s'installer face à elle en tournant le dos au soleil brûlant.

Ils se regardèrent. C'était lui qui avait téléphoné pour demander s'il pouvait passer ; c'était à lui de commencer.

Il la connaissait à peine. Ils s'étaient souvent vus à l'occasion d'un anniversaire ou d'une fête, mais toujours en compagnie de Bengt et d'Ewert. Elle faisait partie de ces femmes devant lesquelles il se trouvait bête et moche. Elle l'intimidait, lui faisait perdre ses moyens, il ne savait pas pourquoi. Ce n'était pas à cause de sa beauté : en général, cela ne lui posait aucun problème de parler à une belle femme. Mais il émanait d'elle quelque chose qui le faisait se sentir petit et maladroit.

— Je suis désolé si je te dérange.

— Maintenant tu es là, de toute façon.

Il regarda autour de lui. Il avait passé une soirée dans ce jardin. Pour les cinquante ans d'Ewert. Bengt et Lena avaient organisé un dîner d'anniversaire, la seule festivité à laquelle Ewert avait consenti. Jonas était encore petit ; il avait joué sur la pelouse avec les enfants des Nordwall. Sven et Anita étaient les seuls invités. Assis entre eux, Ewert n'avait pas dit grand-chose. Il avait apprécié leur compagnie, Sven s'en était rendu compte, mais il était mal à l'aise dans le rôle de celui que l'on fête.

Elle se frotta les bras par-dessus son blouson en jean.

— J'ai froid.

— Par ce temps ?

— Ça fait quatre jours que j'ai froid. Depuis que vous êtes venus.

Il soupira.

— Pardon. J'aurais dû comprendre.

— Je suis là, chaudement vêtue alors que le soleil brille et qu'il fait trente degrés, et j'ai froid. Tu comprends ça ?

— Oui. Je comprends.

— Je n'aime pas avoir froid.

Elle se leva soudain.

— Tu veux du café ?

— Ce n'est pas la peine.

— Je sais. Tu en veux ?

— Volontiers.

Elle s'éclipsa par la terrasse. Il l'entendit faire couler de l'eau, sortir les tasses du placard. Les petits joueurs de hockey criaient dans la rue ; quelqu'un avait sans doute marqué un but, ou alors il y avait encore un automobiliste qui voulait passer.

Des mazagrans avec du lait qui faisait de la mousse sur le dessus. Des cafés comme ceux que l'on servait dans des endroits où il n'avait jamais le temps d'aller. Il but, le reposa.

— Tu le connais bien, Ewert ?

Elle se tourna vers lui, scruta son visage. Encore ce regard qui le déstabilisait.

— C'est pour ça que tu es venu ? Pour parler d'Ewert ?

— Oui.

— C'est un interrogatoire ?

418

— Pas du tout.

— C'est quoi, alors ?

— Je ne sais pas.

— Tu ne sais pas ?

Elle se frotta de nouveau les bras. Comme si elle avait toujours froid.

— Je ne comprends pas de quoi tu parles.

— Je voudrais bien être plus clair. Mais je ne peux pas. Considère ce que je vais dire comme une réflexion personnelle. Qui n'a rien à voir avec mon travail de policier.

Elle finit son café.

— C'est le plus ancien ami de mon mari.

— Je sais. Mais est-ce que tu le connais vraiment ?

— Ce n'est pas quelqu'un de facile à connaître.

Elle voulait qu'il parte. Elle ne l'aimait pas. Il le savait.

— Je ne te dérangerai pas longtemps. Essaie de répondre.

— Ewert est au courant ?

— Non.

— Pourquoi ?

— S'il avait été au courant, je n'aurais pas eu besoin de tes réponses.

Le soleil était de plomb. La transpiration lui coulait dans le dos. Il aurait préféré s'installer ailleurs, mais il ne bougea pas. La situation était déjà assez tendue.

— Est-ce qu'Ewert t'en a parlé ? De ce qui s'est passé à la morgue ? De ce qui est arrivé à Bengt ?

Elle ne l'écoutait pas. Il le voyait bien. Elle fit un geste vers lui ; sa main resta suspendue dans l'air assez longtemps pour le mettre mal à l'aise.

— Il était assis là.

— Comment ?

— Bengt. Quand vous avez appelé. Pour le faire venir à la morgue.

Il n'aurait pas dû venir. Il aurait dû la laisser tranquille avec sa douleur. Mais il cherchait à retrouver une autre image d'Ewert, une bonne image. Elle pourrait peut-être la lui rendre. Il répéta sa question.

— Est-ce qu'Ewert t'en a parlé ? De ce qui est arrivé à Bengt ?

— Je l'ai interrogé. En dehors de ce que j'ai pu lire dans les journaux, il ne m'a rien appris.

— Rien du tout ?

— Cette conversation ne me plaît pas.

— Tu ne lui as pas demandé pourquoi cette prostituée s'en est prise à Bengt, précisément ?

Pendant un long moment, elle resta silencieuse.

Il avait hésité avant de poser sa question. Celle qu'il était venu lui poser. Maintenant, c'était fait.

— Qu'est-ce que tu dis ?

— Est-ce qu'avec Ewert vous vous êtes demandé pourquoi elle a tué Bengt, précisément ?

— Tu sais quelque chose ?

— Je voudrais bien savoir, justement.

Elle le regarda droit dans les yeux.

— Non.

— Et tu ne t'es pas posé de questions ?

Elles jaillirent tout d'un coup. Ses larmes. Elle se tassait, paraissait toute petite, sa douleur la faisait trembler.

— Je me suis posé des questions. Et je lui en ai posé. Mais il ne m'a rien dit. Rien du tout. C'était un hasard.

C'est ce qu'il a dit. Ça aurait pu être n'importe qui. Et c'est tombé sur Bengt.

Quelqu'un s'approchait dans leur dos. Sven Sundkvist se retourna. C'était une petite fille, plus jeune que Jonas. Cinq ans, peut-être six. Vêtue d'un tee-shirt blanc et d'un short rose, elle sortait de la maison. Elle s'arrêta devant sa mère.

— Qu'est-ce qu'il y a, maman ?

Lena Nordwall se pencha en avant, la prit dans ses bras.

— Rien, ma chérie.

— Tu pleures. C'est à cause de lui ? Il est méchant ?

— Non. Il n'est pas méchant. On bavarde, c'est tout.

La petite silhouette blanche et rose se tourna vers Sven, le regarda avec de grands yeux.

— Maman est triste. Papa est mort.

Il déglutit, essaya de se composer un visage à la fois grave et gentil.

— Je connaissais ton papa.

Sven Sundkvist regarda Lena Nordwall. Depuis quatre jours, elle était seule avec ses deux enfants. Il devinait sa douleur. Il comprenait pourquoi Ewert avait décidé de la protéger. Pourquoi il avait décidé qu'elle ne devait pas connaître la vérité.

Ewert Grens ne pouvait pas attendre le lendemain. Elle lui manquait trop.

C'était dimanche, la circulation était fluide et il eut vite fait de quitter Stockholm. Värtavägen était à peu près désert. Il écoutait Siw sur le lecteur de cassettes de la voiture ; en traversant le pont de Lidingö, il entonna le refrain avec elle et ne fit pas attention à la pluie qui recommençait à tomber.

D'habitude, le parking était vide. Là, il était plein. Ewert pensa d'abord qu'il s'était trompé d'endroit. Puis il se rappela qu'il n'était jamais venu un dimanche, jour des visites.

Un regard surpris l'accueillit à la réception. La jeune fille avait failli ne pas le reconnaître ; il ne devait venir que le lendemain. Il lui sourit, s'amusa de son air perplexe, prit le couloir habituel. Elle cria dans son dos, lui dit d'attendre.

— Elle n'est pas là.

Il ne comprit pas.

— Elle n'est pas là. Elle n'est pas dans sa chambre.

Il s'arrêta net. Elle prit une inspiration avant de continuer et il se sentit mourir. Comme ce jour-là, il y a vingt-cinq ans.

— Elle est sur la terrasse. C'est dimanche, l'heure du goûter. On essaie de le prendre dehors, on est quand même en été et les parasols sont grands.

Il ne comprit pas. La jeune fille lui parlait, mais le sens de ses mots lui échappait.

— Bien sûr, vous pouvez y aller. Ça lui fera plaisir.

— Pourquoi n'est-elle pas dans sa chambre ?

— Pardon ?

— Pourquoi n'est-elle pas dans sa chambre ?

La tête lui tournait. Apercevant une chaise près de la porte d'entrée, il s'y laissa tomber, ôta sa veste, la posa sur ses genoux.

— Vous allez bien ?

La jeune fille s'était agenouillée devant lui.

— Sur la terrasse ?

422

— Oui.

La terrasse en bois était abritée par quatre grands parasols où figuraient des publicités pour des crèmes glacées. Ewert reconnut quelques membres du personnel et la plupart des pensionnaires.

Elle était assise parmi eux, une viennoiserie à la main et une tasse de café posée devant elle. Elle riait comme une enfant, il l'entendait malgré la pluie qui tambourinait contre les parasols et les pensionnaires qui chantaient en chœur. Il les laissa terminer leur chanson – une vieille rengaine d'Ewert Taube – et s'avança vers eux. Il avait eu le temps de se faire mouiller les épaules et le dos.

— Bonjour.

Il venait de saluer une femme en blouse blanche. Une femme souriante qui avait à peu près son âge.

— Bienvenue ! Et un dimanche, en plus !

Elle se tourna vers Anni, qui les regarda sans les voir.

— Anni, tu as une visite.

Ewert s'approcha, lui caressa la joue comme d'habitude.

— Je peux l'emmener ? On a des choses à se dire. J'ai de bonnes nouvelles.

L'aide-soignante se leva, desserra le frein du fauteuil roulant.

— Mais bien sûr. Ça fait déjà un moment qu'on est là. Et quand on a la visite d'un monsieur, il ne faut pas rester avec des vieilles comme moi !

Elle portait une autre robe, rouge, qu'il lui avait achetée il y a longtemps. Il pleuvait toujours, mais moins fort. Pas assez pour la mouiller vraiment pendant qu'ils traversaient la terrasse pour gagner l'auvent devant la porte. Il poussa son fauteuil jusqu'à sa chambre.

Ils s'y installèrent comme d'habitude.

Elle au milieu de la pièce et lui à ses côtés, sur une chaise.

Il lui caressa de nouveau la joue, l'embrassa sur le front. Il lui prit la main, la serra fort et eut presque l'impression qu'elle répondait à son geste.

— Anni.

Il la regarda, voulut être sûr qu'elle le regardait aussi.

— C'est fini.

Il était une heure. Dimitri lui avait permis de se reposer un peu. Elle ouvrait les cuisses depuis ce matin, depuis l'arrivée du premier client. Celui qui laissait tomber sa salive par terre et qui voulait qu'elle l'avale en souriant.

Elle pleurait.

Depuis le premier, elle s'était fait prendre par sept hommes. Et il lui en restait encore quatre. Douze par jour. Le dernier arriverait vers six heures et demie.

Une heure de repos.

Elle était allongée sur le lit de ce qu'elle considérait maintenant comme sa chambre. C'était un bel appartement au sixième étage d'un immeuble résidentiel.

Deux des hommes l'avaient appelée Lydia. Elle leur avait dit que ce n'était pas son nom, mais ils avaient répondu que, pour eux, elle s'appelait comme ça.

Elle avait compris que cette Lydia avait occupé la chambre avant elle. Que c'étaient des clients de Lydia. Et qu'elle en avait hérité.

Dimitri la frappait moins souvent maintenant.

Il disait qu'elle avait fait des progrès. Mais elle devait mieux jouer la comédie, disait-il. Ce n'était pas encore ça ; elle devait gémir quand elle recevait leur organe, crier un peu ; les clients aimaient qu'on fasse semblant, comme ça ils n'avaient pas l'impression de payer.

Elle ne pleurait que lorsqu'elle était seule. Sinon, il la frappait.

Elle disposait d'une heure pour se reposer. Elle avait fermé la porte. Elle allait pleurer jusqu'au moment où il faudrait de nouveau ouvrir, se faire belle, sourire à la glace et se toucher le sexe, comme l'exigeait le client de deux heures.

Ewert Grens était dans son bureau depuis une heure environ. Il ne tenait pas en place, n'arrivait pas à se concentrer. Il était allé aux toilettes, il avait pris un café à la machine du couloir, il était descendu deux fois à la réception pour demander qu'on lui fasse livrer une pizza. Sinon, rien. Il se contentait d'être là, derrière la porte fermée.

Comme s'il attendait quelque chose.

Il dansait avec Siw Malmkvist, il se frottait contre elle en écoutant sa voix de velours.

Il augmenta le volume. C'était bientôt le soir et il n'avait pas vu la journée passer ; la pièce était encore chaude du soleil qui avait frappé la vitre. Il transpirait en suivant des rythmes des années soixante.

Tu me manques, Bengt.

Tu nous as foutus dans la merde.

Tu comprends ça ?

Lena ne sait rien.
Rien du tout.
Tu avais Lena.
Tu avais les enfants.
Tu avais tout !
Il arrêta le lecteur, sortit la cassette.

Pas ce soir. Ce soir, il ne resterait pas ici.

Il quitta la pièce, traversa le couloir désert, ouvrit la porte d'entrée. De l'air frais. Il gagna le parking, sa voiture qu'il ne fermait jamais à clé. Il s'installa au volant, mais sans mettre le contact.

Il allait se promener un peu en voiture. Il ne l'avait pas fait depuis longtemps.

Il était six heures et demie passées et elle avait ouvert les cuisses pour la dernière fois de la journée.

Il avait été rapide. Il ne l'avait pas frappée, il n'avait pas craché. Il l'avait pénétrée par-derrière en lui demandant de chuchoter que cela l'excitait. Elle avait à peine eu mal.

Elle prit une longue douche. Depuis le matin, elle en avait déjà pris plusieurs. C'était là, sous l'eau qui coulait, qu'elle se laissait aller à pleurer.

Dimitri lui avait dit qu'à sept heures elle devait être assise sur son lit, habillée et souriante. La femme qui disait s'appeler Ilona, qui était venue les chercher et qui les avait accompagnés à l'appartement, allait leur rendre visite. Elle voulait s'assurer que tout se passait bien. Dimitri lui avait expliqué que cette femme était encore propriétaire d'elles pour un tiers. Il fallait lui faire bonne impression pendant un mois encore.

Elle était ponctuelle. L'horloge de la cuisine indiquait sept heures moins trente secondes. Elle était vêtue
comme sur le port, avec la capuche de son survêtement
relevée. Même en pénétrant dans l'appartement, elle ne
la rabattit pas.

Dimitri la salua, lui demanda si elle voulait boire
quelque chose. Elle secoua la tête, dit qu'elle était
pressée. Elle voulait simplement inspecter ce qui lui
appartenait encore.

Quand la femme entra dans sa chambre, elle s'efforça
de paraître joyeuse, comme Dimitri le lui avait ordonné.
La femme lui demanda combien de personnes elle avait
servies dans la journée. Douze, répondit-elle. La femme
eut l'air contente. Ce n'était pas mal, dit-elle, pour une
pute balte si jeune.

Elle s'allongea sur le lit et pleura de nouveau. Elle
savait que Dimitri serait furieux, qu'il viendrait la
frapper. Mais elle ne put s'en empêcher. Elle pensa à la
femme en survêtement et aux hommes qui l'avaient
pénétrée, elle se rappela que Dimitri avait expliqué
qu'elles devaient de nouveau faire leurs bagages,
qu'elles iraient s'installer à Copenhague, et elle eut
envie de mourir.

Il roulait sans but depuis près de deux heures. Il avait
tourné dans les rues encombrées du centre-ville, entre
les feux rouges, les gens qui traversaient sans regarder
et les crétins qui ne cessaient de klaxonner. Il avait
franchi Slussen pour s'engouffrer dans Hornsgatan,
Ringvägen, Götgatan, tout ce quartier de Södermalm
censé être si branché, mais qui ressemblait à une petite

ville de province. Il avait longé les belles façades d'Östermalm désert, fait un détour par l'immeuble de Sveriges Television, poussé jusqu'au port de Värtahamnen avec ses gros ferries pleins de putes baltes. Il bâilla. S'engouffra dans Valhallavägen et continua jusqu'au rond-point de Roslagstull. Le bout du monde.

Tous ces gens.

Toutes ces personnes qui allaient quelque part.

Ewert Grens les enviait. Il ne savait pas du tout où il allait.

Il était fatigué. Juste un petit tour encore.

Il prit la direction de Sankt Eriksplan. La circulation avait presque cessé, le soir apportait le calme. Quelques petites rues dans un sens puis dans un autre. Arrivé à l'immeuble du groupe Bonnier, il tourna à gauche, dans Atlasgatan. Il descendit la pente, tourna de nouveau à gauche, se gara devant le portail. En pensant qu'une semaine seulement avait passé, il fut surpris.

Il coupa le moteur.

Tout était silencieux. Autant que peut l'être une grande ville lorsque retombe l'excitation de la journée. Ces rangées de fenêtres. Des appartements avec des rideaux vaporeux et des plantes en pot. C'était là qu'ils vivaient, tous ces gens.

Il resta dans la voiture. Quelques minutes passèrent. Dix, peut-être. Ou soixante.

Elle avait des tuméfactions dans le dos. A cause des coups de fouet. Elle était allongée nue sur le sol, sans connaissance. Dans la pièce à côté, Alena Sliousareva ne cessait de hurler contre l'homme qui avait frappé son amie. Ce salopard de mac de Dimitri.

Bengt était devant la porte depuis une heure.

Grens voyait encore la scène.

Bengt était là.

A ce moment, tu devais déjà savoir.

Grens était resté dans sa voiture.

Pas tout de suite. Encore quelques minutes. Il voulait attendre d'avoir retrouvé son calme. Ensuite il s'en irait. Rejoindre ce qu'il appelait son chez-soi, ce domicile où il évitait le plus souvent de retourner.

Soudain, le portail s'ouvrit.

Quatre personnes apparurent. Il les reconnut.

Deux jours plus tôt il avait raccompagné Alena Sliousareva. Il l'avait vue embarquer sur le ferry qui l'emmènerait à Klaipeda, sur l'autre rive de la Baltique.

Les quatre personnes en question avaient débarqué du même ferry. L'homme portait le même costume. Ce salopard de mac de Dimitri. Après avoir passé le contrôle des passeports, il s'était tourné vers deux jeunes filles, seize ou dix-sept ans. Il avait tendu la main pour récupérer leurs passeports. Leur dette. Une femme en tenue de jogging, la capuche relevée sur sa tête, s'était approchée d'eux, les avait salués tous les trois à la manière balte, en les embrassant légèrement sur la joue.

Maintenant ils franchissaient le portail, juste devant ses yeux. Dimitri d'abord, ses deux nouvelles recrues derrière lui, des sacs de voyage à la main, et enfin la femme se dissimulant sous sa capuche.

Grens ne bougea pas, les suivit des yeux.

Il appela le ministère des Affaires étrangères, parvint à joindre son contact, l'interrogea sur Dimitri Simait.

Ses propres préoccupations lui suffisaient largement.

Mais il voulait savoir si ce salopard jouissait encore d'une immunité diplomatique. Et connaître l'identité de la femme avec qui il travaillait.

Il les coincerait. Tous les deux.

Quand il en aurait terminé avec le reste. Quand Lang serait sous les verrous. Quand on aurait enterré Bengt.

Quand il serait sûr que Lena tiendrait le coup. Sans le mensonge.

La journée s'était terminée sans même qu'il s'en fût rendu compte.

Il s'était réveillé dans un étroit lit d'hôtel à Klaipeda. Il avait quitté Arlanda pour se rendre chez Lena Nordwall, qui avait froid malgré le soleil. Il était passé à son bureau, puis il était allé voir Lars Ågestam, qui l'attendait depuis un moment.

Sven Sundkvist voulait rentrer chez lui.

Il était fatigué, mais les événements de la journée le tracassaient toujours.

Quand il avait quitté le jardin du pavillon d'Eriksberg après sa conversation absurde avec Lena Nordwall, elle avait couru après lui. Il était déjà dans la rue, parmi les enfants qui jouaient au hockey, quand elle l'avait pris par le bras. Respirant avec difficulté, elle lui avait demandé s'il savait qui était Anni. Sven n'en avait jamais entendu parler. Cela faisait dix ans qu'il connaissait Ewert, qu'il travaillait avec lui, qu'il le considérait comme un ami, mais ce nom lui était inconnu. Lena Nordwall lui parla alors d'une époque où Ewert était chef d'une brigade de recherche et d'intervention. Elle lui parla d'Anni, de Bengt et d'Ewert, et lui raconta une arrestation qui avait tourné à la catastrophe.

Tremblant de tout son corps, Sven Sundkvist avait essayé de ne pas bouger.

Il y avait tant de choses auxquelles il ne comprenait rien.

Il ignorait jusqu'à l'adresse d'Ewert. Jamais, pas une seule fois, il n'était allé chez lui. Il vivait quelque part dans le centre de Stockholm, c'était tout ce qu'il savait.

Il avait eu un bref rire, mais son visage était resté grave.

C'était étrange, une amitié si peu réciproque.

Il l'invitait chez lui. Ewert se laissait inviter.

Il croyait au partage, à l'échange d'idées. Ewert se barricadait derrière son droit à l'intimité.

Sven Sundkvist s'était renseigné auprès de la direction des ressources humaines de la police pour savoir où il habitait. Il se tenait maintenant à quelques pas de la porte cochère d'un bel immeuble bourgeois situé dans la partie la plus animée de Sveavägen.

Il y était depuis bientôt deux heures. Il s'était amusé à scruter les fenêtres du quatrième étage ; l'appartement d'Ewert était censé s'y trouver. Mais les fenêtres étaient toutes pareilles. Comme si une seule et même personne occupait tout l'étage.

Ewert arriva peu après huit heures. Toujours aussi massif, avec sa jambe raide qui le faisait boiter. Il ouvrit la porte cochère sans regarder autour de lui et s'engouffra dans l'immeuble.

Sven Sundkvist laissa encore passer dix minutes. Il respira profondément. Il avait le trac. Cela faisait longtemps qu'il ne s'était pas senti aussi seul.

Il sonna. Pas de réponse. Il appuya de nouveau sur le bouton. Plus longtemps.

Il y eut un grésillement. Des doigts maladroits décrochaient l'interphone au quatrième étage.

— Oui ?

Le ton était irrité.

— Ewert ?

— Qui est-ce ?

— C'est moi. Sven.

Silence.

— Ewert, c'est moi.

— Qu'est-ce que tu fais là ?

— Est-ce que je peux monter ?

— Chez moi ?

— Oui.

— Maintenant ?

— Oui.

— Pourquoi ?

— Il faut qu'on se parle.

— On peut se parler demain. Dans mon bureau.

— Ce sera trop tard. Il faut qu'on se parle ce soir. Ouvre-moi.

De nouveau le silence. Il regarda l'interphone, toujours allumé. Cela dura une éternité. C'est du moins ce qu'il ressentit.

Il y eut un déclic. Il tâta la poignée. C'était ouvert.

La voix d'Ewert était difficilement audible.

— Quatrième étage. C'est marqué Grens sur la porte.

La douleur dans le ventre, cette douleur qui l'accompagnait depuis qu'il avait visionné la cassette, était toujours aussi forte.

Il n'eut pas besoin de sonner ; la porte était ouverte.

Il aperçut un vestibule tout en longueur.

— Tu es là ?

— Entre.

Il ne le vit pas, mais c'était bel et bien la voix d'Ewert.

Il franchit le seuil, resta debout sur le tapis.

— Deuxième porte à gauche.

Sven Sundkvist ne savait pas exactement ce qu'il avait imaginé. Pas cela, en tout cas.

Jamais il n'avait vu un appartement aussi gigantesque.

Il regarda autour de lui en parcourant l'interminable hall.

Six pièces, peut-être sept. Des plafonds hauts. Des poêles en faïence partout. Un parquet superbe recouvert d'un tapis épais.

Mais avant tout c'était inhabité.

Sven osait à peine respirer.

Comme s'il dérangeait. Alors qu'il n'y avait personne. Jamais il n'avait vu une telle désolation. C'était si grand, si propre, si désert.

Ewert était assis dans ce qui devait être la bibliothèque. Une pièce un peu moins grande que celles qu'il avait aperçues. Des rayonnages bourrés de livres. Un vieux fauteuil en cuir flanqué d'un lampadaire allumé.

Tout cela, Sven le vit à peine. Son regard fut capté par autre chose. Sur le mur, près de la porte. Un panneau au point de croix où était brodé « Joyeux Noël » en lettres jaunes sur fond rouge. Et deux photos en noir et blanc

434

montrant un homme et une femme d'une vingtaine d'années en uniforme de police.

L'appartement était immense. Mais c'était évident : le panneau de Noël et les deux photos en constituaient le centre.

Ewert le dévisagea en poussant un soupir. D'un geste, il invita Sven à pénétrer dans la pièce. Il poussa le tabouret où il s'était reposé les pieds. Sven le prit et s'y installa.

Il avait interrompu sa lecture quand Sven avait sonné. Cherchant un sujet pour engager la conversation, Sven essaya d'apercevoir le titre de son livre, mais celui-ci était posé sur une petite table d'appoint, la couverture retournée. Il se leva, fit un geste vers le vestibule.

— C'est quoi, cet appartement ?

— Qu'est-ce que tu veux dire ?

— Tu as toujours vécu ici ?

— Oui.

— Je n'ai jamais rien vu de pareil.

— J'y passe de moins en moins de temps.

— Ton hall d'entrée, il est aussi grand que notre pavillon.

Ewert Grens hocha la tête, manifestement impatient de le voir s'asseoir de nouveau. Il se pencha en avant, rouge de colère. Il n'était pas d'humeur à bavarder.

— Nous sommes dimanche soir, n'est-ce pas ?

Sven ne répondit pas.

— Il est huit heures passées, n'est-ce pas ?

La question était purement rhétorique.

— C'est mon droit le plus strict de rester seul, n'est-ce pas ?

Silence.

— Alors, pourquoi viens-tu m'importuner ?

Sven Sundkvist tenta de maîtriser sa respiration. Il connaissait les colères de Grens. Mais sa peur, non. Il en était certain : Ewert ne lui avait jamais montré ses angoisses. Là, derrière l'agressivité, il n'y avait qu'une immense peur.

Il dévisagea son collègue.

— La vérité, Ewert. Tu sais à quel point elle peut être douloureuse ?

Il était resté debout. Peu importe si Ewert voulait qu'il s'assoie. Il se tourna vers la fenêtre, suivit du regard les voitures qui avançaient d'un feu de signalisation à l'autre. Il fit quelques pas, s'appuya contre les rayonnages.

— Je passe plus de temps avec toi qu'avec quiconque. Plus qu'avec ma femme et mon fils. Et ce n'est pas parce que ça m'amuse. C'est parce que je n'ai pas le choix.

Le fixant des yeux, Ewert Grens resta assis, se renversa en arrière.

— Un mensonge, Ewert. Un mensonge énorme.

Toujours immobile, Grens continua de le regarder fixement.

— Tu as menti. Et je veux savoir pourquoi.

Ewert Grens émit un sifflement de mépris.

— Tu me soumets à un interrogatoire ?

—ʼ Tu peux appeler ça comme tu veux. J'aimerais seulement que tu répondes à mes questions.

Il regarda de nouveau par la fenêtre. La circulation se faisait moins dense, les voitures roulaient plus lentement. Il avait hâte de partir. Hâte que ce soit fini.

— J'ai passé deux jours en congé maladie.

— Tu sembles pourtant aller assez bien pour venir m'emmerder avec tes questions.

— Je n'étais pas malade. J'étais en Lituanie. A Klaipeda. Ågestam m'avait demandé d'y aller.

Sven Sundkvist avait prévu la réaction d'Ewert. Celui-ci bondit de son fauteuil en hurlant.

— Ce petit con ! Tu es allé en Lituanie sur son ordre ? Derrière mon dos ?

Sven attendit qu'il eût fini de crier.

— Assieds-toi, Ewert.

— Va te faire foutre !

— Assieds-toi.

Ewert Grens hésita. Il regarda Sven, puis il finit par s'asseoir, posant ses pieds sur le tabouret.

— J'ai vu Alena Sliousareva. Au musée océanographique, un piège à touristes près de Klaipeda. Elle m'a tout raconté. Comment elle est allée à l'hôpital Söder pour remettre l'arme et les explosifs à Lydia Grajauskas.

Sven attendit. Pas de réaction.

— Comment elles ont communiqué avant la prise d'otages. Au moyen d'un téléphone portable.

Il regarda l'homme dans le fauteuil.

Dis quelque chose !

Réagis !

Au lieu de me fixer des yeux.

— Le soir, au moment de nous quitter, il s'est passé un truc bizarre. Elle m'a demandé pourquoi j'étais venu lui poser toutes ces questions. Puisqu'elle y avait déjà répondu. Puisqu'un autre policier suédois l'avait déjà interrogée.

Silence.

— Ne reste pas muet, Ewert !

Rien.

— Dis quelque chose !

Ewert Grens éclata de rire. Il en avait les larmes aux yeux.

— Tu veux que je parle ? Que je te dise quoi ? Vous n'avez rien compris, tous les deux. Espèces de morveux !

Riant de plus en plus fort, il essuya ses larmes avec sa manche de chemise.

— D'Ågestam, ça ne m'étonne pas. Mais toi, Sven ! Te conduire comme un blanc-bec !

Il dévisagea son hôte importun. Celui qui était venu sonner chez lui à huit heures un dimanche soir, violant son droit à la solitude.

Il continua de rire, plus bas maintenant, en secouant la tête.

— Grajauskas, la coupable, est morte. Nordwall, la victime, est mort. Ça intéresse qui de savoir pourquoi et comment ? Personne. Et surtout pas le public, les gens dont les impôts servent à payer ton salaire. Ne te fais aucune illusion là-dessus, Sven.

Sven Sundkvist ne s'était pas éloigné de la fenêtre. Il voulut crier, couvrir cette voix, ne plus l'entendre. Cacher sa peur derrière un surcroît d'agressivité.

— C'est ça ta réalité, Ewert ?

— C'est la tienne, Sven.

— Ça ne le sera jamais. Tu comprends, on a continué de parler. Dans un restaurant, à Klaipeda. Alena Sliousareva m'a raconté les trois années pendant lesquelles on les a trimballées comme des marchandises à travers la Scandinavie, Grajauskas et elle. Les douze clients par jour. La séquestration, l'esclavage, un avilissement dont je croyais tout savoir mais qui dépassait ce que j'avais pu imaginer. Le Rohypnol pour tenir le coup, la vodka pour oublier, pour continuer de vivre avec la honte, pour ne pas se laisser submerger par elle.

Ewert se leva, se dirigea vers la porte. Il fit signe à Sven de le suivre.

Sven hocha la tête mais tarda à bouger. Il regarda de nouveau les deux photos. Deux jeunes gens pleins d'espoir. C'était le regard de l'homme qui le fascinait ; il ne put en détacher ses yeux. Un regard vivant, différent. Un regard qu'il ne connaissait pas.

Il jurait avec cet appartement.

Il était joyeux, plein de désirs.

Ici, c'était le vide. Comme si le temps s'était arrêté.

Il se détourna des photos, quitta la pièce, traversa le hall, passa devant deux portes, en franchit une troisième. Celle de la cuisine. Le genre de cuisine dont rêvait Anita. Assez grande pour y vivre et recevoir des amis.

— Tu as faim ?

— Non.

— Du café ?

— Non.

— Alors je vais en prendre un tout seul.

De l'eau dans une casserole sur la cuisinière. La plaque électrique rougeoyait.

— Ton café, je n'en ai rien à foutre, Ewert.

— Tu n'es pas supérieur aux autres, Sven.

Sven Sundkvist se tut, chercha à rassembler ses forces. Il fallait s'armer de courage, en finir avec cette histoire.

— Elle m'a raconté comment elles sont arrivées en

Suède. Une longue traversée en bateau. Elle m'a dit qui les avait recrutées. Et je sais, Ewert, je sais que tu sais de qui il s'agit.

Ewert Grens éteignit la plaque, versa l'eau dans une tasse. Deux mesures de café soluble. Puis il tourna la petite cuillère.

— Ah bon ?

— Ce n'est pas vrai ?

Grens prit sa tasse, alla s'installer dans le coin-repas, une table ronde entourée de six chaises. Il était cramoisi. Sven se demanda si c'était de colère ou de peur.

— Tu comprends, Ewert ? Ce n'était pas suffisant. Le Rohypnol et la vodka, ce n'était pas suffisant. Alors elles ont inventé autre chose. Lydia Grajauskas n'avait pas de corps. Elle ne le sentait plus. Quand on la pénétrait, ce n'était pas son corps à elle.

Ewert Grens contempla sa tasse de café, en but la moitié, ne dit rien.

— Pour Alena Sliousareva, c'était le contraire. Elle avait un corps, elle sentait que des hommes la prenaient. En revanche, elle ne voyait pas leur visage. Ils n'en avaient pas.

Sven s'avança d'un pas, s'empara de la tasse d'Ewert, l'obligea à lever les yeux.

— Mais tout ça, tu le sais déjà, n'est-ce pas ? Elles le disent sur la cassette.

Grens regarda sa tasse, la main de Sven. Il continua de se taire.

— J'ai relu tout le dossier. Je savais qu'il y avait quelque chose qui clochait. La cassette était dans son sac en plastique. Je la voyais sur les photos des techniciens. J'ai appelé Nils Krantz, qui m'a dit qu'il te l'avait donnée.

Ewert Grens tendit la main pour récupérer sa tasse. Il but le reste de son café, demanda encore à Sven s'il en voulait. Sven refusa de nouveau. Ils se dévisageaient par-dessus le plan de travail plein de couteaux, de louches et de planches à découper.

— Ta télé, elle est où ?

— Pourquoi ?

Sven quitta la cuisine, se dirigea vers la porte d'entrée. Il revint avec sa sacoche.

— Elle est où ?

— Là.

Ewert fit un geste vers une des pièces en face. Sven sortit dans le vestibule, demanda à Ewert de le suivre.

— On va regarder une vidéo.

— Je n'ai pas de magnétoscope.

— Je m'en doutais. J'en ai apporté un. Portable.

Il le déballa, le connecta au poste de télévision d'Ewert.

— On va regarder ça. Ensemble.

Ils s'installèrent chacun dans un coin du canapé. La télécommande à la main, Sven lança la cassette qu'il venait d'introduire dans l'appareil.

Un scintillement blanc. La guerre des fourmis.

Sven se tourna vers Ewert.

— On dirait qu'il n'y a rien dessus.

Grens ne répondit pas.

— Et c'est normal. Puisque ce n'est pas la cassette que t'a donnée Nils Krantz.

Ce sifflement. Ce bruit énervant. A vous broyer l'esprit.

— Je le sais. Nils Krantz m'a confirmé que la cassette qu'il t'a remise avait servi. Il y avait de la poussière dessus, et les empreintes digitales de deux femmes. Sur celle-ci, il n'y a probablement que les tiennes et les miennes.

Ewert Grens se détourna, n'eut plus le courage de regarder son subordonné.

— Je suis curieux de savoir ce qu'on avait enregistré sur l'autre cassette.

Sven coupa le son.

— Bon. Puisque tu ne veux pas comprendre, j'insiste. Qu'y avait-il de si terrible sur l'autre bande pour que tu sois prêt à sacrifier trente-trois ans de carrière ?

Sven Sundkvist se baissa, sortit une autre cassette de sa sacoche. Après avoir éjecté la cassette vierge, il glissa la nouvelle dans l'appareil.

Deux femmes. Floues. L'opérateur déplace latéralement la caméra et tourne l'objectif.

Les femmes semblent avoir le trac. Elles attendent qu'on leur fasse signe de commencer.

La blonde, le regard apeuré, dit d'abord deux phrases en russe. Puis elle se tourne vers la brune, qui traduit.

Elles affichent une mine grave, leur voix est tendue ; c'est la première fois qu'elles parlent devant une caméra.

Elles parlent pendant vingt minutes.

Leur récit couvre trois années.

Regardant droit devant lui, Sven attendait la réaction d'Ewert.

Elle vint, mais tardivement. Quand les deux femmes eurent fini.

Il pleura.

Il se cacha le visage dans les mains et donna libre cours aux larmes qu'il avait accumulées pendant trente ans. Les larmes dont il avait si peur. Comme si elles risquaient de le vider de sa substance, de le dissoudre.

Sven n'eut pas la force de le regarder. De le voir dans cet état. Le malaise, la colère le lancinaient. Il se leva, se dirigea vers le magnétoscope, sortit la cassette et la posa sur la table.

— Tu n'as escamoté qu'un seul exemplaire.

Il tripota la cassette, la fit glisser vers Ewert.

— J'ai relu les procès-verbaux des interrogatoires. Gustaf Ejder parlait de deux cassettes. Et d'un casier à la consigne de la gare centrale.

Ewert prit une profonde inspiration. Il leva les yeux vers Sven, mais ne dit rien. Il pleurait toujours.

— J'y ai trouvé celle-ci.

Sven continua de pousser la cassette, la fit passer devant le vase de fleurs, ne s'arrêta que lorsqu'elle fut devant Ewert. Sa colère, il fallait qu'elle sorte.

— Comment peux-tu leur dénier le droit de parler ? Leur droit le plus élémentaire ? Pour protéger ton meilleur ami !

Ewert regarda la cassette, la souleva, toujours sans rien dire.

— Et ce n'est pas tout. Tu commets un crime ! Tu fais disparaître des pièces à conviction, tu protèges une criminelle en la renvoyant chez elle. Parce que tu as peur de ce qu'elle pourrait révéler. Tu es prêt à aller jusqu'où ? A sacrifier quoi ?

Ewert tripota le boîtier en plastique.

— Pour ça ?

— Oui.

— Tu crois que c'était pour moi ?

— Oui.

— Comment ?

— Je pense que tu l'as fait pour toi.

— Qu'elle soit veuve, ça ne suffit pas ? Il faudrait en plus qu'elle découvre ça ? Les mensonges de son mari !

Il flanqua la cassette sur la table.

— Elle se retrouve seule, ça devrait suffire ! Qu'est-ce que tu veux qu'elle fasse de ça ? Elle ne doit jamais l'apprendre.

Sven Sundkvist n'en pouvait plus.

Il avait affronté son ami. Il l'avait vu pleurer. Il savait ce qu'il endurait depuis vingt-cinq ans. Il voulait s'en aller. Cette journée, il était temps qu'elle se termine.

— Alena Sliousareva.

Il se tourna vers Grens.

— Elle parlait de *sa honte*, Ewert. Celle dont elle avait essayé de se laver douze fois par jour. Mais ça !

Sven frappa contre l'écran, contre ce qui venait d'y défiler.

— Ça, c'est parce que toi, tu as manqué de courage. La culpabilité, ça vient de ce que tu as fait aux autres. La honte, ça vient de ce que tu as fait à toi-même. La culpabilité, on peut vivre avec. La honte, non.

Ewert se taisait, regardait cet homme qui n'arrêtait pas de lui parler.

— Tu t'es senti coupable d'avoir laissé Bengt entrer

dans la morgue. De l'avoir envoyé à la mort. Ça, on peut le comprendre. Le sentiment de culpabilité, on peut toujours le comprendre.

Sven éleva la voix. Comme on le fait parfois pour cacher qu'on commence à faiblir.

— Mais la honte, Ewert, la honte, on ne peut pas la comprendre. Tu as eu honte parce que Bengt t'avait trompé. Honte d'être obligé de dire à Lena ce que son mari était devenu.

Il poursuivit, plus fort encore.

— Tu n'as pas voulu protéger Lena, Ewert. Tu as simplement cherché à te dérober. A échapper à ta honte.

Dehors, il faisait étrangement froid.

Juin était pourtant censé être un des mois les plus chauds de l'année. Il attendait au feu rouge devant l'immeuble d'Ewert Grens, sur Sveavägen. Le feu mettait un temps fou à passer au vert.

Il s'était délivré du mensonge.

L'histoire de deux êtres humains. Que l'on avait effacée pour en protéger un troisième.

Bengt Nordwall. Une ordure. Une ordure jusque dans la mort. Même nu, un pistolet contre la tempe, il était resté une ordure. Il avait nié la honte de Grajauskas. Et Ewert avait pris le relais. A sa honte, il avait substitué un scintillement blanc. La guerre des fourmis.

Le feu passa enfin au vert. Il traversa Sveavägen, se dirigea vers le nord, marcha sans but précis. Longea le parc de Vanadislunden, bifurqua vers la tour de la fondation Wenner-Gren, continua jusqu'à Haga.

Lydia Grajauskas était morte. Bengt Nordwall était mort.

Ewert avait raison.

Plus de victime. Plus de coupable.

Il aimait bien le parc de Haga. Si proche du centre, si calme. Un homme appelait en vain un berger allemand en liberté, un couple se bécotait dans l'herbe. Sinon, c'était désert. Aussi vide que seule une grande ville peut l'être pendant les vacances, quand la vie se réfugie ailleurs.

Personne ne parlait au nom des morts. Du moins, plus maintenant. Il respirait avec difficulté. A quoi cela lui servirait-il de dénoncer le meilleur policier qu'il eût jamais rencontré ? Les vivants, de quel droit les harceler ? Ewert Grens, par exemple. Mais quel Ewert Grens ? Celui qui travaillait à l'hôtel de police ou celui qui tournait en rond dans sa solitude ?

Le lac. Il y était. Le soleil bas se reflétait dans l'eau.

Sven Sundkvist avait toujours sa sacoche à la main. Un magnétoscope, quelques documents, deux cassettes. Il l'ouvrit, sortit la cassette qu'il avait trouvée dans le casier 21 de la gare centrale. Il la flanqua par terre, la piétina jusqu'à briser le boîtier en plastique, la ramassa et se mit à tirer sur la bande magnétique. Mètre après mètre, il l'arracha comme on arrache le ruban d'un paquet-cadeau.

Les eaux de Brunnsviken étaient immobiles. D'un calme comme on en voyait rarement.

Il fit quelques pas, entortilla la bande autour de la cassette, leva le bras et balança le tout dans le lac, aussi loin que possible.

Il se sentit à la fois lourd et léger. Il pleura un peu. Sur Lydia Grajauskas, sur lui-même. Il se voyait faire exactement ce qu'il avait condamné. Il lui déniait le droit de parler.

Ågestam ne saurait jamais ce qu'avait raconté Alena Sliousareva.

Il eut honte.

Trois ans plus tôt

L'appartement est petit. Deux pièces et une cuisine.

Ils y vivent à cinq : sa grand-mère, sa mère, son grand frère, sa petite sœur et elle. Jusqu'ici, cela lui a paru normal. C'est comme ça depuis toujours.

Elle a dix-sept ans.

Elle s'appelle Lydia Grajauskas.

Elle aspire à autre chose.

Elle voudrait une chambre à elle, une vie à elle. Ici, on est trop à l'étroit. Elle est une femme maintenant. En tout cas, elle le sera bientôt. Elle n'est plus une enfant, il lui faut de l'espace.

Il lui manque.

Elle pense souvent à lui. A papa. Il était si intelligent. Elle a l'impression qu'il est encore là.

Elle a posé des questions, ça oui, mais elle n'a toujours pas compris pourquoi il devait mourir.

C'est surtout leurs promenades qui lui manquent. Sa main quand il lui prenait la sienne, quand ils allaient loin, quand ils parlaient du jour où ils quitteraient

Klaipeda. Ils poussaient jusqu'aux quartiers périphériques, comme elle le fait avec Vladi. Puis ils se retournaient pour regarder la ville. Pour la regarder vraiment. Et alors il chantait. Des chansons qu'il avait apprises tout petit et qu'elle n'avait jamais entendu quelqu'un d'autre chanter. Ils rêvaient d'une autre vie. Ils partageaient leurs rêves.

Cet appartement, il est trop petit. Il y a trop de monde. Toujours quelqu'un.

Elle pense à la soirée de la veille. Aux hommes qui sont venus au café.

Elle ne les avait jamais vus. Ils étaient polis. Ils avaient dit bonjour à Vladi. Son Vladi qui était avec elle depuis toujours. Vladi qui était allongé avec elle sur le canapé quand la police militaire avait enfoncé la porte, quand les flics avaient maintenu papa au sol en criant « *Zatknis* ». Les deux hommes avaient souri en commandant chacun un café et un sandwich. Ils parlaient russe, mais le plus âgé avait un accent. Il devait être suédois ou danois.

Ils étaient restés longtemps. Elle leur avait resservi du café deux fois. Puis Vladi était parti. Ils avaient bavardé avec elle. D'abord quelques mots. Mais quand les clients avaient commencé à se faire rares, ils lui avaient demandé comment elle s'appelait, depuis combien de temps elle travaillait ici, combien on gagnait comme serveuse de café. Ils étaient sympas. Pas collants, comme certains. Ils n'avaient pas cherché à la draguer. Elle s'était assise un moment à leur table.

Normalement c'était interdit, mais il n'y avait personne et elle n'avait pas grand-chose à faire.

Ils avaient parlé de plein de choses. Vraiment. C'était incroyable, deux hommes aussi gentils. Elle avait beaucoup ri. Cela ne lui était pas arrivé depuis longtemps. A la maison on ne riait pas souvent.

Ils sont revenus.

Aujourd'hui, alors qu'elle s'apprêtait à fermer, les deux hommes sont revenus. Elle sait maintenant qu'ils s'appellent Dimitri et Bengt. Dimitri habite Vilnius et Bengt est suédois. Il est policier et il est venu à Klaipeda pour une enquête.

Apparemment, ils se connaissent depuis longtemps. Elle pense que Dimitri doit faire partie de la police lituanienne, mais elle n'en est pas certaine.

Ils étaient toujours aussi sympas. Quand elle leur a parlé de son salaire, ils se sont montrés effarés. Ils l'ont comparé avec ce qu'elle gagnerait en Suède. Vingt fois plus. Chaque mois. Elle n'en revient pas. Vingt fois plus !

Elle leur a parlé de ses rêves. Du minuscule deux-pièces, de ses promenades avec Vladi, de Klaipeda qui lui paraît si petit.

Ils ont encore commandé des sandwiches. Ils l'ont invitée à s'asseoir avec eux.

De nouveau, elle a beaucoup ri. Ça lui a fait du bien. Comme si le rire la nettoyait.

Trois jours de suite.

Elle les attendait presque. Elle leur a apporté du café et des sandwiches avant même qu'ils commandent.

La veille, ils lui ont demandé s'ils pouvaient l'aider. Si elle voulait, ils s'occuperaient de tout. De lui trouver un travail en Suède, où elle gagnerait vingt fois ce qu'elle gagne ici.

Elle a ri en les traitant de fous.

Aujourd'hui, c'est elle qui pose la question. Comment faire ?

Il lui faut un passeport. Qui la vieillit de quelques années. Ils peuvent lui en procurer un ; ce n'est pas gratuit, mais ils avanceront l'argent. Elle les remboursera quand elle aura touché son salaire.

Ils ont déjà aidé d'autres jeunes filles lituaniennes à trouver du travail en Suède. Des filles que Lydia ne connaît pas. Elle leur a demandé comment elles s'appelaient, mais leurs noms ne lui disent rien. En Suède, il y a une femme qui travaille avec eux. Grâce à elle, les jeunes filles sont très bien accueillies.

Ce soir, ils restent tard. Elle leur offre le café.

Ils lui expliquent qu'elle n'a pas besoin de se décider tout de suite. Il faut qu'elle soit sûre d'elle. Mais si vraiment elle veut partir, ils se débrouilleront pour qu'elle ait son passeport avant leur départ pour Stockholm, dans deux jours. Comme ça, ils partiront tous ensemble.

Il fait chaud quand elle arrive sur le port. Vladi lui tient la main ; il semble heureux pour elle. La pluie a enfin cessé, le soleil est apparu et il n'y a presque pas de vent. Elle a préparé un sac de voyage. Des vêtements, quelques photos, son journal intime, les quelques affaires de toilette qu'elle a osé prendre.

Elle n'a rien dit.

Maman n'aurait pas compris. Les rêves, elle ne sait pas ce que c'est.

Elle l'appellera en arrivant. De son travail. Elle lui enverra de l'argent. Chaque mois. Alors elle comprendra. Elle comprendra de quoi il s'agit. Une autre vie.

Ils se sont donné rendez-vous au terminal. Devant l'entrée.

Elle les aperçoit de loin. Dimitri, qui est brun, qui porte un costume gris. Bengt, qui est blond, plus petit, avec des yeux gentils. Bengt donne une enveloppe à Vladi. Elle voit Vladi la prendre, il paraît content, mais il évite son regard. Il la serre dans ses bras, puis il s'en va. Une autre jeune fille est venue les rejoindre. Brune, du même âge qu'elle. Elle a l'air sympa.

Elles se présentent. L'autre s'appelle Alena. Elle a également un faux passeport et un sac de voyage.

Le ferry est beau. Jamais elle n'est montée à bord d'un bateau aussi grand. Il y a beaucoup de Suédois, quelques Lituaniens et d'autres voyageurs qu'elle a du

456

mal à situer. Elle sourit en gravissant la passerelle, en laissant derrière elle sa vie d'avant.

Elle partage une cabine avec Alena.

Elles ont vite fait connaissance. Alena est vive, curieuse, elle sait écouter. Elle rit beaucoup et son rire est contagieux. Elles se sentent légères ; elles sont en route vers l'avenir.

Bientôt elles vont aller dîner.

Mais d'abord elles doivent retrouver Dimitri et Bengt. Ensuite ils iront ensemble jusqu'au restaurant, tous les quatre.

Elles frappent à la porte.

Elles attendent.

C'est Bengt qui leur ouvre. Il sourit, leur fait signe d'entrer. Elles se regardent, un peu gênées. Se retrouver dans une cabine avec deux hommes, ça leur paraît bizarre.

Puis tout se brise.

Le temps d'un souffle.

Il n'en faut pas plus.

Les deux hommes lèvent la main, les giflent violemment.

Ils les frappent jusqu'à ce qu'elles tombent.

Ils leur arrachent leurs beaux vêtements, les déchirent, leur enfoncent le tissu dans la bouche.

Ils les forcent à ouvrir les cuisses, les pénètrent brutalement.

Lydia se souviendra toujours du bruit. De son haleine contre son visage.

Cette nuit-là, elle ne dort pas. Allongée sur sa couchette, elle serre son oreiller dans ses bras.

Ils ont crié. Ils l'ont frappée. Ils lui ont mis le métal froid d'un pistolet contre la tempe en lui expliquant qu'elle avait le choix : se taire ou mourir.

Elle ne comprend pas.

Elle veut rentrer chez elle.

Alena est allongée sur la couchette inférieure. Elle pleure un peu moins fort. Elle ne dit rien. On ne l'entend plus.

Lydia regarde son sac. Il est posé par terre, près du lavabo. Elle l'a préparé sans parler à personne. Elle est partie de chez elle il y a moins de vingt-quatre heures.

Elle entend les vagues frapper la proue. Elle les entend à travers le hublot qu'elle peut ouvrir, mais qui est trop étroit pour la laisser passer.

Leur voyage se termine le lendemain matin.

Elle reste couchée.

Elle n'ose pas bouger.

Elle essaie de ne pas faire attention aux hommes qui tambourinent sur la porte en criant qu'il faut se lever, qu'il est temps de débarquer.

Dimitri marche devant elle. Bengt la suit. Elle doit se diriger vers la sortie, franchir le contrôle des passeports.

Elle a envie de crier.

Mais elle n'ose pas.

Elle se rappelle les gifles. La douleur dans le bas-ventre quand ils continuaient à la pénétrer alors qu'elle les avait suppliés d'arrêter.

Le terminal est grand. Plus grand que celui de Klaipeda. Des gens qui se retrouvent, qui s'embrassent, qui sont contents de se revoir.

Elle ne ressent rien.

Seulement de la honte.

Elle ne sait pas pourquoi.

Elle montre son passeport à un homme en uniforme derrière une vitre. *Se taire.* L'homme le feuillette, la regarde, hoche la tête. *Ou mourir.* Elle passe. Alena tend le sien.

Au portillon, Dimitri se tourne vers elle, lui ordonne de lui remettre son passeport. C'est sa reconnaissance de dette ; dès maintenant elle doit commencer à rembourser.

Elle n'entend pas ce qu'il dit.

Autour d'eux, les gens s'en vont, le vaste hall se vide petit à petit. Ils restent près du kiosque à journaux, à l'écart du contrôle des passeports.

Au bout d'un moment, elle arrive. La femme qu'ils attendent. La femme qui travaille avec Dimitri et Bengt.

Elle est en tenue de jogging. La capuche grise relevée sur sa tête. Elle est assez jeune. Elle sourit à Dimitri, lui fait la bise, embrasse Bengt sur la bouche. Comme s'ils étaient en couple. Elle se tourne vers Lydia et Alena, dit

459

quelque chose qu'elles ne comprennent pas. Ce doit être du suédois.

— Alors c'est vous deux. Nos nouvelles putes baltes.

Elle s'approche, embrasse Lydia et Alena sur la joue. Elles essaient de répondre à son sourire.

Elles ne remarquent pas que Bengt Nordwall se penche vers la femme, qu'il lui caresse doucement le visage à moitié dissimulé par la capuche en chuchotant :

— Tu m'as manqué, Lena.

En revanche, elles entendent les mots de la femme. Souriant toujours, elle s'adresse maintenant à elles en russe.

— Bienvenue en Suède. J'espère que vous vous y plairez.

Postface des auteurs

Box 21 décrit une réalité qui existe autour de nous : celle des femmes considérées comme une marchandise, comme un investissement devant générer du profit. Une réalité que l'on peut découvrir dans l'appartement d'à côté si on est prêt à payer.

Ce livre décrit aussi la honte qui nous pousse à réagir. Celle que nous extériorisons ou intériorisons, contre laquelle nous luttons, à laquelle nous tentons d'échapper, que nous essayons de comprendre.

Toute forme de honte collective nous paraît suspecte. Et pourtant : en tant qu'hommes nous avons honte de ceux qui testent sexuellement ces jeunes femmes, qui les menacent, qui parviennent à éprouver du plaisir alors qu'elles se déshabillent sous la contrainte.

Bien entendu, certains détails ne sont pas tout à fait exacts.

Nous avons déplacé la morgue, inversé des étages de l'hôpital et inventé des bureaux au commissariat de police de Stockholm.

C'est la loi du genre dans un roman où l'histoire est plus importante que la géographie.

Tous nos remerciements à :

— Damila et Irena, qui nous ont raconté l'enfer de la prostitution à Vilnius ; nous espérons qu'elles sont toujours en vie ;

— Mia, Sally, Nilla et Viv, qui se prostituent dans des appartements en Suède et qui nous ont expliqué ce qu'on ressent quand on vous achète ;

— Lasse Lagergren et Håkan Sandler, pour leur connaissance du corps humain, mort ou vivant ;

— le commissaire Jan Stålhamre, pour ses renseignements sur le travail de la police ;

— les commissaires Kajsa Wahlberg et Karin Svedlund, respectivement chef et enquêteur du groupe de lutte contre le trafic d'êtres humains, pour leurs connaissances en la matière ;

— Anders Göransson, qui parle bien mieux le russe que nous ;

— Rolle Eriksson, qui nous a décrit l'odeur d'une cellule de prison ;

— Fia Svensson, notre première lectrice, pour avoir lu et relu le manuscrit en nous donnant son avis ;

— Eric Thunfors, pour sa couverture qui nous plaît tant ;

— Astrid Sivander, à qui aucun détail n'a échappé ;

— Niclas Salomonsson, notre agent, pour le courage et la force qu'il nous a donnés ;

— Mikael Nyman, Ewa Eiman, Vanja Svensson,

Anna Nyman et Jan Guillou pour leurs avis de lecteurs éclairés ;

— Anna Borné Minberger, Mattias Boström, Lotta Byqvist Lennartson, Cherie Fusser, Madeleine Lawass, Anna Carin Sigling, Ann-Marie Skarp et Boel Wikberg, de Piratförlaget, pour leur professionnalisme jamais pris en défaut ;

et tout particulièrement à

— Sofia Brattselius Thunfors, notre éditrice.

Au nom de ma fille

Policier

ROSLUND
&
HELLSTRÖM

La Bête

POCKET

Certains crimes méritent-ils
vengeance ?

(Pocket n° 14255)

Lorsque Bernt Lund parvient à s'évader du quartier pour délinquants sexuels de la prison d'Aspsås, le commissaire Ewert Grens et son adjoint Sven Sundkvist, de la police de Stockholm, craignent le pire. Lund a en effet violé et assassiné deux fillettes, sans jamais manifester le moindre remords. Leurs peurs se révèlent fondées : le corps d'une enfant est retrouvé peu de temps après dans un bois, portant la signature de Lund. Fredrik, le père de la petite victime, décide alors de se faire justice lui-même...

Il y a toujours un Pocket à découvrir

Composé par Facompo
à Lisieux, Calvados

Imprimé en Espagne par
LIBERDÚPLEX
à Sant Llorenç d'Hortons (Barcelone)
en août 2011

POCKET – 12, avenue d'Italie – 75627 Paris cedex 13

N° d'impression : 24739
Dépôt légal : septembre 2011
S21442/01